Sous la direction de

Arthur AMYOT, Jean LEBLANC et Wilfrid REID

PSYCHIATRIE – PSYCHANALYSE

Jalons pour une

fécondation réciproque

 gaëtan morin
éditeur

gaëtan morin éditeur
C.P.965, CHICOUTIMI, QUÉBEC, CANADA
G7H 5E8   TÉL.:(418)545·3333

ISBN 2-89105-154-8

Dépôt légal 2e trimestre 1985
Bibliothèque nationale du Québec
Bibliothèque nationale du Canada

TOUS DROITS RÉSERVÉS
© 1985 gaëtan morin éditeur ltée
123456789 98765

Révision linguistique: Marie-Josée Drolet

Distributeur exclusif pour l'Europe et l'Afrique :
Éditions Eska S.A.R.L.
30, rue de Domrémy
75013 Paris, France
Tél. : 583.62.02

On peut se procurer nos ouvrages chez les diffuseurs suivants :

Algérie

Entreprise nationale du livre
3, boul. Zirout Youcef
Alger
Tél. : (213) 63.92.67

Espagne

DIPSA
Francisco Aranda n° 43
Barcelone
Tél. : (34-3) 300.00.08

Portugal

LIDEL
Av. Praia de Victoria 14A
Lisbonne
Tél. : (351-19) 57.12.88

Algérie

Office des publications
   universitaires
1, Place Centrale
Ben-Aknoun (Alger)
Tél. : (213) 78.87.18

Tunisie

Société tunisienne
   de diffusion
5, av. de Carthage
Tunis
Tél. : (216-1) 255000

et dans les librairies universitaires des pays suivants :

Algérie	Côte-d'Ivoire	Luxembourg	Rwanda
Belgique	France	Mali	Sénégal
Cameroun	Gabon	Maroc	Suisse
Congo	Liban	Niger	Tchad

À notre collègue et ami,
le Dr Camille Laurin,
pour nous une source
toujours renouvelée
de stimulation.

Liste des auteurs

Amyot, Arthur, m.d. C.S.P.Q., C.R.C.P.(c)

— Psychiatre au Pavillon Albert-Prévost de l'hôpital du Sacré-Coeur, Montréal ;
— Professeur agrégé de l'Université de Montréal ;
— Directeur du Département de psychiatrie de l'Université de Montréal ;
— Psychanalyste, membre de la Société canadienne de psychanalyse.

Leblanc, Jean, m.d., C.S.P.Q., C.R.C.P.(c)

— Psychiatre au Pavillon Albert-Prévost de l'Hôpital du Sacré-Coeur, Montréal ;
— Professeur adjoint de clinique à l'Université de Montréal.
— Psychanalyste, membre de la Société canadienne de psychanalyse.

Reid, Wilfrid, m.d., C.S.P.Q., C.R.C.P.(c)

— Psychiatre, coordonnateur de l'enseignement au Pavillon Albert-Prévost de l'Hôpital du Sacré-Coeur, Montréal ;
— Professeur adjoint de clinique au Département de psychiatrie, Université de Montréal ;
— Psychanalyste, membre de la Société canadienne de psychanalyse.

Bergeret, Jean, m.d., S.H.D.

— Psychothérapeute de l'Hôpital du Vinatier ;
— Professeur à l'Université LYON II ;
— Directeur du Centre National de Documentation sur les toxicomanies ;
— Président de l'Institut de Psychanalyse de Lyon.

Bullard, Dexter M. Jr, m.d.

— Medical Director, Chesnut Lodge Hospital ;
— Supervising & Training Analyst, Washington Psychoanalytic Institute.

Cramer, Bertrand, m.d.

— Psychanalyste ;
— Professeur de psychiatrie infantile à l'Université de Genève.

Dejours, Christophe, m.d.

— Psychiatre, psychanalyste ;
— Médecin des hôpitaux psychiatriques ;
— Chargé d'enseignement à la Faculté des Sciences (C.P.E.B.H.) de Paris.

Gauthier, Yvon, m.d.

— Psychiatre et psychanalyste d'enfants à l'Hôpital Sainte-Justine de Montréal ;
— Membre titulaire de la Société canadienne de psychanalyse ;
— Doyen à la Faculté de médecine de l'Université de Montréal.

GERVAIS, Laurent, m.d., C.S.P.Q., F.R.C.P.

— Psychiatre au Pavillon Albert-Prévost de l'Hôpital du Sacré-Coeur, Montréal ;
— Membre de la Société et de l'Institut canadiens de psychanalyse.

HOCHMANN, Jacques, m.d.

— Psychiatre, psychanalyste ;
— Professeur à l'Université Claude-Bernard (Faculté de Médecine Lyon-Nord) ;
— Chef d'intersecteur de psychiatrie infanto-juvénile (Centre Hospitalier Spécialisé du Vinatier et Centre de Santé Mentale de Villeurbanne).

IMBEAULT, Jean, m.d., C.S.P.Q., F.R.C.P.(c)

— Psychanalyste ;
— Chef du Service de psychosomatique au Département de psychiatrie de l'Hôpital du Sacré-Coeur, Montréal.

KERNBERG, Otto F., m.d., F.A.P.A.

— Medical Director, New York Hospital-Cornell Medical Center, Westchester Division ;
— Professor of Psychiatry, Cornell University Medical College ;
— Training and Supervising Analyst, Columbia University Center for Psychoanalytic Training and Research.

KESTEMBERG, Evelyne, m.d.

— Psychanalyste ;
— Membre titulaire de la Société Psychanalytique de Paris ;
— Directrice du Centre de Psychanalyse et de Psychothérapie, 11, rue Albert'Bayet, 75013 Paris.

LANGS, Robert, m.d.

— Program Director, Lenox Hill Hospital, Psychotherapy Program, New York.

LAVOIE, Jean-Guy, m.d., C.S.P.Q., F.R.C.P.(c)

— Psychiatre, chef du Service externe des adultes, Pavillon Albert-Prévost, Montréal ;
— Professeur adjoint de clinique à l'Université de Montréal ;
— Psychanalyste à la Société canadienne de psychanalyse.

SASSOLAS, Marcel, m.d.

— Psychiatre, psychanalyste ;
— Médecin responsable du Service d'Hospitalisation à Domicile (HAS) (Santé Mentale et Communautés, Villeurbanne).

SCHNEIDER, Pierre-Bernard, m.d.

— Membre ordinaire de l'Association psychanalytique internationale ;
— Professeur honoraire de la Faculté de Médecine de l'Université de Lausanne (Suisse).

STERN, Daniel N., m.d.

— Professor of psychiatry, Cornell University Medical College ;
— Chief, Laboratory of Developmental Processes, Cornell University Medical Center.

TALBOTT, John A., m.d.

— Professor of Psychiatry, Cornell University Medical College ;
— Associate Medical Director, The Payne Whitney Psychiatric Clinic, The New York Hospital, New York City, New York ;
— President, the American Psychiatric Association.

TANGUAY, Bernadette, m.d., C.S.P.Q., F.R.C.P.(c)

— Psychiatre à l'Hôpital Sainte-Justine ;
— Psychanalyste ;
— Professeur agrégé, Université de Montréal ;
— Responsable de la formation postgraduée au Département universitaire de psychiatrie de l'Université de Montréal.

Avant-propos

Le Colloque international « psychiatrie - psychanalyse », tenu à Montréal du 5 au 8 septembre 1984, constituait le quatrième d'une série de rencontres internationales d'importance, après « La problématique de la psychose » (Montréal, 1969), « Le traitement au long cours des états psychotiques » (Paris, 1972), et les « Borderline Disorders » (TOPEKA, 1976).

Aborder la problématique d'une interface, d'une articulation possible entre la psychiatrie et la psychanalyse, voilà le défi que s'étaient donné les organisateurs du Colloque. Ils croient avoir contribué à faire avancer le débat et surtout à pousser plus en profondeur la réflexion.

Ce volume collige les présentations faites au cours du Colloque[1]. Celles-ci sont reproduites dans la langue des conférenciers (française ou anglaise), et chaque exposé est accompagné d'un résumé rédigé dans l'autre langue officielle du Colloque.

L'ouvrage s'inscrit d'emblée dans la perspective de la nécessité fondamentale pour la psychiatrie et la psychanalyse d'explorer toujours davantage les points de contiguïté et de superposition de leur champ respectif, les échanges possibles, les barrières à ces échanges et les outils pour les contourner.

C'est dans sa recherche du *sens* que la psychiatrie demandera l'expertise de la psychanalyse. Et inversement, la psychanalyse puisera dans la somme de l'expérience clinique psychiatrique la matière nécessaire pour confronter ou stimuler sa réflexion sur les structures psychiques, leur fonctionnement et leurs aberrations.

La rencontre de ces deux gigantesques courants de la science médicale et psychologique ne va pas de soi, et les confrontations surgissent aisément. C'est dans le but avoué de contribuer à lever les obstacles, de clarifier les modes possibles d'interaction, que des experts américains, français, québécois et suisses (ou : européens et nord-américains) ont choisi d'échanger, à l'occasion de ce Colloque, sur six des thèmes les plus significatifs rencontrés dans leur pratique respective des disciplines psychiatrique et psychanalytique.

Le pari était grand, l'objectif ambitieux. Des éclairages intéressants et prometteurs ont jailli de cette confrontation d'idées, et des avenues s'ouvrent toutes grandes à la poursuite du dialogue ainsi amorcé.

---

(1) Nous regrettons de n'avoir pu reproduire l'exposé du D' George Engel, ce texte n'ayant pu être disponible dans nos délais de publication.

TABLE DES MATIÈRES

OUVERTURE

ERRATA

Page 3

Premier paragraphe, lire:

Le succès fut si grand qu'il a donné naissance à la publication
d'un volume édité par les docteurs Camille Laurin et Pierre
Doucet, _La problématique de la psychose_, volume auquel on fait
encore souvent référence.

Troisième paragraphe, lire:

... au long du Colloque: la psychiatrie et la psychanalyse, bien
que fondamentalement différentes et bien qu'elles doivent
conserver leur spécificité respective, ont un lieu et un espace
communs quant à la nature des échanges entre l'une et l'autre,
dans le respect de la diversité des modalités pratiques qu'offre
leur travail quotidien.

Mot d'accueil
du Dr Arthur AMYOT,
coprésident
du Colloque

Monsieur le Ministre,
Distingués invités,
Chers collègues et amis,
Mesdames, Messieurs,

Il y a 15 ans déjà, en 1969, l'Institut Albert-Prévost fêtait ses cinquante ans d'existence par l'organisation d'un congrès international qui rassemblait les plus grandes autorités autour d'un thème bien précis, «la psychose». Le succès fut si grand qu'il a donné naissance à la publication d'un volume édité par les docteurs, volume auquel on fait encore souvent référence.

Aujourd'hui, le Département de psychiatrie de l'Université de Montréal et le Pavillon Albert-Prévost de l'Hôpital du Sacré-Coeur se sont unis pour fêter le vingt-cinquième anniversaire du Pavillon Albert-Prévost en tant qu'hôpital universitaire, en organisant, dans la lancée du premier, un autre colloque international regroupant des conférenciers de première valeur, tant d'Europe, des États-Unis que du Québec. Nous publierons, dans les mois qui suivent, l'ensemble des conférences scientifiques de ce Colloque.

Les organisateurs ont pensé qu'il serait intéressant de pousser plus en profondeur la réflexion sur un thème situé au coeur du défi que s'est donné le Pavillon Albert-Prévost depuis vingt-cinq ans, et qui sera au centre de nos discussions tout au long du Colloque : bien que fondamentalement différentes et bien qu'elles doivent conserver leur spécificité respective, ont un lieu et un espace communs quant à la nature des échanges entre l'une et l'autre, dans le respect de la diversité des modalités pratiques qu'offre leur travail quotidien.

En plus simple, y a-t-il une interface, un lieu de contact, une articulation possible entre la psychiatrie et la psychanalyse, susceptible d'enrichir et de féconder réciproquement les deux champs de pratique, ou est-ce là pur mirage, illusion, et l'étanchéité de l'une par rapport à l'autre est-elle plus souhaitable que son contraire?

Voilà la problématique centrale qui vous est soumise et qui nous rassemble durant ces trois jours et demi. C'est autour d'elle que vont se dérouler de façon plus spécifique les six sous-thèmes proposés au programme, soit :

— psychanalyse et psychose ;

— psychanalyse et organisation limite, ou *borderline* ;

— psychanalyse et psychosomatique ;

— psychiatrie du nourrisson et psychanalyse ;

— psychiatrie de secteur et psychanalyse ;

— enseignement de la psychothérapie et psychanalyse.

À l'extrême de leur recherche, au bout de leur secteur de pointe, il n'apparaît pas évident que psychanalyse et psychiatrie se prêtent mutuellement assistance. Elles apparaissent plutôt en rupture. Bon nombre de psychiatres et de psychanalystes ont déjà pris position et souhaitent voir se concrétiser une séparation aseptique pour des raisons multiples de doctrine, d'appartenance, etc., et une attitude diamétralement contraire ne nous conduit pas moins à une impasse. Ce n'est sûrement pas en voulant faire de la psychiatrie une psychanalyse élargie que nous allons trouver cet espace, ce lieu, cette interface évoquée plus tôt.

D'un côté, la situation psychiatrique émerge des données extérieures qui la constituent sans l'expliquer pour autant. Psychiatre et patient se rencontrent sur le sol dur des réalités, des faits et gestes qui ont exprimé la souffrance de ce dernier, des réactions de l'entourage à ses demandes souvent contradictoires. La psychiatrie se définit davantage dans sa concrétude, dans son obligation toujours présente d'être là comme le dernier recours pour venir en aide à ceux qui ne peuvent plus tolérer leur souffrance psychologique. Les psychiatres ne choisissent pas leurs malades et ne peuvent se dérober aux exigences de la société qui leur donne mission d'intervenir. Par ailleurs, la psychiatrie, s'appuyant sur diverses disciplines scientifiques sans jamais s'inspirer entièrement d'aucune, souffre de ne jamais pouvoir faire référence à un corps de doctrine qui lui soit propre.

Quand les demandes de soins sont énormes, que l'enjeu est vital pour des individus et que les outils de réponses sont encore bien inadéquats, il n'est pas étonnant que nous assistions au concert des plaintes démoralisantes des équipes de soins qui se montrent ainsi profondément déprimées. C'est le *Time Magazine* qui titrait en page couverture de son hebdomadaire, en l'année 1981, «Psychiatry Depression».

4

D'un autre côté, en septembre 1918, FREUD [1] écrivait dans *Les voies nouvelles de la thérapeutique psychanalytique* :

« Vous savez que le champ de notre action thérapeutique n'est pas très vaste. Nous ne sommes qu'une poignée d'analystes et chacun de nous, même en travaillant d'arrache-pied, ne peut, en une année, se consacrer qu'à un très petit nombre de malades. Par rapport à l'immense misère névrotique répandue sur la terre, ce que nous arrivons à faire est à peu près négligeable. »

Projetant pour l'avenir un accroissement important du nombre d'analystes pouvant traiter des foules de gens, prévoyant aussi qu'un jour la conscience sociale s'éveillera et rendra accessible le traitement à toute la collectivité, FREUD précise :

« Nous nous verrons alors obligés d'adapter notre technique à ces conditions nouvelles [...] peut-être nous arrivera-t-il souvent de n'intervenir utilement qu'en associant au secours psychique une aide matérielle, à la manière de l'empereur Joseph. Tout porte aussi à croire que vu l'application massive de notre thérapeutique, nous serons obligés de mêler l'or pur de l'analyse à une quantité considérable du cuivre de la suggestion directe. »

Comme les prédictions de FREUD de 1918 se sont réalisées — grand nombre d'analystes, accessibilité des soins à toute la population —, nous nous trouvons toujours avec cette obligation d'adapter notre technique à ces conditions nouvelles.

Comme le mentionne le docteur Jean BERGERET [2] dans un article sur les états limites, publié en 1970 dans la *Revue française de psychanalyse* :

« Depuis Freud, et en particulier ces dernières années, de plus en plus de «personnalités» ou de «caractères» ne cadrent plus tellement avec les critères classiques et œdipiens de la névrose. Mélanie Klein a poussé les interrogations à ce sujet à leur limite, Maurice Bouvet a particulièrement développé la notion de «relation d'objet prégénital», très distincte des structures psychotiques mais aussi laissant la porte ouverte à d'autres hypothèses que la classique explication œdipienne. »

La notion de prépsychose elle-même se précise, puis c'est la notion d'«état limite» qui se trouve de plus en plus évoquée et développée de façon magistrale par Jean BERGERET en France, ainsi que par STERN, KNIGHT, GREENSON et surtout, ces dernières années, par Otto KERNBERG, aux États-Unis.

Nous sentons un rapprochement progressif entre psychiatres et psychanalystes quant à l'objet de leur étude et de leur recherche aussi bien que dans leur pratique, avec toutefois la différence majeure qu'il y a chez l'analyste une référence théorique au fonctionnement de l'appareil psychique, qui lui donne une marge de manoeuvre et un degré de liberté plus grands, tant dans ses types d'intervention que dans ses créations mythiques et sa théorisation.

Quel est le psychiatre qui, dans le cadre de sa pratique, ne s'est pas senti happé par le flot des demandes de soins, par la concrétude des faits et des tâches multiples, compromettant du même coup toute psychothérapie à long terme ?

Selon les termes mêmes du docteur Jacques HOCHMANN [3] dans son dernier volume, *Pour soigner l'enfant psychotique* :

« Le psychanalyste possède un aller-retour qui lui permet de naviguer entre la réalité et la fiction, et c'est entre ces deux pôles du réel et de l'imaginaire que va se jouer, dans le transfert, le traitement. »

À la limite, l'analyste peut se laisser entraîner par le jeu de ses constructions et y perdre toute référence à la réalité du sujet souffrant. Le psychiatre vient reconsidérer et mettre à l'épreuve les théories analytiques qui, elles, à leur tour tentent d'expliquer ce qui se joue au plus intime de la souffrance humaine.

Le psychiatre se situe davantage au niveau de l'agir, au niveau d'une action concrète qui tient compte des demandes du patient et du milieu social qui agit sur lui, l'empêchant ou du moins le limitant dans sa propre démarche. Or la psychiatrie a longtemps manqué de modèle organisateur du fonctionnement psychique, et s'est contentée de réduire la réalité psychologique aux effets d'un dérèglement corporel ou d'une mauvaise influence sociale.

Comme le mentionne Jacques HOCHMANN [4] :

« C'est avec beaucoup de retard mais aussi avec beaucoup de succès que la psychanalyse freudienne a révolutionné la psychiatrie. Seule la psychanalyse se confronte à la spécificité et à la complexité des processus mentaux en tenant compte de leur dimension inconsciente, seule elle fonde sa conceptualisation sur la notion de conflit intrapsychique et seule elle est capable d'inspirer une pratique dynamique. Mais de quel droit et comment, sans trahison, appliquer aux soins psychiatriques un modèle construit dans un cadre différent et invalidé hors de ce cadre ? »

S'il y a un lieu de rencontre possible, il y a des chances que ce lieu se situe, comme l'a dit le docteur Augustin JEANNEAU [5], «quelque part entre le regard de l'analyste et l'action du psychiatre», quelque part où le psychiatre pourrait trouver pour lui un lieu de plaisir, celui de ses créations et de ses constructions qui pourrait le sortir de sa dépression et l'introduire dans un espace de jeu lui permettant de durer.

Si nous sommes convaincus que la théorie psychanalytique peut apporter un éclairage indispensable à la compréhension dynamique des pathologies mentales, une question importante se pose à nous : Quelle place faudra-t-il donner à la psychanalyse dans l'enseignement de la psychiatrie ? C'est tout le problème non moins difficile de l'enseignement psychiatrique qui rebondit et qui sera traité vendredi.

Ensemble il nous faut, me semble-t-il, pousser plus loin l'étude des rapports difficiles mais indispensables, pour l'une comme pour l'autre, de la psychiatrie et de la psychanalyse.

But for the time being we would like to express our pleasure to see a dream being realised : An «International Symposium» being held in Montreal and debeating the question of the interface between psychiatry and psychoanalysis. We would like to wish our most friendly welcome to our american neighbourgs and canadian colleagues...

Ainsi qu'à nos collègues de la francophonie : France, Belgique, Suisse, dont nous nous sentons tous très près et à qui nous voulons dire tout le plaisir de les voir parmi nous.

Nous remercions pour leur précieux appui financier dans ce contexte difficile :

— monsieur le ministre de l'Éducation du Québec et, plus récemment, ministre des Affaires sociales du Québec, notre collègue et ami, le docteur Camille Laurin,

— monsieur Jean Drapeau, maire de la ville de Montréal,

— monsieur le président du Conseil de la recherche médicale du Canada, le docteur Pierre Bois, ancien doyen de la Faculté de médecine de l'Université de Montréal,

— le doyen de la Faculté de médecine de l'Université de Montréal, notre collègue et ami le docteur Yvon Gauthier,

— le directeur général de l'Hôpital du Sacré-Coeur de Montréal, M. Guy Saint-Onge.

Nous voulons dire toute notre gratitude :

— à nos collègues du Comité organisateur, les coprésidents Jean Leblanc et Wilfrid Reid,

— aux membres des différents comités : les docteurs Marcel Hudon, Jean-François Filotto, Suzanne Lépine, Jean Imbeault, Bernadette Tanguay, Pierre Verrier, René Laperrière et Pierre Doucet,

— à M. Robert Desmarteau de l'Hôpital du Sacré-Coeur,

— à la Société professionnelle d'organisation du congrès, en particulier Mmes Suzanne Trudeau, Isabelle Dongier et M. Claude Lebel,

— à mon adjointe administrative, Mme Danielle Van Herck,

— à nos secrétaires, Mmes Pierrette Boivin et Christine Krebs.

BIBLIOGRAPHIE

1. FREUD, S. (1918) «De la technique psychanalytique», *Les voies nouvelles de la thérapeutique psychanalytique*, Paris, P.U.F. (édition de 1967).
2. BERGERET, J. (1970) «Les états limites. Réflexions et hypothèses sur la théorie de la clinique analytique», *Revue française de psychanalyse*, n° 4.
3. HOCHMANN, J. (1984) *Pour soigner l'enfant psychotique. Des contes à rêver debout*, Privat, avril.
4. Ibidem.
5. JEANNEAU, J. (1980) «Entre le regard et l'action», *L'information psychiatrique*, mai, vol. 56, n° 4.

PSYCHOSE
ET PSYCHANALYSE

Quoi de neuf? ou

Les enseignements

du «premier» entretien

Evelyne KESTEMBERG

> « ... Enfer ou ciel qu'importe
> *Au fond de l'infini pour trouver du nouveau* »
> (Ch. BAUDELAIRE, *Les Fleurs du Mal.*)

Le titre même de ce propos[1] précise d'emblée l'axe autour duquel j'entends aujourd'hui le situer. En effet, loin de souhaiter esquisser ici une sorte de théorie et de technique du «premier entretien» (dont on a assez récemment «découvert» les vertus, à telle enseigne que le déroulement et les techniques en font l'objet d'un enseignement dans diverses universités), je voudrais en considérer le caractère unique, en tout cas éminemment transitoire, non répété et, dans les meilleurs cas, non totalement répétitif.

---

(1) Ce propos est bien différent de celui de ma contribution lors du Colloque. Ceci m'est imposé par la nécessité de préserver le secret de l'entretien dont j'ai parlé alors, ce qui m'avait permis d'en partager les enseignements avec les participants. Je le regrette car le déroulement du dialogue entre le patient et moi était sans doute beaucoup plus éloquent que les remarques plus «décolorées» qui constituent ce texte.

En très bref, il s'agit d'un patient jeune (moins de la trentaine) qui met en avant une symptomatologie obsessionnelle très active, dont il se plaint beaucoup, mais qui est loin de transcrire et d'«équilibrer» sont mal-être profond. Les éléments hystériques et hypocondriaques sont nombreux, de même que l'on peut noter dans un passé récent (et peut-être encore actuellement) une construction délirante, intéressante mais labile.

Pour citer des exemples célèbres, ce patient renvoie en même temps à «l'Homme aux rats» et aux moments délirants de «l'Homme aux loups». Il présente pour tout dire une de ces organisations psychotiques ou prépsychotiques complexes que nous voyons si souvent aujourd'hui et qui, suivant les auteurs, pourrait pour certains d'entre eux entrer dans le cadre des *borderline* (KERNBERG), états limites (BERGERET), pour d'autres dans celui des psychoses blanches (GREEN) ou celui des psychoses froides (E. et J. KESTEMBERG, R. ANGELERGUES), quelles que soient les différences de théorisation de ces différents auteurs.

Ce rappel succinct de l'entretien dont j'ai fait part lors du Colloque est simplement destiné à placer ici en arrière-plan la référence clinique qui, lors du Colloque, se trouvait au premier plan.

Le «premier» entretien n'est jamais, l'on s'en doute, le premier. Mais peut-il dans certaines circonstances être «premier» en sa nouveauté, pour le patient d'abord, et en cela il aura pour lui une utilité thérapeutique incontestable, pour nous ensuite, en ce qu'il nous aura permis de le considérer avec un œil neuf, une oreille fraîche au regard des connaissances que nous avons déjà. En cela, il sera pour nous d'une utilité didactique indubitable.

De fait, chacun de ces entretiens avec chaque patient est nouveau pour les deux parties, par définition même. Jusque-là l'un n'avait ni rencontré ni entendu l'autre. Cependant, cette nouveauté de fait est rapidement recouverte lorsque vient à s'installer de part et d'autre un déroulement routinier à la fois rassurant et obscurcissant. Après plus de trente ans de pratique, il me semble que l'on peut très facilement ne rien entendre dans ces entretiens, pour peu qu'on y cherche d'entrée des repères nosographiques[2] ou des vérifications de théories a priori insérées dans les propos tenus ou entendus. L'on peut par contre, pour peu qu'on s'y dispose, y trouver chaque fois un nouvel élément d'intérêt, voire de surprise.

L'entretien auquel nous nous référons n'est jamais le premier, disais-je plus haut, et pourtant nos efforts pourraient tendre à ce que, d'une certaine façon, il le devienne, en cela qu'il ouvre éventuellement un chemin nouveau.

Comment les choses se passent-elles habituellement? En tout cas dans l'expérience qu'est la mienne, en cette dernière décennie, les patients viennent me consulter au Centre de psychanalyse et de psychothérapie après avoir pris rendez-vous. Ils y sont adressés, pour une très grande partie d'entre eux, par leur psychiatre traitant (groupe a), leur généraliste (groupe b), enfin des amis qui ont connaissance de ce Centre, ou bien en raison d'une information qu'ils ont eux-mêmes obtenue par des voies dont généralement ils ne se souviennent pas (groupe c). Pour ceux des groupes a et b, il va de soi que l'entretien qu'ils vont avoir avec moi est loin d'être le premier. Ils ont longuement parlé de leurs difficultés, de leurs symptômes avec les médecins qui les ont traités, et souvent obtenu une certaine sédation de la douleur et de l'angoisse qui accompagnent ces difficultés à être et à penser. Pour le groupe c, on pourrait imaginer qu'il en va différemment. Pas tout à fait cependant, car l'on s'aperçoit qu'en réalité ils se sont entretenus de ces difficultés, de ces douleurs avec les amis ou, à l'extrême, avec eux-mêmes. On s'aperçoit en effet que, même lorsqu'il s'agit de patients vus en période critique, ces entretiens ils les ont en eux-mêmes «préparés».

On pourrait donc légitimement supposer qu'il y a pour ce «premier» entretien un avant, un pendant et un après. Dès lors, chacun de ces temps devrait être considéré et pesé au regard de la nouveauté éventuelle qu'il porte en lui.

---

(2) Je me réfère là à des repères nosographiques aussi bien psychiatriques que psychanalytiques. Non pas que la nosographie soit inutile, je pense au contraire que de la savoir est indispensable à condition de la pouvoir oublier à tout moment.

Sans doute est-il temps de préciser pourquoi nous attachons à «la nouveauté» de l'entretien une importance si marquée. La réponse à cette question peut tenir en un gros pavé de X pages ou bien en quelques mots. Bien entendu, c'est en quelques mots qu'ici je tâcherai d'y répondre.

Si l'on veut bien admettre avec moi que la répétition incluse dans tout fonctionnement psychique constitue en elle-même, en même temps qu'un plaisir, un facteur létal pour ce fonctionnement même, l'on comprendra que la possibilité de la lever, de la distendre, ne fût-ce que provisoirement, fugacement, le temps d'un entretien, représente à mes yeux un facteur d'intérêt, voire d'espoir. Et c'est cet espoir même qui existe en tout(e) patient(e) lorsqu'il (elle) vient à cet entretien, et c'est cet espoir dont nous devons, avec autant de finesse et de précision que possible, tâcher de saisir la valeur mobilisatrice.

Si l'on peut, comme le disait R. ANGELERGUES au cours d'un colloque récent[3], énoncer avec quelque fondement que l'inverse de la dépression pourrait être l'anticipation, si l'on veut bien aussi considérer que le statut de la dépression, son destin et son maniement par les intéressés et par ceux qui les soignent, sont cruciaux dans le devenir de la désorganisation ou de la mésorganisation psychiques, on mesure d'entrée, me semble-t-il, l'importance de ce «moment d'espoir» qui *toujours* prélude à cet entretien et *parfois* y préside suffisamment pour que l'on en puisse mesurer les effets, en cours de route, c'est-à-dire dans le pendant et l'après.

Nous pourrions ainsi considérer suivant ces trois rubriques (avant, pendant, après) le teneur, le mouvement (ou l'inertie), le devenir de cet entretien singulier qui devrait être différent de ce qui le précède et de ce qui va le suivre.

I. L'AVANT

Tout naturellement nous y avons déjà fait référence, en parlant plus haut de «l'espoir» dont l'entretien est a priori porteur. Le paradoxe est que, bien entendu, nous ne connaissons cet «avant» que lors du «pendant», c'est-à-dire que nous ne saurons que par l'intéressé si et comment cet entretien a existé avant que d'avoir lieu. Encore faut-il que nous nous y intéressions et sachions l'entendre ; de façon très simple, il ne suffit pas de se contenter de la lettre, adressée par le collègue, que vous tend le patient ou qui a de peu précédé sa venue, ni non plus de quelques phrases qui indiquent comment l'intéressé a pris rendez-vous.

Au sein de ce propos, apparemment de pure information — même dans des états de désorganisation importante —, on peut entendre le poids relatif de la

_____

(3) «La notion de dépression», **Colloque de l'Association de santé mentale du 13ᵉ arrondissement de Paris**, 3 et 4 mars 1984.

passivité («Monsieur X. m'a dit de venir» par exemple, propos constant), du désespoir répété (on sent que le «cela ne sert à rien» sous-tend l'entretien) et de l'espoir conservé, même s'il est balayé («Vous êtes, *vous*, quand même venu ici, sans autre contrainte que celle que vous vous êtes imposée.»). Cette remarque, rarement explicite ou toujours implicite, représente à mes yeux quelque chose d'un ordre tout à fait semblable à celui du fameux «C'est vous qui rêvez.» En d'autres termes, la venue même du patient, le fait que l'entretien puisse se tenir (même si, comme cela peut arriver, l'intéressé reste silencieux) témoignent d'un désir existant et suffisamment agissant, en ce moment même. Ce désir est évidemment, partiellement en tout cas, celui d'un changement, même s'il est largement contrecarré par celui de la répétition.

Ainsi est-ce dès l'abord et tout au cours des propos tenus ou retenus que l'on se doit, je crois, de mesurer l'économie présente du fonctionnement psychique, en ce combat *et cette succession des moments d'inertie*, de désespoir, et de changement, d'espoir. Les variations économiques à partir de cela, dont on prend mentalement note d'abord, sont à mes yeux une indication capitale pour l'appréciation de l'état actuel du fonctionnement psychique des intéressés (donc à la limite pour une appréciation diagnostique et pronostique). Je reprendrai un peu plus loin ce propos de façon plus précise, car il s'inscrit dans le pendant.

Pour en revenir à l'avant, les circonstances particulières qui président au déroulement de ces entretiens au Centre m'en ont beaucoup facilité la connaissance, ou du moins la prise en considération, dans mes hypothèses de travail. En effet, l'attente pour l'obtention d'un rendez-vous est importante (parfois plusieurs mois), sauf dans des cas particuliers où il s'agit d'«urgence». Je précise que cette «urgence» est pratiquement toujours mise en avant par le psychiatre traitant, qui estime qu'il s'agit d'un moment favorable pour qu'une évaluation, voire une thérapeutique nouvelles puissent être envisagées.

La longueur de l'attente et le maintien de la rencontre sont en eux-mêmes éloquents quant au désir d'une rencontre d'un «nouveau type» et à l'importance économique de ce désir dans le psychisme du patient. En termes un peu plus théoriques, il y a là une manifestation certaine des possibilités dont dispose l'intéressé pour se confronter avec un nouvel objet d'investissement. La rencontre à venir avec l'analyste se trouve en effet suffisamment investie par avance et assez durablement pour que l'entretien ait lieu.

La part relative des investissements auto- et allo-érotiques au sein de l'économie actuelle constitue à mes yeux[4] un élément de diagnostic tout à fait déterminant. Or il advient que cet investissement anticipatoire soit asséché, voire

---

(4) On le trouve dans tous mes écrits de cette dernière décennie, et par exemple dans «Le personnage tiers, sa nature, sa fonction», in **Les cahiers du Centre de psychanalyse et de psychothérapie**, 1981, n° 3.

tout à fait désorganisé, brisé par l'entretien lui-même ; ce qui traduit de fait soit une incapacité d'investir un objet autre que celui que l'on a, en son for intérieur, caressé (psychoses froides par exemple où l'auto-érotisme l'emporte), soit une terreur devant l'envahissement par l'objet «palpable» si j'ose dire (schizophrénie par exemple). Il advient par contre que l'objet investi l'ait été avec suffisamment de richesse et de souplesse pour que l'entretien ait donné lieu à un rêve qui le spécifie ou qui, le plus souvent, le précède. Et peu importe alors la dénégation actuelle si fréquente : «J'ai fait un rêve mais cela n'a pas de rapport», si ce n'est que cette dénégation même atteste l'importance du travail psychique afférent à la rencontre anticipée.

Ainsi donc «l'avant», la prise en compte dans nos réflexions de l'existence de cette «anticipation», de son poids économique, la dynamique qu'elle suscite (par rapport à la dépression ou à l'inertie également présentes), constitue à mes yeux un premier enseignement de l'entretien, une première et nouvelle qualité à inscrire dans nos tablettes.

II. LE PENDANT

Lors de l'entretien (et quelle que soit l'importance de divers paramètres extérieurs, par exemple la présence éventuelle de collaborateurs ou l'enregistrement proposé et accepté par le patient), le tempo sera uniforme ou variable. Le récit peut se dérouler comme préfiguré, ou plutôt «polycopié», le même que celui tant d'autres fois fait aux divers interlocuteurs ou à soi-même. Les interventions qui visent à en modifier le cours peuvent rester lettre morte, et l'espoir préexistant peu à peu se dilue, se délite pour ne laisser la place qu'au déroulement «mécanique», tel celui d'un rouleau pré-enregistré. Au contraire, il peut advenir que les quelques remarques de l'analyste soient incluses dans les propos tenus, dans les silences instaurés, dans les modifications de ce qu'il paraît à l'intéressé important de montrer.

Par exemple, à l'exposé des symptômes, à la description comme apprise, rabâchée de la façon dont «tout cela est arrivé» va brusquement surgir un élément nouveau, vraisemblablement marginal, sans rapport apparent, en réalité une ouverture nouvelle sur le fonctionnement psychique. Il s'agit souvent d'un brusque et fugitif surgissement du passé, ou bien d'une remarque identificatoire (par exemple : «Mon père faisait cela aussi») ou bien encore d'un sens nouveau pris par une conduite habituelle. Cela peut être aussi l'absorption de l'interlocuteur dans les propos tenus : «Vous allez me dire que, vous allez penser que», etc. Ces lueurs nouvelles peuvent rester des inclusions atones ou bien au contraire infléchir la suite du récit, induire un nouveau monologue dialogué, ou un vrai dialogue et, dans les cas heureux, aboutir à une prise en considération nouvelle du patient par lui-même. Ainsi, tel patient venu avec des symptômes obsessionnels massivement exposés en arrivera-t-il à considérer sa détresse, sa solitude, comme l'alpha et l'omega de l'angoisse insupportable contre laquelle tous les moyens sont bons, y compris les moments délirants et les tentatives de suicide répétées.

On voit dans ce dernier cas qu'en dépit de tout les capacités d'investir un objet sont maintenues, le travail de deuil pour un objet perdu, possible, et l'économie psychique, vivante et mobile. On peut, devant cette souplesse économique dont la dynamique de l'entretien témoigne, augurer un possible recours bénéfique au fonctionnement du préconscient. On sera dès lors spécialement attentif aux capacités associatives au cours des propos tenus, aux productions fantasmatiques et oniriques qui, dans les entrevues de cet ordre, en viennent presque toujours à être communiquées.

De même, sa propre histoire est relatée par l'intéressé de façon enrichie, différemment «romancée», comme s'il y trouvait une destination nouvelle pour lui et pour l'intérêt qu'en autrui elle peut susciter ; ou bien à l'inverse, le maintien d'une histoire toujours la même, tel un refrain, inlassablement récité, témoigne à l'évidence de la valeur défensive d'une telle construction, souvent vitale d'ailleurs quand elle en vient à servir d'ossature unique qui permette de se tenir debout. Il apparaît alors que la nécessité d'un tel assèchement et d'une telle rigidité traduit une économie actuelle extrêmement fragile en sa rigueur, et par là même l'incapacité de l'intéressé à maintenir un «pare-excitation» interne. La présence de l'objet (l'interlocuteur dans ce cas), son existence même constituent une «épine irritative» et pourraient représenter un danger si cette rigidité atone et préparée ne le recouvrait comme la mer couvre le sable. Ceci constitue bien entendu une notation diagnostique précieuse quant aux modalités défensives mises en oeuvre (déni plutôt que refoulement en particulier).

D'autres patients présentent, au fur et à mesure que se déroule l'entretien, une excitation croissante qui peut susciter une sorte de «bousculade» des idées, des événements rapportés, pour aboutir à une situation presque cahotique. Là encore, la fragilité de l'économie actuelle quasi agressée par la présence de l'interlocuteur en cet entretien permet de mesurer, en une première approximation, la tolérance ou l'intolérance du patient à l'objet et à la nouveauté de la situation ; par conséquent, elle induit et le pronostic et la suite à donner à cette entrevue.

Ainsi «la nouveauté», le caractère «premier» de l'entretien peuvent-ils donner lieu à des manifestations et modes d'être divers, dont l'appréciation exacte permet des hypothèses diagnostiques et pronostiques qui s'avèrent dans l'ensemble bien fondées.

Au reste, chacun de nous peut se souvenir avec un certain désespoir de ces patients vus par les uns ou les autres, à plusieurs reprises, et dont les entretiens successifs restent quasi immuables en leur déroulement, quel que soit l'interlocuteur. Cet immobilisme rend vaine, aussi longtemps qu'il est maintenu, toute nouvelle approche thérapeutique, même si la compréhension diagnostique en est aisée, tant sur le plan économique que sur les plans dynamique et topique.

Toutefois, il peut se faire que l'analyste ou le psychiatre, par son attitude même, contribue à rendre «routinier», donc stérile, un tel entretien. Je ne peux, bien entendu, dresser ici un catalogue des modes d'être propres à aboutir à un tel résultat, pas plus que je ne peux me livrer dans le cadre présent à une étude des vertus et aléas respectifs du contre-transfert et des contre-attitudes[5].

Je me bornerai à signaler que de tels entretiens sont des creusets particulièrement favorables à l'épanouissement du premier et des dernières. Il va de soi que l'analyste ne peut se réfugier dans un silence attentif et prudent. Il ne s'agit pas d'une séance d'analyse, il lui incombe donc d'intervenir pour que cet entretien ait un caractère de nouveauté éventuellement féconde. Mais le souci qu'«il se passe quelque chose» peut devenir lui-même un piège et contribuer au résultat inverse, soit que l'analyste trop intrusif ait suscité éloignement, monotonie ou excitation, soit qu'au contraire, trop distant, trop neutre, il ait amené le patient à baisser intérieurement les bras et à recourir à ce qu'il sait déjà.

Il y a donc là, chaque fois, une nouvelle partie à jouer, dont les aléas les plus fréquents pour l'analyste peuvent peut-être se trouver condensés en quelques mots : désir de réussir, de séduire, de maîtriser, de régenter, de trop comprendre et trop vite. Et c'est peu dire que d'affirmer que le schématisme de ces termes ne traduit que de très loin les difficultés de l'entreprise et le tact qu'elle requiert.

III. L'APRÈS

Si la rencontre a été correctement menée, les suites peuvent être évoquées rapidement en trois directions :

1. L'entretien a bien constitué un «élément nouveau», disons un événement dans la vie du patient, mais il ne se trouve pas prêt actuellement à faire face à cette nouveauté. Apparemment alors, rien ne se passe, ou plus exactement tout se passe comme s'il ne s'était rien passé. Cependant, des semaines, des mois, parfois des années après, l'intéressé reprend rendez-vous, redemande un entretien et souhaite entreprendre un travail psychique dont la «nouveauté» même de l'entretien et son souvenir maintenu bien qu'enfoui lui permettent de croire qu'il est capable de le tenter. Quelque chose de nouveau pourra peut-être survenir dans un avenir qui ainsi prend existence autour de ce «projet». Faut-il souligner ici que, qui dit projet dit faille dans la massivité de la dépression, la noirceur compacte du désespoir et de la détresse? Ainsi, la «nouveauté» de l'entretien sera devenue souvenir puis, petit à petit, projet, donc devenir.

---

(5) Je crois nécessaire en effet de distinguer les unes de l'autre. Un séminaire mené sur ce thème en 1983-1984 m'a confirmée dans l'intérêt d'une telle distinction. Sur le contre-transfert de façon plus générale, voir :

«Le contre-transfert en psychanalyse d'aujourd'hui», **IV**ièmes **journées occitanes de psychanalyse**, Toulouse, 20, 21 et 22 mai 1982, et mon travail qui est paru dans **Le psychanalyste et son patient**, Éditions Privat, 1982.

2. L'entretien a bien fait entendre un son nouveau, mais cette nouveauté même effraie, décourage et, remisé aux oubliettes, le souvenir s'en altère, se décolore et tout se passe comme avant. La mobilisation, même si elle a eu lieu, s'est avérée insuffisante pour ébranler le poids du plaisir mortifère, mais rassurant, de la répétition.

3. Au contraire, la «nouveauté» de l'entretien aura été particulièrement fructueuse et le patient, conforté en sa continuité narcissique d'avoir supporté ce nouveau commerce avec l'objet, y aura trouvé suffisamment d'intérêt, de plaisir inconscient, auto- et allo-érotique, pour se faire confiance à lui-même. Par là même pourra-t-il accorder certaine confiance à l'autre.

Sera alors décidée de concert une tentative thérapeutique — psychothérapie analytique voire psychanalyse — dont le destin n'est certes pas scellé mais dont l'intérêt peut être pressenti par les deux parties. Pour certains patients, particulièrement apeurés par eux-mêmes, phobiques de leur propre fonctionnement psychique, qui courageusement toutefois se sont laissé tenter par l'entreprise nouvelle, il pourra se trouver nécessaire qu'ils viennent de temps à autre chercher réconfort et vérification auprès de l'interlocuteur qui fut le leur en ce nouveau «premier» entretien.

J'ai décrit l'intérêt d'une telle situation, et la manière dont théoriquement elle peut se comprendre à mes yeux, dans un autre travail[6] et ne fais donc ici que les signaler.

Pour la grande majorité des autres, la thérapie et l'analyse vont poursuivre leur cours, avec les aléas et les richesses qui sont les leurs, aussi longtemps que nécessaire. Pour ceux-là on pourra donc affirmer que le «premier» entretien aura vraiment été premier, qu'une nouvelle voie s'est ouverte. Au plaisir de la répétition se sera substitué le plaisir de la nouveauté, ou encore, plus modestement, l'intéressé aura pu découvrir qu'il est capable d'éprouver d'autres plaisirs que celui de la répétition. Ce qui constitue une condition *sine qua non* pour toute entreprise thérapeutique.

Ainsi, compte tenu de l'élément de «nouveauté» que je viens de développer longuement, il me semble qu'on pourrait résumer comme suit les enseignements du premier entretien :

1. le degré de liberté intérieure du patient, ou du moins son désir d'entrer en relation avec un analyste et, par voie de conséquence, avec lui-même (demande personnelle ou suggestion suivie) ;

2. les possibilités de mobilisation psychique du patient, dans cette situation d'entretien et d'écoute particulière, c'est-à-dire la modification dans son récit et dans son mode d'être depuis le début de l'entretien jusqu'à son décours, compte tenu ou non des interventions de l'analyste ;

---

(6) E. KESTEMBERG, «Le personnage tiers, sa nature, sa fonction», in **Les cahiers du Centre de psychanalyse et de psychothérapie**, 1981, n° 3.

3. la qualité de l'histoire personnelle rapportée, par exemple tout à fait desséchée comme un récit plaqué, ou susceptible d'être remaniée par l'intéressé(e) ;

4. les possibilités fantasmatiques et oniriques maintenues ou obérées ;

5. un aperçu de la répartition entre investissements auto- et allo-érotiques qui permette d'affiner les perspectives diagnostiques et pronostiques ;

6. des éléments contre-transférentiels qui peuvent se faire jour, infléchir l'entretien dans un sens positif ou négatif, et influer de façon plus ou moins nuancée sur l'évaluation actuelle et le projet thérapeutique.

L'absence ou la présence de ces divers éléments permet d'avoir une première estimation de la qualité de l'économie psychique actuelle du patient et peut asseoir, quoi que l'on en ait, des éléments pronostiques. C'est au niveau de l'importance de ces éléments pronostiques dans la prévisibilité à partir d'un entretien qui n'est quand même qu'un éclairage partiel et provisoire que résident les aléas qui y sont inhérents.

La richesse de ces entretiens est donc certaine, à condition qu'on ait suffisamment de réserve, quant à la marge d'erreur possible, pour ne pas sombrer dans les pronostics erronés entraînant des conséquences thérapeutiques elles-mêmes fallacieuses.

SUMMARY

THE FIRST INTERVIEW : ITS TEACHINGS, ITS PROMISES, ITS SHORTCOMINGS

On the very first meeting one can evaluate :

1) the degree of the patient's inner freedom, or at least his desire to relate with the analyst and consequently with himself (personal request or accepted suggestion),

2) the possibilities of psychic mobilization of the patient in a private talking and listening situation, that is to mean the modification of his narration and his bearing from the beginning to the end of the interview, with or without taking into account the analyst's interventions,

3) the quality of the personal history as it is narrated, for example, totally withered, like a cut and dry sketch or with the possibility of an elaboration by the patient,

4) the fantasmatic and the oniric possibilities maintained or encumbered,

   The absence or the presence of these various elements allow a primary evaluation of the quality of the psychic actual economy of the patient and furnish the bases of prognoses.

   The inherent hazards of interpretation of these first meetings lie precisely on the level of the importance of the predictive elements derived from a meeting which sheds only a partial and provisory light.

5) in the same manner the elements of counter-transference could bias the meeting in a positive or negative way and influence in a more or less marked fashion the actual evaluation and the therapeutic plans.

   Undoubtedly a wealth of information is yielded by those meetings, provided one allows a large enough margin of error so as not to fall into erroneous prognoses leading to inadequate therapeutic consequences.

   Example of one or two meetings are detailed.

Psychose, psychothérapie psychanalytique et réalité

Bernadette Tanguay

Envisagé dans la perspective de la psychose, le titre de ce Colloque : «psychiatrie - psychanalyse» pourrait renvoyer à un discours qui, de façon un peu caricaturale, se polarise souvent entre l'écoute et le faire. La psychiatrie s'intéresse à ce que fait le psychotique, la psychanalyse, à ce qu'il est, dirait-on. On retrouve, la plupart du temps sous-jacente à de tels propos, la conviction que la psychanalyse, tant en théorie qu'en pratique, se désintéresse de la réalité extérieure pour se tourner vers le monde intérieur du fantasme et du désir.

Or, comme maladie, la psychose pose avant tout un problème au niveau du réel : la souffrance du psychotique l'empêche d'assumer son rôle social et la responsabilité de sa propre vie. Il fait violence à ses proches, niant tout de leurs besoins et même de leur existence.

La demande du psychotique et de son entourage viendra d'abord comme un appel à l'aide : «Faites quelque chose.» Ce n'est que dans un deuxième temps que surviendra, le plus souvent par la voix de celui qui a répondu de façon immédiate à cet appel, une question s'adressant au psychanalyste ou au psychothérapeute.

Une autre possibilité est que le psychothérapeute se tourne vers l'intervention psychiatrique quand une crise surgit dans la psychothérapie, afin d'assurer la sécurité et les soins requis par le patient.

Je voudrais tenter d'exprimer ici la nature du lien qui s'installe entre ces deux personnages, psychiatre et psychothérapeute, par l'entremise du psychotique, ce

21

lien se nouant particulièrement, me semble-t-il, autour de la problématique de la réalité dans la psychose.

D'une part, ce qui sera mis en scène sous le terme de psychiatrie correspond à la fonction objectivante d'une approche médicale de la maladie. La psychiatrie diagnostique, classifie, elle prend également la responsabilité de la sécurité physique du psychotique. Son regard se porte principalement sur le symptôme, et le médicament est son instrument thérapeutique de choix.

D'autre part, l'approche psychanalytique sera entendue comme une démarche de compréhension des mécanismes intrapsychiques de la psychose, à travers une relation interpersonnelle avec le psychotique où la parole est le moyen de communication favorisé et privilégié. Je nommerai celui qui travaille auprès du psychotique, dans cette perspective, «psychothérapeute».

La psychanalyse a été intimement liée dès ses débuts aux tentatives de définir la psychose et d'en distinguer les différents modes. Toutefois, c'est encore maintenant une définition globale qui fait consensus et qui semble mieux rendre compte d'un défaut commun à ce processus dans ses formes tant symptomatiques que caractérielles : «La psychose se caractérise par une perturbation primaire de la relation libidinale à la réalité[1].»

En réponse au désinvestissement de la réalité par le psychotique, celui qui s'en approche pour le traiter est tenté de se voir comme le représentant de la réalité. Si, de prime abord, cette définition nous semble compatible avec la fonction psychiatrique, nous pouvons nous demander comment il est possible pour le psychothérapeute de tenir ce rôle.

Le concept de réalité a évolué considérablement tout au long de l'élaboration de la théorie psychanalytique. Il est hors de mon propos d'en retracer toutes les étapes, je n'en soulignerai que certaines qui me serviront de points de repère dans ma démarche.

Parler de réalité d'un point de vue psychanalytique soulève d'emblée une ambiguïté. Au début, FREUD pose la réalité comme étant le monde matériel extérieur en l'opposant au monde intérieur du fantasme et de l'inconscient. Puis, plus tard, il se dégage de sa théorie la notion de réalité psychique, c'est-à-dire la reconnaissance que le fantasme a, dans le psychisme, valeur de réalité.

Dans la névrose comme dans la psychose, la réalité psychique est l'élément prépondérant qui détermine les comportements de l'individu. Toutefois, alors qu'avec le névrotique la cure psychanalytique se déroulera sur la scène de l'imaginaire pour lui permettre, au terme du traitement, d'avoir un accès plus adéquat à la réalité

---

(1) J. LAPLANCHE et J.B. PONTALIS, **Vocabulaire et psychanalyse**, P.U.F., 1967, p. 356.

extérieure et, entre autres, à la personne réelle du psychanalyste, avec le psychotique la réalité extérieure fera constamment irruption dans la relation thérapeutique et l'accompagnera dans la plus grande partie de son parcours.

Pour FREUD, la psychose ne relève pas du champ de la cure psychanalytique ; pourtant, il l'a toujours considérée au niveau de la théorie. Il a aussi reconnu, dans les cures qu'il menait, des résistances majeures qui justifiaient certaines modifications de technique. On sait maintenant qu'à certains moments il n'a pas hésité, dans ses interventions, à tenir compte de la réalité extérieure de certains de ses malades.

La psychanalyse a toujours «fréquenté» la psychose tant sur le plan théorique que sur le plan clinique, et c'est probablement avec Mélanie KLEIN qu'elle s'y est sentie plus à l'aise. De la théorie kleinienne, on retient habituellement que la réalité extérieure est déterminée par les fantasmes : la représentation de l'intérieur du ventre maternel est le prototype de toute réalité extérieure. Nous avons appris que les mécanismes de la psychose répétaient les mécanismes du développement normal de tout individu. Nous avons pu mieux comprendre la nature de l'angoisse du pyschotique, son mode de communication, et ainsi entrer en contact avec sa vie fantasmatique.

La compréhension des mécanismes de la psychose nous a conduits de plus en plus, comme psychothérapeutes, auprès de patients porteurs de structures archaïques. Je centrerai mon propos sur l'approche psychothérapique du schizophrène.

Lorsque le psychothérapeute entre en contact avec le patient schizophrène, il y a déjà, dans la plupart des cas, une équipe responsable des soins et du traitement. C'est d'ailleurs le plus souvent à la demande de cette équipe qu'il le fait, beaucoup plus rarement à la demande du patient. Si tel est le cas, c'est probablement l'équipe de soins qui a su faire naître cette demande chez le patient, et il s'agit sûrement de la meilleure des conditions pour s'engager dans une relation psychothérapique. Le psychotique étant coupé de son monde intérieur, de ses désirs, il ne peut lui-même avoir accès à un désir de changement. Il devient alors très important que ceux qui le soignent puissent porter cet aspect de lui-même, sinon les soins risqueraient de n'être qu'agitation stérile autour du patient, recréant une illusion de cocon tout à fait rassurant, de réunion avec la mère toute-puissante, entretenant en quelque sorte le rêve fusionnel du psychotique. Une telle équipe, par ailleurs, se montrerait rejetante et négative face à un patient plus réfractaire à son approche, ou face à celui dont le pronostic est plus sévère. L'équipe qui, au contraire, peut donner un sens à son travail, inscrira le patient dans un processus d'élaboration et lui permettra, entre autres, d'entrevoir une limite, une fin. C'est dans cet espace que pourra se situer le travail interprétatif du psychothérapeute.

Par ailleurs, la psychothérapie suppose la plupart du temps, en particulier en phase de crise, que les soins et la sécurité du patient soient assurés par une équipe psychiatrique ; c'est là l'opinion de la plupart des auteurs qui se sont engagés dans un travail psychanalytique auprès des schizophrènes, pour ne citer que SEARLES, Evelyne KESTEMBERG et ROSENFELD. Ce travail thérapeutique conjoint implique donc une collaboration à plus ou moins long terme qui peut soulever plusieurs questions, que ce soit au regard de la participation du psychothérapeute aux décisions administratives et thérapeutiques, du partage des informations ou, enfin, de la présence ou non du psychothérapeute dans l'équipe.

Ce qui m'apparaît le plus important à ce point de vue est la nécessité d'une définition claire des rôles et fonctions de chacun. Le psychiatre impliqué dans le processus décisionnel au sujet de son patient risque de ne pas avoir ensuite le recul nécessaire qu'exige l'élaboration intrapsychique et l'interprétation. Il ne pourra alors qu'augmenter la confusion du patient quant à la perception que ce dernier a de lui-même et de ses limites.

Pour ce qui est des informations qu'il recueille, elles relèvent de sa relation intime et privilégiée avec le patient ; elles ne devraient pas systématiquement être communiquées et partagées, pas plus qu'il ne devrait tout apprendre de l'équipe. En somme, le psychothérapeute ne fait pas partie de l'équipe de façon institution-nalisée, il est du dehors mais en contact avec elle ; ils sont libres d'aller et de venir l'un vers l'autre. C'est alors que les rencontres prendront un sens particulier au regard du contre-transfert et des moments d'impasse dans le déroulement du traitement. Je reviendrai sur cet aspect plus loin.

Le point fondamental à retenir est qu'il doit y avoir une relation de confiance entre le psychothérapeute et l'équipe psychiatrique, ainsi qu'un consensus quant à l'orientation globale du traitement. L'absence de ce consensus pourrait alimenter le clivage chez le psychotique, jusqu'à anéantir la capacité du psychothérapeute de saisir les projections du patient, sur le monde extérieur, de ses parties fantasmées tantôt bonnes, tantôt mauvaises.

Il faudrait aussi dire un mot du problème spécifique posé par le médicament, surtout par son utilisation à long terme. La plupart des psychanalystes qui travaillent à la psychothérapie intensive des psychotiques reconnaissent le bien-fondé de l'administration des neuroleptiques dans les périodes de crise. Toutefois, SEARLES s'y oppose en tout temps. KERNBERG, pour sa part, préconise l'utilisation du médicament de façon stable et constante. Il propose de fixer une dose optimale qui permette au patient de maintenir un bon niveau de perception et, en même temps, qui contrôle son anxiété.

À partir de ces prises de position, il m'apparaît surtout essentiel qu'un accord se fasse sur un mode unique d'utilisation des neuroleptiques, entre le milieu psychiatrique et le psychothérapeute. Par la suite, le médicament fera partie de la relation thérapeutique et sera porteur de sens ; les réactions du patient vis-à-vis du médicament pourront être interprétées comme telles. Au mieux, dans ce cas, le médicament pourrait être perçu, comme le propose Salomon Resnick, comme un calmant des objets internes persécuteurs.

La pire situation est sûrement celle où le médicament est utilisé, par une partie ou l'autre, comme le représentant des tensions pouvant exister entre le traitement psychiatrique et la psychothérapie.

La réalité du patient et de sa vie quotidienne s'introduit aussi dans la psychothérapie intensive, par le biais des interventions de la famille. Les modifications relationnelles induites chez le patient par la psychothérapie perturbent l'équilibre familial, et il est important que l'équipe psychiatrique puisse servir de lien pour expliquer à la famille le processus de la psychothérapie dans ses moments régressifs ou parfois agressifs. L'intervention de l'équipe pourra ainsi introduire une dynamique de changement dans la famille comme groupe, ou auprès de certains de ses membres individuellement. Ceci permet dans certains cas d'amoindrir une résistance considérable à la progression de la psychothérapie.

C'est enfin, et de façon encore plus aiguë, au plus près de lui-même que le psychothérapeute est confronté avec la réalité dans la relation psychothérapique avec le psychotique, c'est-à-dire dans sa propre perception du monde et dans son contre-transfert.

Dans un premier temps, le psychotique s'oppose au psychothérapeute, fuyant tout échange interpersonnel. Il le fait principalement en mettant de l'avant sa perception délirante du monde et ses projections de morceaux de lui-même sur le réel. En effet, le psychotique utilisera le réel pour échapper à son monde intérieur.

Ce sera le rôle du psychothérapeute de restituer la réalité au patient au fur et à mesure qu'il interprétera ses projections, ce qui permettra au patient de réinvestir progressivement la réalité extérieure comme telle et sa vie intrapsychique. Ce travail de libération du psychotique vis-à-vis de son accrochage au réel s'appuie sur sa relation avec le psychothérapeute.

Il est peut-être abusif d'utiliser le terme de contre-transfert pour désigner le lien qui existe entre le psychothérapeute et le patient psychotique. Certains préfèrent parler de contre-attitudes. De fait, le transfert du psychotique est entremêlé d'éléments non transférentiels. Searles décrit de façon très explicite comment le schizophrène est très attentif à la personne réelle du psychothérapeute, ayant pour ce dernier des inquiétudes authentiques. Winnicott soulignait, par ailleurs, que chez le psychotique «la haine objective pour les défauts de l'analyste remplace le transfert négatif chez le névrotique».

Le psychothérapeute capable de tolérer ces sentiments chez son patient et de demeurer en contact avec ses propres mouvements émotionnels permettra au patient de faire, de plus en plus, la part de ce qui est le fruit de projections et de ce qui provient de sa partie la plus saine. C'est aussi à partir de la compréhension de son contre-transfert que le psychothérapeute pourra saisir la nature du transfert du patient — transfert se situant le plus souvent au niveau d'un retour vers la mère toute-puissante, fusionnelle —, et qu'il lui permettra la régression nécessaire.

À ce point de la psychothérapie, le psychothérapeute doit reconnaître les besoins réels du patient, autant ses besoins affectifs que ses incapacités d'assumer sa vie et de l'organiser dans ses détails quotidiens. Il est parfois difficile d'entendre clairement ces demandes. Le psychothérapeute qui hésite à le faire, craignant une trop grande dépendance de son patient ou un envahissement fusionnel, risque peut-être qu'un agir porte violemment atteinte à sa relation avec le psychotique. Il peut s'agir d'une rupture dramatique, d'un geste destructeur du patient pour ce qui est au plus près de lui, voire même pour sa vie, ou d'un retour du délire. Il arrive, dans ces moments de grande intensité relationnelle, que le psychothérapeute réponde par un mot, un geste, une expression authentique de lui-même qui, en quelque sorte, lui échappe. Plusieurs psychanalystes confessent ces manifestations dans le récit de leur travail psychothérapique ; SEARLES les admet volontiers. Elles sont des points tournants du traitement, des moments de vérité où le psychotique a pu toucher le vrai et en même temps la limite de l'autre.

Parfois, c'est à une grande inquiétude au sujet de son patient que le psychothérapeute sera confronté, à un point tel que sa pensée et sa capacité de fantasmer seront annihilées. C'est alors que l'intervention psychiatrique peut assurer la sécurité du patient, prendre en charge ses besoins immédiats et souvent permettre la relance de l'activité fantasmatique du psychothérapeute.

Le recours à l'équipe psychiatrique ou au psychiatre collaborateur doit être compris comme porteur d'une signification contre-transférentielle : la peur ou la fatigue feront place, par exemple, à l'impuissance, à la colère ou au rejet, sentiments qui prendront un sens dans la perspective de la relation transférentielle.

L'équipe assume également les besoins du patient au moment de la régression où surgissent les demandes symbiotiques. Elle permet ainsi au psychothérapeute de conserver la distance optimale, préservant sa fonction d'écoute et de compré-hension tout en admettant la dépendance du patient. Ce rôle de relais joué par l'équipe introduira une limite à la toute-puissance du psychothérapeute fantasmé par le patient ou, parfois, par lui-même.

L'équipe psychiatrique, enfin, fournit un environnement que le psychotique pourra investir en y trouvant des objets valables et adéquats, au fur et à mesure qu'il deviendra capable de se tourner vers la réalité. Il sera d'ailleurs important que le psychothérapeute intervienne pour clarifier progressivement les rapports du patient dans sa vie actuelle aussi bien avec l'équipe, avec sa famille qu'avec lui-même.

Le psychothérapeute fait corps avec son patient comme «contenant» de son monde intérieur, alors que l'équipe représente le monde extérieur de ses interactions ; à partir de l'interaction entre l'unité patient-psychothérapeute et l'équipe, se dégageront petit à petit, pour le patient, les perceptions de l'intérieur et de l'extérieur. Cette démarcation progressive amènera le patient à reprendre contact avec sa vie fantasmatique et à se différencier de son psychothérapeute. C'est uniquement dans ces conditions que la séparation pourra être envisagée et que l'interprétation véritable deviendra possible.

Le psychothérapeute est donc le représentant de la réalité en tant que personnage réel, en tant qu'interprète de la réalité extérieure et, enfin, en tant que dépositaire du monde intérieur du schizophrène.

Certains auteurs, en particulier madame KESTEMBERG, voient la fonction psychiatrique comme jouant le rôle d'un tiers par rapport à la relation entre le psychothérapeute et le psychotique, précisant toutefois qu'il ne s'agit pas à proprement parler d'une relation triangulaire de configuration œdipienne.

Ayant d'abord situé la réalité du côté de la fonction psychiatrique, je préciserais toutefois qu'elle n'intervient pas uniquement comme un élément tiers face au couple psychothérapeute-patient, mais qu'elle surgit autant du côté du psychothérapeute que de celui du patient pour introduire une énergie de mobilisation dans le système relationnel.

Paul-Claude RACAMIER, pour sa part, dans son article intitulé «Sur la réalité», effectue une revue théorique extensive à ce sujet, puis définit la réalité non pas par son aspect défensif mais plutôt par sa fonction structurante dans le développement du moi et de ses relations objectales.

Sans prétendre que les étapes du travail psychothérapique sont un calque des étapes de la maturation du moi, je crois pourtant qu'on peut supposer certains parallèles. De la même façon que les perceptions de l'enfant lui permettent de construire son monde intérieur et relationnel, l'environnement, la réalité du psychothérapeute ainsi que sa propre relation à la réalité extérieure tiennent un rôle d'intégration certain dans la psychothérapie du psychotique. Tous ces aspects de la réalité sont à la fois un tremplin pour le travail psychothérapique et un filet jeté sur le vide.

*
* *

J'ai voulu dans ce parcours m'attarder particulièrement aux carrefours où la réalité fait irruption dans le processus psychanalytique. Si, au départ, une opposition a été signifiée entre la fonction psychiatrique comme représentant de la réalité et la fonction psychanalytique, nous avons vu en cours de route comment leurs chemins respectifs pouvaient à certains moments s'entrecroiser dans un rapport dialectique et complémentaire.

La rencontre est possible pour peu que l'approche psychiatrique admette une ouverture à la réalité du monde fantasmatique et que l'approche psychanalytique écoute les manifestations de la réalité extérieure chez le patient.

Je crois toutefois qu'il existe une condition préalable à des rapports fructueux, c'est celle d'un cadre à la fois bien défini et souple, établissant la démarcation des rôles de chacun et les présentant clairement au schizophrène. Je retiens des expériences thérapeutiques qui nous servent d'enseignement un point commun malgré leur diversité, c'est-à-dire la cohérence du cadre dans lequel se déroule le traitement.

Il n'y a pas un modèle unique à copier en plusieurs exemplaires mais plutôt des principes de base à respecter, à partir desquels chaque milieu peut se définir en tenant compte de ses contingences.

J'ai cherché à dégager certains de ces principes tout en proposant certaines modalités, consciente que tout modèle risque de présenter l'aspect du rêve, de l'idéal, s'il n'est pas confronté à la pratique : c'est dans son application qu'il se rode et se structure. L'approche psychanalytique du psychotique se fonde plus sur l'expérience clinique que sur l'élaboration théorique, comme le propose Maud MANNONI à la suite de WINNICOTT.

SUMMARY

THE PSYCHOANALYTICAL APPROACH
TO THE PSYCHOSIS

After having situated her subject in a dialectic perspective between the psychiatric and the psychoanalytic approach regarding the treatment of psychosis, the author will try to specify how the debate is involved around the problem of reality, specifically stressing the points where reality invades the psychotherapeutic process.

If, in the beginning, an opposition has been indicated between the psychiatric function as a representation of reality and the psychoanalytic function, we see, as we go along, more precisely concerning the counter-transference, how their respective ways can be interwoven in a complementary relation.

The encounter is possible inasmuch as the psychiatric approach permits an opening on the reality of the fantasmatic world and also the psychoanalytic approach listens to the manifestations of the patient's external reality.

BIBLIOGRAPHIE

1. BECACHE, A. (1976) «Rêve et psychose dans l'oeuvre de Freud», *Revue française de psychanalyse*, 40, p. 157-172.

2. BION, W. (1957) «Differenciation of the Psychotic from de Non-psychotic Personnalities», *Int. J. Psycho-Anal.*, 38, p. 266-275.

3. BION, W. (1962) «The Psychoanalytic Study of Thinking», *Int. J. Psycho-Anal.*, 43, p. 306-310.

4. BLEULER, E. (1978) *Dementia Praecox or the Group of Schizophrenias*, New York, International Universities Press.

5. BOUVET, M., P. MARTY et D. SAUGUET. (1956) «Transfert, contre-transfert et réalité», *Revue française de psychanalyse*, 20, p. 494-516.

6. BRAUNSCHWEIG, D. (1971) «À propos de la théorie de la technique psychanalytique», *Revue française de psychanalyse*, 35, p. 655-800.

7. CHILAND, C. (1974) *Traitements au long cours des états psychotiques*, Paris, Privat.

8. DAVID, C. (1974) «Un nouvel esprit psychanalytique», *Revue française de psychanalyse*, 38, p. 305-313.

9. FREUD, S. (1894) «The Neuro-psychoses of Defence», *Standard Edition*, 3 :45-61, London, Hogarth Press, 1962.

10. FREUD, S. (1896) «Further Remarks on the Neuro-psychoses of Defence», *Standard Edition*, 3 :158-188, London, Hogarth Press, 1962.

11. FREUD, S. (1912a) «Types of Onset of Neurosis», *Standard Edition*, 12 :227-238, London, Hogarth Press, 1958.

12. FREUD, S. (1914b) «Remembering, Repeating and Working-through (Further Recommandations on the Technique of Psychoanalysis II)», *Standard Edition*, 12 :145-156, London, Hogarth Press, 1958.

13. FREUD, S. (1915a) «A crise of Paranoia Running Counter to the Psychoanalytic Theory of the Disease», *Standard Edition*, 14 :261-272, London, Hogarth Press, 1957.

14. FREUD, S. (1924a) «The Loss of Reality in Neurosis and Psychosis», *Standard Edition*, 19, 183-187, London, Hogarth Press, 1961.

15. FREUD, S. (1924b) «Neurosis and Psychosis», *Standard Edition*, 19, 149-158, London, Hogarth Press, 1961.

16. FROMM-REICHMANN, F. (1948) «Notes on the Development of Treatment of Schizophrenics by Psychoanalytic Psychotherapy», *Psychiatry*, 4, p. 263-273.

17. FROMM-REICHMANN, F. (1950) *Principles of Intensive Psychotherapy*, Chicago and London, The University of Chicago Press.

18. FROSCH, J. (1983) *The Psychotic Process*, New York, International Universities Press.

19. GILL, M.M. (1984) *Analysis of Transference, Theory and Technique*, New York, International Universities Press, vol. I.

20. GIOVACCHINI, P.L. (1969) «The Influence of Interpretation upon Schizophrenic Patients», *Int. J. Psycho-Anal.*, 50, p. 179-186.

21. GREEN, A. (1971) «La projection : de l'identification projective au projet», *Revue française de psychanalyse*, 1971, 35, p. 939-960.

22. HOCHMANN, J. (1983) *Techniques de soin en psychiatrie de secteur*, Presses Universitaires de Lyon.

23. KESTEMBERG, E. (1981) «Le personnage tiers. Sa nature, sa fonction, Essai de compréhension métapsychologique», *Les cahiers du Centre de psychanalyse et de psychothérapie*, n° 3, automne 1981, p. 1-55.

24. LANGS, R. (1976) «Reality and Nontransference in the Analytic Relationship», ***The Therapeutic Interaction, vol. II: A critical Overview and Synthesis***, New York, Aronson, Inc., p. 225-270.

25. MANNONI, M. (1979) ***La théorie comme fiction***, Paris, Éd. du Seuil.

26. MONTGRAIN, N. (1973) ***La psychose et le problème de la réalité, Éducation et psychanalyse***, Paris, Hachette littérature, p. 137-155, coll. Interprétation.

27. MULLER, C. (1958) «Les thérapeutiques analytiques des psychoses», ***Revue française de psychanalyse***, 22, p. 575-617.

28. PANKOW, G. (1981) ***L'être-là du schizophrène***, Paris, Aubier-Montaigne.

29. PANKOW, G. (1984) ***25 années de psychothérapie psychanalytique des psychoses***, Paris, Aubier-Montaigne.

30. PAO, P.-N. (1979) ***Schizophrenic Disorders***, New York, International Universities Press.

31. PETOT, J.-M. (1982) ***Mélanie Klein, Le moi et le bon objet***, 1932-1960, Paris, Dunod.

32. RACAMIER, P.-C. (1973) ***Le psychanalyste sans divan***, Paris, Payot.

33. RACAMIER, P.-C. (1976) «Rêve et psychose : Rêve ou psychose», ***Revue française de psychanalyse***, 1976, 50, p. 173-193.

34. RACAMIER, P.-C. (1979) «Sur la réalité», ***De psychanalyse en psychiatrie***, Paris, Payot, p. 283-313.

35. RACAMIER, P.-C. (1979) «Sur la personnation», ***De psychanalyse en psychiatrie***, Paris, Payot, p. 261-282.

36. RESNICK, S. (1973) ***Personne et psychose***, Paris, Payot.

37. ROSENFELD, H.A. (1965) ***Psychotic States. A Psychoanalytical Approach***, London, Hogarth Press.

38. ROSENFELD, H.A. (1969) «On the Treatment of Psychotic States», ***Int. J. Psycho-Anal.***, 50, p. 615-631.

39. SANDLER, J. (1983) «Reflections on Some Relations between Psychoanalytic Concepts and Psychoanalytic Practice», ***Int. J. Psychoanal.***, 64, p. 35-45.

40. SCHWEICH, M. (1958) «Principes d'action thérapeutique de la psychothérapie des schizophrènes hospitalisés», ***Revue française de psychanalyse***, 22, p. 136-151.

41. SEARLES, H.F. (1979) «Countertransference and Related Subjects», ***Selected Papers***, New York, International Universities Press.

42. SPRUIELL, V. (1984) «The Analyst at Work», ***Int. J. Psychoanal.***, 65, p. 14-30.

43. WINNICOTT, D.W. (1969) «La haine dans le contre-transfert», ***De la pédiatrie à la psychanalyse***, Paris, Payot, p. 48-58.

Psychoanalytic Treatment of Psychosis in the Hospital Setting

Dexter M. Bullard, Jr

I want to address "Psychoanalytic Treatment of Psychosis in the Hospital Setting" by describing the evolution of a psychoanalytic hospital program for the treatment of schizophrenic psychoses. My primary concern will be our current approach to this disorder. It is a tribute to psychoanalysis, as a theory and as a method of treatment, that it has remained a vital source of fresh conceptualizations in our study of all psychopathology. During the past half century, advances in analytic thinking have deepened our understanding of schizophrenic psychosis and enlarged our therapeutic repertoire. The research and contributions of individual analysts have increased our hospital's effectiveness as a therapeutic setting for psychoanalytic work and as a psychoanalytic instrument in its own right. Today I will trace the development of the ideas of one group of psychoanalysts and the ramifications of those ideas in a hospital treatment program.

The initial descriptions of schizophrenia had a distinctly pessimistic cast. KAHLBAUM, KREPELIN and BLEULER, who described the symptom clusters and named the basic syndromes, shared the view that these conditions centered about a pathological weakness and a tendency to deterioration.

FREUD's revolutionary approach to the study of psychopathology and the mind reflected this pessimism to some degree in his view of the treatment of psychosis. He concluded [9] that the psychoses were not amenable to psychoanalysis for two reasons: (1) the unrepressed and fragmented primary process thinking and verbalizations of psychotic patients were not amenable to analytic scrutiny and, (2) the narcissistic withdrawal and self-preoccupation did not permit the psychotic patient to establish an analyzable transference situation. These dynamic considerations added to the poor prognosis suggested by writers describing schizophrenic psychoses, and did not support therapeutic optimism.

33

However, the power of FREUD's concepts demanded their application beyond the confines of the neuroses, and the schizophrenias and manic depressive disorders soon became the object of psychoanalytic study. FEDERN on the continent, Mélanie KLEIN in England, and in the United States, Harry Stack SULLIVAN, began their psychoanalytic investigations of the psychoses. This led to much theoretical controversy, which is beyond the scope of this paper, but two conclusions emerged. First, neurotic and psychotic conditions share many common characteristics. This was implicit in SULLIVAN's remark, "Schizophrenics are much more human than otherwise." The second conclusion was the confirmation of the central role of anxiety in all psychopathological conditions.

Out of the work of these early investigators emerged a clearer understanding of the psychotic process and a much more optimistic view of the opportunities for therapeutic intervention. The verbal productions of the most fragmented psychotic patients could be understood in terms of symbol and metaphor and could be related to the patient's immediate situation and to the historical past. The seemingly bizarre movements, gestures and postures of the catatonic and hebephrenic patients not only were consistent with the speech of these patients, but also had meaning in terms of primitive patterns of defense. Being able to make sense of psychotic behavior led analysts to work intensively with psychotic patients and they discovered that, far from remaining in a position of narcissistic withdrawal as suggested by FREUD, these patients established intense, strongly cathected transferential relationship to their analysts.

It was in this climate of ferment and new discovery that several hospitals in the United States undertook the psychoanalytic treatment of psychosis. I will trace the evolution of psychoanalytic treatment at one such hospital, Chestnut Lodge, and our current psychoanalytic investigations of schizophrenia.

Two questions will be addressed. How can a psychoanalytic procedure be carried out in a hospital setting? And, how can the hospital setting itself incorporate psychoanalytic knowledge to the benefit of the patient?

Chestnut Lodge was fortunate to be located in the Baltimore-Washington area. This psychiatric community was not only receptive to FREUD's ideas, but also had its own history of dynamic interest in the treatment of psychosis, embodied in Adolph MEYER's psychobiological approach taught at Johns HOPKINS and Harry Stack SULLIVAN's early work at SHEPHERD and PRATT.

In 1931 Chestnut Lodge changed from a local eclectic treatment facility to a psychoanalytic institution. This shift began with a simple administrative step, by my father, Dexter BULLARD, Sr [3]. He separated the responsibilities of the analyst, who analyzed the patient, and those of the administrative physician, who was responsible for all other aspects of care and treatment of the patient in the hospital. The reason for this step was to free the analyst form the burdensome responsibilities of daily decisions regarding the management of the patient. We know now it also had significant heuristic value because it allowed the analyst to utilize many of the traditional aspects of the psychoanalytic procedure and to collect data in many respects similar to data gathered from neurotic patients. Thus, even the most disturbed patients could be looked at from an analytic perspective.

Accordingly, the two analysts then on the staff, my father and Dr Marjorie JARVIS, exchanged administrative responsibilities for their analytic patients.

The initial success of this venture drew other analysts to Chestnut Lodge. One of these was Frieda FROMM-REICHMANN. In 1935, having been driven from her own hospital in Berlin, she came to Chestnut Lodge where she remained until her death.

It is interesting to trace the evolution of FROMM-REICHMANN's ideas about the psychoanalytic treatment of psychosis for in some ways it reflects the growth of every young psychoanalyst who treats the psychotic patient.

Initially, FROMM-REICHMANN [10,12] followed a cautious sympathetic, permissive posture, recognizing the patient's tendency to panic and his fear of interpretive intrusion and non-professional closeness. The focus was on understanding the content of the patient's verbalizations and conveying acceptance and appreciation of what the patient said or did without interpreting it dynamically.

Flexibility, resiliency, and patience were the hallmark of the analyst in those early days and fortitude, born of self-confidence and commitment, was considered a personal quality of great usefulness in the treatment of psychotic patients. The expectation was that if the patient could be reached and involved in the analytic process, then analytic work could proceed in ways similar to the analysis of less disturbed patients. This committed and sympathetic approach did not prove to be the analytic breakthrough that was hoped for, however, this approach, freed from the complexities of administrative management, did provide relatively less contaminated treatment over a much longer time period. It also revealed that even the most regressed and inarticulate patient could develop a sequence of intense transference expressed in terms that the analyst could make intelligible.

As the initial experiences with psychotic patients broadened and deepened and as analysts became more comfortable with the various manifestations of regressive behavior, the emphasis on solicitude and unmitigated acceptance gave way to a more active, interpretive posture (FROMM-REICHMANN, 1948). The analyst viewed the patient less as a rejected child and more with respect and understanding for the patient's chronological age. Consensus and collaboration were blended with acceptance of the patient's regressed position.

Interpretation, defined broadly, became an important tool of the analyst working with psychotic patients (FROMM-REICHMANN [13]). However, less emphasis was placed on an interpretive understanding of the patient's symptoms and reactions to the analyst in terms of unconscious forces, repressed genetic material, and memories of early experience. Instead, the analyst focused on the immediate transferential situation, the anxieties that followed, and the subsequent symptoms or reactions to the analyst. Non-verbal behavior as well as the patient's immediate emotional response shared the stage with the content of the patient's verbalizations. Symptoms were considered to have multiple meanings which were influenced by the immediate analytic situation. The analyst's interpretation dealt not only with the meaning of the symptom but its communicative significance to the patient at the moment of intervention. Non-sexual contents of repression, especially aggression, were an important focus of the analyst's work particularly as they were evident within the analytic situation. There was less concern that the analyst might make an erroneous interpretation resulting from a misunderstanding between the patient and the analyst. The analyst expected and anticipated that the deepening attachment would produce resentment, anxiety, and aggression with fresh symptom formation.

Chestnut Lodge, while FROMM-REICHMANN was Director of Psychotherapy, particularly valued two qualities in the analytic therapist: first, the analyst's ability to establish a reasonably spontaneous relationship with the patient; second, the analyst's ability to work therapeutically with the patient's outbursts of transferred and personal hostility. Using these techniques the analysts enjoyed success in reaching a number of regressed psychotic patients. There was, however, a discrepancy between the analytic reports of the patient's behavior and the general level of that same patient's functioning during the remainder of the day in the hospital.

At first it was felt that simply communicating the analyst's views of the patients' difficulties to the nursing staff would clarify their therapeutic approach. This was helpful in giving a receptive nursing staff an understanding of the dynamic significance of symptoms and behavior in each patient. It did not, however, address the larger issue of the impact, for better or worse, of hospitalization itself on the patient's illness.

Accordingly, STANTON and SCHWARTZ [24], a psychoanalyst and a sociologist, undertook a study of the hospital. They investigated personality functioning as a constituent of institutional functioning. They reviewed the formal and informal social structure of the hospital and the "set" or traditional attitudes of hospital staff toward patients. Three areas of clinical interest were selected for study, periods of patient excitement, that is, times of more disorganized or regressive behavior, the symptom of enuresis as it occurred in the ward setting, and the phenomenon of low staff morale. In all three of these areas, STANTON and SCHWARTZ reached conclusions that have psychoanalytic value.

Of most general importance the authors found that the hospital as an institution was not aware of the profound dynamic significance of its practices in its protection and care of patients. The assignment of the patient "role" and the staff "duties," however well-meant, was dominated by a traditional consensus and did not consider the psychodynamics of "being a patient."

In the study of patient-staff interaction, STANTON and SCHWARTZ found that traditional hospital practice was a defense against the intense individual needs of each patient and the personal impact of these needs on the nursing staff. When these needs were perceived and understood by the unit staff, the treatment process proceeded rather smoothly. But, this was not always the case. Periods of patient excitement, increase of symptomatic behavior, such as enuresis, and low staff morale were not simply the result of changes in the patient's illness or the grueling demands of hospital care. They often resulted from covert staff disagreement over the nature of the patient's difficulties and how the staff should deal with the patient. These disagreements were most dramatic when they occurred between the analyst treating the patient and the analyst serving as the ward administrator, but they also occurred within the nursing service itself at every level of care.

One of the most common areas of disagreement was the management of the patient's dependency needs, particularly as they were re-awakened during the psychoanalytic treatment. Whether regression was in the service of the ego or a defense against reality and its expectations was expressed in the staff's varying attitudes about how "sick" the patient was, how justified was his hostility, and how much he could control his impulses. Making these covert disagreements overt usually relieved the situation with symptomatic improvement in the patient but sometimes a change of analyst, of nursing staff or of the ward itself was necessary. Group therapy and patient-staff group meetings were found to be essential in making covert disagreements overt, and overt disagreements often required extensive peer group discussion. Subsequent research has, of course, confirmed this phenomenon, now called "splitting" as an integral part of many patients' psychopathology.

STANTON and SCHWARTZ demonstrated that treating patients with the psychoanalytic method reverberated throughout the hospital and demanded analytic sophistication at every level of patient care.

During this period, the study of the individual psychoanalytic treatment process continued as an increasing number of analysts were encouraged to treat psychotic patients. The most comprehensive and detailed studies of this subject were made by Harold SEARLES [21,23] in his papers on the psychotherapy of schizophrenia. Of the many clinical and theoretical contributions of SEARLES, several stand out in my mind as particularly significant. The concept of the therapeutic symbiosis [19,20,21] brought together a vast array of clinical data arising from the long-term psychoanalytic psychotherapy of schizophrenia. During the analysis of psychotic patients, SEARLES found a characteristic progression in both the relationship to the analyst and the evolving transference. The evolution of this concept began with the observation that the initial stage of treatment was "outside," a period in which both analyst and patient experience themselves as wholly outside each other. As treatment continued, however, there was a move toward part-object relatedness or a breaking down of ego boundaries between analyst and patient. SEARLES movingly describes his own resistance to accepting this development in the treatment process and the more direct exposure of his own feelings.

This led to the discovery of the ambivalent phase of the therapeutic symbiosis [17,18] in which mutual projection and projective identification (a term now commonly used to describe these symbiotic processes) follow the full elaboration of the patient's psychotic psychopathology in the transferential relationship. SEARLES notes in his own review of the development of his thinking ([23], p. 21), "What the therapist offers the patient which is new and therapeutic in this regard is not an avoidance of the development of symbiotic reciprocal dependency upon the patient but rather an acceptance of this." The evolution of this phase of the analytic work leads to a pre-ambivalent symbiosis [22] in which analyst and patient experience a mutual mother-child relatedness, a boundless maternal caring for each other accepted and enjoyed by both parties.

From this period of symbiotic relatedness grows a gradual readiness of both patient and analyst to relinquish this state of mutual interdependency and, while beset with all the recrimination and ambivalence that characterize separation, move toward individuation and autonomy. While it is almost impossible to convey the personal meaning and intensity of such states of relatedness in the symbiotic transference, anyone who works analytically with schizophrenic patients will recognize and appreciate the experience that SEARLES describes.

He considers a central aspect of the therapeutic symbiosis to be the mutuality between analyst and patient that accompanies each step in the developing relationship [18]. The loss of boundaries and interpretation of mutually primitive psychic states allows both therapist and patient to be therapist to each other as they experience the earliest ambivalent and pre-ambivalent maternal transference.

Throughout his work SEARLES stressed the central role of feelings in the psychotherapy of schizophrenia. He described "the evolutionary sequence of specific and very deep feeling-involvements in which the therapist as well as the patient becomes caught up... over the course of psychotherapy ([22], p. 521)." "In working with the chronically schizophrenic patient... I find the openness to various feelings, of whatever sort, to be the key to the situation ([23], p. 26)."

The unfolding of SEARLES' appreciation of expressed feelings began with the more conventional view that "It is well for the therapist... to maintain a degree of emotional distance between himself and the patient [16, p. 148]." His discovery of the intense hatred that exists both in the therapist and the patient led to a study of the development of hateful feelings. He founded that hatred was a defense against the patient's grief and threat of separation. Analysis of the hateful feelings resulted in an increasing expression of primitive feelings of love. As SEARLES said of the treatment of schizophrenia, "love is at the heart of hate ([23], p. 24)." The evolution of hateful feelings leads to an intense dedifferentiated feeling and state of primitive symbiotic love. This mutual expression of love and hate is necessary for the establishment of ego boundaries and any advance of ego integration and differentiation.

SEARLES made a further contribution to all therapists who work with very ill patients. SEARLES' candor and honesty about his personal feelings gave this aspect of the analytic endeavor legitimacy and respectability. The study of countertransference feelings in the treatment of the psychotic patient has become an integral part of the therapeutic enterprise.

Looking backward for a moment, we saw that FROMM-REICHMANN's initial understanding of the capacity of the psychotic patient to form transferences and to be influenced by psychoanalytic treatment was followed by STANTON's and SCHWARTZ's study of ward relationships. SEARLES' further elaboration of the psychodynamics of the treatment relationship was followed by a study of these issues in the hospital setting by Donald BURNHAM, Arthur GLADSTONE and Robert GIBSON.

In a three year study (BURNHAM, et al., [4]) of the relationships between chronically psychotic patients and members of the ward staff, BURNHAM investigated the nature of the object tie and the role of dependency. Much of the psychotic symptomatology was found to be a regressed and often bizarre attempt by the patient to establish a wholly dependent relationship. Sometimes these wishes were concealed and defended against by paranoid hostility or various patterns of avoidance. The authors found that psychotic patients often resorted to splitting as a means of preserving dependency. Various hospital staff members were seen as either all good or all bad objects. The central role of the fantasy of an all-good, all-giving object was found to be repeated over and over again as the psychotic patient sought satisfaction from the hospital staff. The seeking of a perfect love object found parallel expression in the psychoanalytic treatment and in the day-to-day hospital life. Failure to recognize the idealization often resulted in an unrealistic honeymoon period in which the staff member did not appreciate the pathological extreme of the patient's need and eventually withdrew from the relationship, sometimes abruptly. Those staff members cast into the "bad" roles often envied and resented the intense positive feelings expressed toward their colleagues.

The essential importance of loss in the psychoanalytic treatment of the psychotic patient was another significant finding in this study of patient relationships to hospital staff. Cataclysmic regressions were triggered by holidays, vacations and unexpected absences. Similar regressions were seen as the patient gradually moved toward self-sufficiency and the dangers of autonomous ego functioning. Each step forward was experienced as a loss.

The personal importance to the patient of members of the nursing staff and the attendant problems of idealization and loss posed perplexing problems to our Nursing Department. It was relatively easy to teach the nursing staff about the impact of loss on the patient's progress because loss is an experience familiar to everyone. It was far more difficult to teach the nursing staff about pathological idealization, a situation which appeals to every caretaker's narcissism. Generally, we have taught a calm, matter of fact, approach that does not promise more than it can deliver. This approach encourages the enactment of the idealization to be contained within the psychoanalytic situation. Analysts on our staff vary widely in their approach to the patient's tendency toward idealization, some working deeply in the symbiotic mode, others, taking an ego-oriented approach.

In recent years advances in our psychoanalytic knowledge of human development have enlarged our understanding of psychosis. Psychoanalytic research, epitomized in the work of Margaret MAHLER, encouraged us to study schizophrenia from a developmental perspective. We hoped to extend the descriptive classifications of DSM III to include developmental data. FORT [5] and PAO [15] studied the onset of schizophrenia at different stages of adolescence as a reflection of the severity of pre-existing developmental difficulties. They were able to define several subgroupings of schizophrenia that had prognostic and therapeutic usefulness.

Schizophrenia I

The first subgroup, Schizophrenic I patients, almost always have a history of repeated trauma in the earliest years without, however, evidence of marked schizoid pathology in the maternal figure. The patient has developed personal and social sublimatory capacities with over-all successful functioning. His psychosis does not appear until late in the so-called "second separation-individuation process" of adolescence, usually the late teens. Acute, often florid symptoms, appear, such as delusions, hallucinations, hypochondriasis, looseness of associations, fragmented thinking and loss of reality sense. The nature of these symptoms invites attention and intervention by helping figures and often by the closest members of the family who are perplexed and dismayed by the sudden appearance of this disorganized, frightening state. However, the sometimes cryptic and bizarre communications of the patient indicate an awareness of reality and the people around him. Therapeutic intervention that is positive and understanding usually results in a "sealing" over of the patient's immediate conflicts with a resumption of activities and interests. Such a patient is responsive to a wide range of treatments. However, psychoanalytic treatment is of crucial value to work through the conflicts associated with separation-individuation. The parents' support can usually be secured when they are not emotionally handicapped and can be educated about the ramifications of their child's illness.

Schizophrenia II

The Schizophrenic II patient is marked by a more disturbed infancy and childhood and noticeable developmental lags. The onset of symptoms occurs in the context of the loosening of object ties during early and middle adolescence in contrast to the Schizophrenic I patient whose difficulties begin after the separation from the home environment has taken place. The onset of illness is more gradual and the regression is more resistant to treatment. Motivational problems are more pronounced and the patient is less immediately responsive to psychoanalytic psychotherapy but gains are made often in conjunction with other treatments. The parents of the patient are more disturbed, with overt family conflict and a more intense, mutually dependent tie. Parental treatment is a requirement to assure maximum usefulness of treatment to the patient.

Schizophrenia III

The Schizophrenic III patient shows overtly disturbed functioning, throughout early childhood, a disturbance which includes his family, his social life and his school life. While the latency years may show less overt symptomatology, the onset of psychosis develops gradually with the beginning of puberty. The clinical picture demonstrates more ominous signs of flattened affect, inappropriate preoccupied behavior and withdrawal. There is evidence of ego deviation and failure to establish outside object ties. Often the patient's thinking is concerned with global issues of life and death. Treatment is focused on the patient's pathological self and fragile sense of self-cohesion with specific attention given to the disruptive effects of anxiety and other emotions.

Signs of clinical disorder in the parents are more apparent and the pathological tie between the parents and the patient is strong and frequently not modifiable, even with parental treatment.

Schizophrenia IV

The Schizophrenic IV patient may develop from any of the above groups depending on the frequency of relapse and the quality of treatment. The patient has lost hope and is despairingly resigned to the life of a chronic patient. Psychoanalytic treatment must be modified to help the patient resume an interest in himself and the world about him. Some improvement is usually possible over time and with a comprehensive program that accepts the patient's limitations and the gradual rate of change.

Ping-Nie PAO later characterized schizophrenic psychosis from another point of reference. Using the concept of loss or fragmentation of self-cohesion and the re-establishment of self-cohesion or re-organization of the self, PAO divided schizophrenic psychosis into 3 phases. The first, or acute phase, begins with the emergence of unbearable conflict and an attendant terror or organismic panic. Unmodified terror precipitates a loss of self-cohesion and severely regressive ego functioning.

A second phase, the subacute phase, is initiated as the patient begins gradually to establish a sense of self-cohesion usually through a re-organization of the self containing elements of the conflicts which have precipitated the psychosis. The reorganized self is quite unstable for a time and to some degree compromises the patient's attempt to resume life as before.

As time passes the cohesion of the re-organized self is gradually strengthened and when it becomes more stable ushers in a third or chronic phase.

Study of the histories of our patients has allowed us to roughly classify schizophrenia according to predisposing developmental vicissitudes and to begin to trace the evolution of the psychotic process. The developmental perspective also offers a valuable tool for understanding the etiology of this disorder. Currently two differing views of etiology are held by psychoanalysts, one based on conflict, the other on deficiency.

ARLOW and BRENNER [1], advocates of the conflict model, view neurosis and psychosis as existing along a continuum stating :

"The great majority of the alterations in the ego and superego functions which characterize the psychoses are part of the individual's defensive efforts in situations of inner conflict and are motivated by a need to avoid the emergence of anxiety, just as is the case in normal and in neurotic conflicts."

The differences between psychosis and neurosis lie in the degree of instinctual regression, the degree of severity in the disturbance of ego and superego functions, and the degree of instinctual aggression.

"Inner mental conflict has caused a regressive impairment of the ego's capacity for integration of such a degree that the patients in question, like very small children, are unable to understand either what is happening to them or within themselves and are, likewise, unable to act other than impulsively."

The regressive disturbance in reality testing leads to delusions and hallucinations. Regression to the primitive projection of aggressive impulses produces the experience of catastrophe and the sense that the world is coming to an end.

On the other hand, many analysts who favor a deficiency model cite a defective ego which procedes the massive regression seen in psychosis. BAK [2] observed primary changes in the ego and a weakness of libidinal attachment. This sets the stage for a predominance of aggressive cathexis in the regressed psychotic patient. A defective ego suffers overwhelming anxiety, severe regression, and the emergence of archaic defenses. FREEMAN [6] supported FREUD's theory of deca-thexis-recathexis (regression-restitution) and maintained that decathexis of internal object representations and a regression to primary process thinking caused both the symptoms of delusions and hallucinations and disturbed reality testing.

WEXLER [25] concluded that the loss of internal object representations indicated an ego deficiency in schizophrenia and he distinguished psychosis qualitatively from neurosis.

The developmental studies of MAHLER and others have reshaped the conceptual frame in which to consider the conflict-deficiency controversy. PAO took a developmental point of view in his approach to the historical origins of schizophrenic psychosis in each patient.

Early infantile experience of these patients is beset with disturbance in several areas. Object relatedness is distorted probably during the symbiotic phase. A lack of mutual cueing leads to a failure to establish an adequate cathexis to the mothering person which can be subsequently internalized. This early experience is associated with a disturbance in the balance of libido and aggression. Clinical experience with psychotic patients demonstrates the presence of unsublimated aggression and compromised libidinal capacity.

A pre-disposition to panic, whether it antedates (GREENACRE [14]) or follows the failures of the symbiotic phase, further complicates the developmental process. Repeated panic experiences disorganize the ego and accentuate the problems of relatedness between mother and infant. The infant resorts to primitive modes of adaptation, what MAHLER terms "maintenance mechanisms," and these are incorporated into the psychic structure and influence the development of both perceptual and affective responses. The self-image and sense of self-cohesion are compromised. Although the degree of disability may not be severe enough to identify the child's behavior as psychotic, it predisposes the child to the catastrophic adolescent experience of panic and psychosis.

Based on this developmental view, PAO distinguished what he called the genetic deficiency, which reflects the malformed psychic structure, from the functional deficiency, whose origin lies in conflict during adolescence. The potentially psychotic patient is not able to negotiate the changes of puberty, the separation from his original love objects and the adult expression of work and love. Initiated by severe intrapsychic conflict the patient experiences "organismic panic," a period of ego paralysis and an acute disorganization. After a brief period the patient resorts to his primitive defenses to preserve safety and a sense of self-cohesion. These maintenance mechanisms already constitute a part of his psychic structure. The result is a regressed or primitive self in the midst of continued internal conflict. There are disturbances in object relations, communication, and control of aggression, all expressed in psychotic symptomatology. Thus, PAO feels both deficiency and conflict in varying proportions play a role in the onset of schizophrenic psychosis.

I agree with PAO that the controversy between the deficiency and conflict models must be approached from a developmental perspective. Both deficiency and conflict models postulate basic difficulties in the earliest phases of infantile life on which a vulnerable psychic structure develops, like a house whose compromised foundation leads to a sudden collapse. FREEMAN [6] called this "a general disorganization affecting the whole of the mental apparatus."

It seems to me that schizophrenic psychosis is not preceded simply by a "basic fault," to borrow BALINT's term, or an unresolved conflict, but by a disorder that arises in earliest infancy and continues its idiosyncratic path throughout all subsequent phases of development. ANNA FREUD [7,8] has used the terms deviant development or atypical development, that is, development which is not governed by the usual sequence of conflict and defense. This developmental path affects ego and superego structures, cognition, the emergence of self and object representations, the sense of self and the formation of object ties. Not just the foundation of the structure is afflicted but every board subsequently added to the structure. I believe maldevelopment is evident throughout the child's life and the psychotic regression is but one more expression of the disorder evolving from the particular body changes and external demands of adolescence. Thus a portion of all schizophrenic pathology is evident at each stage of development. The Schizophrenic III patient is only the most obvious example of the disordered development throughout early life which is part of every schizophrenic patient's history.

This developmental view has implications for psychoanalytic treatment. I believe it is important to distinguish recent regressive psychotic symptomatology from the more long-standing characteristics of disordered development. The interpretive posture of the analyst and the nature of the hospital's structured support of the patient will necessarily depend on how each symptom is viewed. The patient may have a life-long fear of intrusion and may also have recent acute regressive symptomatology involving projection and suspiciousness. The analytic approach must be guided by an appreciation of both the long-term characteristics and the current symptoms of the disorder.

One must look at the experiential background, the mixture of original vulnerabilities and the compromised early development that has led to a developmentally malformed structure and well-established fixations. One must look at the nature of the developmental crisis that precipitated the psychosis and the precise impact it had on the patient. One must look at the response of the patient and to what degree that response has become chronic. Each individual patient represents an unique interweaving of these predispositions, stresses and responses. We can now consider the demands that these factors place on a psychoanalytic hospital treatment program.

PAO states ([15], p. 316) "The goal is to enable the patient to study and resolve his conflicts in a developmental perspective and subsequently to change his self and object representational world."

This goal is approached differently according to the type of schizophrenic illness. The separation panic for the schizophrenic I patient in the final step of separation-individuation is different from the panic that a Schizophrenic II patient experiences when he begins the process of loosening his ties to his primary objects. This in turn differs from the Schizophrenic III patient who, at puberty, is in the first stages of heightened instinctual drives.

The most important goal of hospitalization of the Schizophrenic I patient is to establish a viable therapeutic relationship that will be maintained after discharge. Regardless of other treatments the establishment of this link is the best hope for averting further episodes of panic and decompensation which occur in a substantial number of Schizophrenic I patients. In practical terms initial meetings with the analyst while the patient is hospitalized are an important step in maintaining contact during the critical period at discharge from the hospital. The hospital itself offers the advantages of a separation from the situation in which the patient became overtly ill. The hospital provides a structured, non-demanding daily life and an opportunity for the treatment team to work intensively with the family as they become aware of the nature and seriousness of the illness. The value of the hospitalization is not fully utilized if it's goals are limited simply to symptom removal. Treatment goals must include the establishment of a viable long-term psychoanalytic treatment situation. Subsequent post-hospital psychoanalytic therapy becomes the major focus of treatment and, in many instances, can evolve into the traditional psychoanalytic procedure. Further collateral work with the family is useful in this situation.

The treatment of the Schizophrenic II patient requires a more intensive program and usually a longer time in the hospital. On the other hand, the Schizophrenic II patient is less able to achieve a "flight into health" through a denial of illness and a premature resumption of usual activities. Relationships with the hospital staff become an important part of the patient's life and the patient will often actively involve himself in the safe, structured hospital activities. Intense reenactments of the patient's disturbed relationships to the important people in his life with both staff and other patients are to be expected. The patient becomes vulnerable to changes of attitude in those around him and to the loss of these relationships. Splitting may become a problem as the patient enacts his inner experience through projection and projective identification. The early attachment of the patient to the analyst, which should not be confused with a therapeutic alliance, is more likely to be composed of dependency and idealization characteristic of the younger adolescent. The move toward a therapeutic alliance is fraught with anxiety and may precipitate panic similar to the panic experienced in the initial breakdown. A beginning autonomous alliance with the analyst represents a real threat to the patient's internal self and object representations and to his relationship with the parental figures. Family work utilizing a psychoanalytic orientation is an important requirement for the Schizophrenic II patient because the difficulties of separation-individuation are reflected in conscious and unconscious parental attitudes and behavior. The pathologic ties which bind the patient to his family require changes on both sides if a substantial improvement is to be expected. Failure to recognize these ties, which are more deeply unconscious in many parents than in their schizophrenic offspring, often leads to the premature interruption of treatment at the moment when the psychoanalytic work is beginning to take hold.

The Schizophrenic III patient with a long history of overt illness usually has a strong dependent tie to the mothering figure and little in the way of developed social skills that will promote growth. Hospitalization may be the only way to interrupt this long-standing relationship and allow the possibility of new object ties to be attempted. The patient's more compromised pathologic self organization frequently puts him out of contact with both staff and therapist. Intensive psychoanalytic psychotherapy requires an appreciation of this changing state of awareness in order to establish a viable treatment situation. These difficulties often limit the patient's participation in group activities and the patient's sense of security in the hospital community. The tendency toward regression in the face of loss or increased stress places any improvement in constant jeopardy. As with Schizophrenic II patient, the parents of Schizophrenic III patient will require psychoanalytically-oriented help to alter the long-standing dependency and its parental correlates.

The Schizophrenic IV patient, who has lost hope and despairs of help, presents a different clinical problem. His well organized pathological self has relinquished object ties and his family has often lost hope for and interest in any further changes. The therapy is compromised by the fragility of the patient's interest and his tendency to withdraw under any stress. The negative symptoms of apathy and indifference are prominent. The family is of little help and any re-awakening must come from the hospital. Changes are slow and begin with the establishment of affective contact and the patient's struggle to make an attachment to the analyst. These patients represent the greatest challenge to psychoanalytically-oriented hospital treatment.

The severity of the patient's schizophrenic psychosis is not the only factor which influences the hospital treatment program. The phase of the illness has therapeutic implications.

46

The acute phase of terror, disorganization and lack of self-cohesion requires the analyst to make full use of his empathic skills. The moment to moment changes in the patient's tension level and affective expression are accepted in a calm, unhurried fashion as the analyst seeks empathic contact with the patient. The initial interpretive posture is not to reveal to the patient the hidden cause of his distress but to recognize and understand the patient's immediate communication. Establishing a coherent view of what is conscious must precede further analytic work. The reduction of terror and an increase in self-cohesion are the first analytic goals. Commonly the patient moves between various pathological organizations of self as he seeks safety and relief from his panicky feelings. In the most favorable circumstances the patient's ego capacities will gradually allow the establishment of a largely non-pathological self at which point the analyst can begin to move toward a traditional psychoanalytic procedure.

The reduction of terror and panic introduces the subacute phase of reorganization of the self and, in PAO's view, the most favorable opportunity for psychoanalytic work with schizophrenic psychosis. In the subacute phase treatment aims at forestalling a pathological closure of the patient's view of himself and the object world and helping the patient relate symptoms to anxiety within the broader context of object relationships. The therapist pays particular attention to the level of the patient's anxiety and respects the patient's tendency to panic. The approach of the ward staff is more active and is organized to provide support and appropriate tasks that are small steps toward more autonomous living. Too rapid moves or separations or too much expectation will rekindle this panic which will be followed by a shift toward a more pathological self-organization. During the subacute phase, pathological aspects of the self-organization promote splitting of staff or splitting between therapist and administrator.

Once the pathological self-organization has reached a degree of stability and cohesion, the patient enters a chronic phase, one that requires a different style of therapeutic intervention. The patient's attitude is one of distrust and withdrawal and requires a prolonged and gradual effort on the part of all staff to interest the patient in himself and his predicament. Therapy is aimed at promoting communication and a sense of security in which the patient can make known his needs. If this can be accomplished then analytic treatment can address the pathological consequences of the patient's psychotic self-organization.

A word about medication : we have found anti-psychotic medication a valuable addition to the treatment program in many patients with schizophrenia. The psychotic borderline and narcissistic disorders are generally less responsive to anti-psychotic medication and do best with minimal or no drug treatment. We are currently engaged in a hospital-wide study of the areas of synergism and antagonism between drugs and psychotherapy. Our initial impression is that the state of the transference is often correlated with the patient's response to medication. We have found that for the great majority of patients drugs do not directly interfere with the therapeutic process although fantasies on the part of both patients and therapists are mobilized and must be explored.

I have outlined the psychoanalytic treatment of psychotic patients in one hospital setting. The work of many analysts has found expression in the evolution of our approach. I feel that a greater psychoanalytic understanding of the therapeutic process will lead to further modifications of our treatment program. Currently we are analyzing the elements of our program and assessing the impact of each on the outcome of the illness. We are attempting to define more clearly how each aspect of treatment influences different dimensions of the psychotic process. Our experience has also suggested to us the need for study in another area. The patient's developmental history appears to have a powerful impact on his response to different treatment interventions. I believe that psychoanalytic study of the development of each patient will add precision to our diagnoses and allow a more exact prescription of our therapeutic interventions. The treatment of schizophrenic psychosis in the hospital setting illustrates the substantial contribution that psychoanalysis can make to the study and treatment of severe psychopathology.

July 1984

RÉSUMÉ

LE TRAITEMENT PSYCHANALYTIQUE DE LA PSYCHOSE EN MILIEU HOSPITALIER

L'auteur décrit le traitement psychanalytique de la psychose en milieu hospitalier en retraçant l'évolution d'un programme psychanalytique hospitalier et en mettant l'accent sur notre approche actuelle face à ce problème. En outre, il soulève deux questions : Comment une démarche psychanalytique peut-elle être poursuivie dans un milieu hospitalier ? et, Comment le milieu hospitalier lui-même peut-il incorporer la connaissance psychanalytique au profit du patient ?

Le traitement psychanalytique fut introduit à Chesnut Lodge par Dexter M. BULLARD, Sr. Il distingua les responsabilités de l'analyste et celles du médecin administrateur, libérant ainsi l'analyste afin de lui permettre d'utiliser les aspects traditionnels de la démarche psychanalytique. Frieda FROMM-REICHMANN développa des techniques thérapeutiques de travail avec des patients psychotiques en insistant sur la valeur communicative de l'expression non verbale, l'importance de l'interprétation à l'intérieur de la situation interpersonnelle immédiate, et la capacité de l'analyste de travailler avec les expressions d'hostilité personnelle et déplacée (*transferred*) du patient.

STANTON et SCHWARTZ démontrèrent que l'utilisation de la méthode psychanalytique influence tous les aspects du traitement hospitalier et exige un savoir-faire analytique à tous les niveaux de soins du patient.

Les caractéristiques de la relation thérapeutique et la signification des sentiments propres de l'analyste furent explorées par Harold SEARLES ; grâce à lui, l'étude des sentiments contre-transférentiels est devenue une partie intégrante de l'entreprise thérapeutique.

De récentes études à Chesnut Lodge ont permis d'entrevoir la schizophrénie dans une perspective de développement. Un travail exploratoire initial suggère qu'en plus des facteurs génétiques et biologiques, le développement de la personnalité et les modes caractéristiques de réactions au stress peuvent prédisposer le patient à la schizophrénie. Des sous-groupes de schizophrénie ayant une valeur pronostique et thérapeutique ont été identifiés. L'histoire du développement du patient semble avoir un impact majeur sur sa réponse aux différentes modalités de traitement. L'étude psychanalytique du développement de chaque patient permettra une plus grande précision du diagnostic et une définition plus exacte de l'intervention thérapeutique.

REFERENCES

1. ARLOW, J.A. & C. BRENNER. (1964) *Psychoanalytic Concepts and the Structural Theory*, New York, International Universities Press.

2. BAK, R. (1970) «Recent Developments in Psychoanalysis: A Critical Summary of the Main Theme of the 26th International Psycho-Analytic Congress in Rome», *Internat. J. Psycho-Anal.*, 51:255-264.

3. BULLARD, D.M. (1940) «The Organization of Psychoanalytic Procedures in the Hospital», *J. Nerv. Ment. Dis.*, 91:697-703.

4. BURNHAM, D.L., R. GIBSON, & A. GLADSTONE. (1969) *Schizophrenia and the Need-Fear Dilemma*, New York, International Universities Press.

5. FORT, J.P. (1973) «The Importance of Being Diagnostic», Paper Read at the Nineteenth Annual Chestnut Lodge Symposium, October 5.

6. FREEMAN, T. (1970) «The Psychopathology of the Psychoses: A Reply to Arlow and Brenner», *Internat. J. Psycho-Anal.*, 51:407-415.

7. FREUD, A. (1963) «Regression as a Principle in Mental Development», *The Writings of Anna Freud*, New York, International Universities Press, vol. VI, p. 93-107.

8. FREUD, A. (1965) «Malapsychological Assessment of the Adult Personality: the Adult Profile», *The Psychoanalytic Study of the Child*, 20:9-19.

9. FREUD, S. (1911) «Psycho-Analytic Notes on an Autobiographical Account of a Case of Paranoia (Dementia Paranoides)», *Standard Edition*, 12:9-79, London, Hogarth Press, 1958.

10. FROMM-REICHMANN, F. (1939) «Transference Problems in Schizophrenia», *Psychoanal. Quart.*, 8:412-426.

11. FROMM-REICHMANN, F. (1948) «Notes on the Development of Treatment of Schizophrenics by Psychoanalytic Psychotherapy», *Psychiat.*, 11:263-273.

12. FROMM-REICHMANN, F. (1949) «Notes on the Personal and Professional Requirement of a Psychotherapist», *Psychiat.*, 12:361-378.

13. FROMM-REICHMANN, F. (1954) «Psychotherapy of Schizophrenia», *Am. J. of Psych.*, 111:410-419.

14. GREENACRE, P. (1941) «The Predisposition to Anxiety», *Trauma, Growth, and Personality*, New York, International Universities Press, 1952, p. 27-82.

15. PAO, P.-N. (1979) *Schizophrenic Disorders: Theory and Treatment from a Psychodynamic Point of View*, New York, International Universities Press, Inc.

16. SEARLES, H.F. (1953) «Dependency Processes in the Psychotherapy of Schizophrenia», *J. Amer. Psychoanal. Assoc.*, vol. 3 (1955), p. 19-66.

17. SEARLES, H.F. (1958a) «The Schizophrenic's Vulnerability to the Therapist's Unconscious Processes», *J. Nerv. Ment. Dis.*, vol. 127, p. 247-262.

18. SEARLES, H.F. (1958b) «Positive Feelings in the Relationship between the Schizophrenic and His Mother», *Internat. J. Psycho-Anal.*, vol. 39, p. 569-586.

19. SEARLES, H.F. (1959a) «The Effort to Drive the Other Person Crazy - An Element in the Aetiology and Psychotherapy of Schizophrenia», *Brit. J. of Med. Psycho.*, vol. 32, p.1-18.

20. SEARLES, H.F. (1959b) «Oedipal Love in the Countertransference», *Internat. J. of Psycho-Anal.*, vol. 40, p.180-190.

21. SEARLES, H.F. (1960) *The Nonhuman Environment*, New York, International Universities Press.

22. SEARLES, H.F. (1961) «The Evolution of the Mother Transference in Psychotherapy with the Schizophrenic Patient», *Psychotherapy of the Psychoses* (A. Burton, editor), New York, Basic Books.

23. SEARLES, H.F. (1965) *Collected Papers on Schizophrenia and Related Subjects*, New York, International Universities Press.

24. STANTON, A. & M.S. SCHWARTZ. (1954) *The Mental Hospital*, New York, Basic Books.

25. WEXLER, M. (1971) «Schizophrenia : Conflict and Deficiency», *Psychoanal. Quart.*, 40 :83-99.

ORGANISATION LIMITE

État limite
et dépressivité

Jean BERGERET

Le sujet qui m'est imparti apparaît comme fort étendu car il remet en question l'ensemble des problèmes posés par les états limites, dont l'essentiel de l'économie spécifique repose soit sur les manifestations directes du fond dépressif qu'on retrouve de façon permanente à la base de toute organisation « limite », soit sur les manifestations indirectes du même fond dépressif, c'est-à-dire sur les principaux moyens mis en oeuvre par le sujet pour lutter contre la menace dépressive.

Engager une réflexion sur les relations entre les états limites et la dépressivité conduit donc à envisager les différents aspects selon lesquels il convient d'aborder l'étude d'une variété d'économie psychique, qui reste d'actualité tant par sa fréquence clinique que par son assez grande imprécision encore sur le registre nosologique.

Il sera nécessaire, pour bien comprendre l'articulation de la situation « limite » avec la dépressivité, d'évoquer tour à tour les aspects cliniques et économiques, psychogénétiques et structurels, évolutifs et même thérapeutiques.

Il était donc logique que j'intervienne en premier au cours de cet après-midi consacré à l'organisation limite. Mon exposé permettra, je pense, d'engager tout de suite les échanges avec les Drs W. REID et O. KERNBERG et facilitera sans doute la discussion avec l'assemblée, discussion qui clôturera cette demi-journée.

*
* *

Une première constatation semble s'imposer, pour ouvrir le débat entre nous: on a l'habitude de considérer que le concept de *borderline* (qui est mis en valeur par les auteurs anglo-saxons et, en particulier, par O. KERNBERG actuellement avec tout l'intérêt que l'on sait) se voit correctement traduit en français sous le vocable d'« état limite » que les divers auteurs francophones, penchés sur ces problèmes, ont mis en avant et dont j'ai repris l'étude depuis 1970 en insistant sur l'importance du facteur dépressif.

Or les deux notions n'apparaissent pas comme rigoureusement identiques. Il semble en effet que l'expression *borderline* entende comprendre *aussi* des économies déjà engagées, pour une certaine part, en direction d'organisations de type prépsychotique, alors que les entités cliniques qu'on a coutume, en France, de ranger sous l'étiquette générale d'« états limites » demeurent beaucoup moins marquées par les psychodynamismes à vectorisation psychotique, et apparaissent comme restant encore en un état d'indécision structurelle et pulsionnelle de nature dépressive, donc essentiellement narcissique, sans se voir *déjà* engagées dans d'autres complications structurelles.

Nous pouvons cependant observer que les auteurs anglo-saxons comme les auteurs francophones reconnaissent la nécessité d'une grande rigueur nosologique, et refusent que le groupe des divers états qui nous intéressent ici soit considéré comme un fourre-tout économiquement hétéroclite destiné à simplifier la tâche des cliniciens. Cette facilité constituerait en effet une illusion fâcheuse pour le praticien et s'avérerait fort dangereuse du point de vue thérapeutique.

Les deux groupes d'auteurs sont donc d'accord pour réclamer, en matière de diagnostic, une grande prudence dans la délimitation des bases économiques latentes permettant de préciser la nature du type de structure auquel va appartenir telle personnalité. L'abord psychiatrique de la clinique contemporaine a clairement accepté de réduire le nombre de sujets présentant une structure psychotique authentique à des modes très précis de fonctionnements mentaux ; on a sans doute rencontré plus de difficultés pour faire reconnaître à la clinique psychanalytique que ne pouvaient être rangés du côté des structures authentiquement névrotiques que des modes de fonctionnement mental nettement définis par le primat organisationnel de l'Oedipe, de la relation triangulaire et de l'imaginaire génital. Or ce mode de structuration apparaît, hélas, comme de moins en moins fréquent de nos jours, non seulement chez nos patients mais chez l'ensemble de nos contemporains, et en particulier parmi ceux qui sont réputés comme les tout premiers bénéficiaires de ce qu'on appelle la «culture» et la «civilisation»…

…alors qu'on semble rencontrer, d'autre part, de plus en plus de situations «limites», autrement dit de plus en plus de dépressivité en cause[1].

I. LE MÉCANISME DÉPRESSIF «LIMITE»

Je pense que nous pouvons écarter de notre propos de ce jour le simple affect dépressif très courant et très banal, lié à l'état de souplesse adaptative signant la *normalité* du fonctionnement mental, c'est-à-dire la capacité de se déprimer sans

---

(1) D'où, sans doute, la «prudence» du DSM III en matière de pathologie vraiment névrotique.

autre conséquence que de régresser temporairement à une situation de protection contre la trop grande acuité que peut prendre passagèrement, en raison de circonstances actuelles et provisoires, le réveil d'un conflit narcissique latent autour duquel le sujet a été capable de développer habituellement des mécanismes équilibrateurs convenables.

Nous pouvons écarter aussi de notre propos les très fréquents processus et syndromes dépressifs (plus ou moins graves et plus ou moins durables) qui ne font jamais défaut au cours de la plupart des maladies mentales ou physiques (et qui correspondent à des atteintes des aménagements narcissiques), *à côté et en plus* des autres symptômes qui demeurent, eux seuls, spécifiques de l'affection en cause. En psychiatrie par exemple, on rencontre des syndromes dépressifs de nature psychotique qui se présentent comme ayant un statut soit maniaco-dépressif soit franchement mélancolique. On rencontre, d'autre part, des dépressions de statut névrotique ; mais ces cas sont beaucoup plus rares qu'on le pense généralement, et les termes de «dépression *névrotique*» doivent être rigoureusement réservés à des situations économiques vraiment génitales et œdipiennes, où l'angoisse de perte de l'objet d'un authentique désir incestueux est mise en avant pour masquer l'angoisse de castration sous-jacente, facile à déceler quand on creuse sous le système de défense manifeste.

On a de plus en plus tendance, à l'heure actuelle, à considérer qu'il existe une certaine continuité économique théorique entre toutes les situations dépressives, depuis le simple affect dépressif jusqu'à la plus profonde mélancolie ; mais, du point de vue que j'ai toujours défendu, le même sujet ne peut passer soudain au cours de son existence, après la résolution de la crise d'adolescence, d'une variété structurelle dépressive névrotique à une variété structurelle dépressive psychotique (ou inversement). La nature clinique et structurelle spécifique de chaque forme de manifestation dépressive ne peut donc être ignorée ni confondue sans danger pour le pronostic personnel et social à envisager, ni pour la logistique thérapeutique à proposer, à brève comme à plus lointaine échéance.

Le mode de dépression sur lequel sera centrée la présente réflexion concerne les situations économiques encore très mal structurées, qui caractérisent l'ensemble des organisations «limites» situées entre les frontières de la structure névrotique et les frontières de la structure psychotique. L'économie des sujets appartenant à ce mode de fonctionnement mental demeure de nature narcissique secondaire ; il s'agit d'une problématique de la dépendance et d'une angoisse de perte de l'objet anaclitique. Nous ne sommes pas en présence d'une économie névrotique mettant en cause le conflit génital, la relation œdipienne incestueuse, l'angoisse de castration. Il ne s'agit pas non plus d'une économie psychotique de nature narcissique primaire, où il est question de la menace de morcellement et de mort émanant d'un objet extérieur plus ou moins bien internalisé, à la fois persécuteur et à persécuter, c'est-à-dire vécu comme objet devant être détruit car, sinon, c'est lui qui serait censé détruire le sujet.

Dans les situations « limites », les conflits archaïques du registre oral et anal, considérés par la majorité des pédopsychiatres comme étant à l'origine des perturbations de nature psychotique précoce, n'apparaissent pas comme directement en cause ; ce sont surtout les réinvestissements prégénitaux de la période anale tardive et de la période phallique qui réalisent les véritables fixations dépressives de ce type, fixations sur lesquelles se développent ensuite, à l'occasion d'un accident de parcours, les mécanismes dépressifs.

On constate aussi, sur l'autre versant de la psychogénèse, que le primat de l'Œdipe n'a pu intervenir en temps utile pour donner une vectorisation génitale définitive à l'ensemble de la personnalité et, du même coup, au conflit fondamental triangulaire.

C'est donc l'articulation logique entre le narcissisme originel et la génitalité maturative qui se trouve bloquée. Les pulsions aussi bien «violentes archaïques» que sexuelles (plus tardivement prises en compte) se voient entravées dans leur intégration au sein de l'ensemble d'une personnalité dont le dynamisme global devrait logiquement parvenir à l'homogénéité. La personnalité dite «dépressive limite», par voie de conséquence, manque avant tout de vigueur structurelle, et les représentations parentales, particulièrement défaillantes aux différents niveaux imaginaires, n'autorisent aucune identification secondaire solide, de quelque nature que ce soit.

Il n'est point étonnant, du même coup, qu'en fonction de l'évolution prise par nos sociocultures occidentales, où les images parentales (aussi bien féminines que masculines) se sont vues tellement malmenées par les pressions économiques et culturelles et où leurs représentations symboliques n'obtiennent plus que le statut de hochets dérisoires, on en soit arrivé à rencontrer, avec une telle fréquence, des sujets prompts à se décompenser (gravement parfois, sous une forme dépressive soit mentale, soit physique, soit comportementale) devant une situation où les réassurances procurées par l'extérieur viennent subitement à manquer, après avoir cependant promis toute sécurité à ceux qui accepteraient l'état de dépendance.

Nous sommes ici très près de ce que W. REID décrit comme les brèches du pare-excitation.

Chez nos sujets dépressifs limites, c'est ce qu'André GREEN appelle la «fonction objectivante» du moi qui fait cruellement défaut. La constitution, à partir d'un objet externe vraiment extériorisé (c'est-à-dire auquel on est parvenu à rendre son indépendance), d'une représentation «autre» de ce même objet est absolument nécessaire pour que le sujet parvienne à sa propre autonomie affective[2]. Cette carence fonctionnelle du moi entraîne automatiquement une carence dans le fonctionnement du surmoi et aussi des diverses instances idéales, quelles que soient les positions théoriques que nous adoptons à ce propos.

---

(2) Je parle ici d'autonomie du moi et non de «moi autonome» bien sûr.

Ainsi qu' Otto KERNBERG l'a, par ailleurs, développé de son côté, l'existence d'un surmoi (distinction *intérieure* entre ce qu'il convient ou non de s'autoriser) bien organisé (c'est-à-dire ni trop tyrannique, ni trop impersonnel) fait cruellement défaut chez beaucoup de nos contemporains. Les idéalisations sont par contre nettement exagérées, malgré les dénégations opérées en surface ; d'autre part, de telles idéalisations, à fonctions compensatoire et défensive, se développent à partir d'un Idéal du moi demeuré puéril, absolu et sans nuance quel qu'en soit le sens apparent affirmé ; ceci reste valable même quand il s'agit d'un pseudo-contre-idéal affiché comme détaché des valeurs d'oppression, tout en y restant farouchement fixé cependant de façon négative. L'épreuve de la réalité parvient à démontrer l'aspect illusoire de telles idéalisations mégalomaniaques ; or on ne peut plus de nos jours entrer facilement en religion ni dans un parti politique musclé ; le sujet se voit donc réduit à la solution dépressive. Dès que les essais de récupération narcissique par un groupe quelconque, provisoirement efficace, se sont avérés infructueux, le sujet rompt le contact avec les autres en les accusant de l'abandonner.

II. LES ORIGINES DU MÉCANISME DÉPRESSIF «LIMITE»

Il est possible d'envisager les origines du mécanisme dépressif rencontré chez les états limites, soit sous un angle psychogénétique, soit sous un angle économique, ou encore sous un angle psychodynamique. À ces derniers niveaux aussi je suis conduit à ouvrir le dialogue avec nos collègues W. REID et O. KERNBERG, et avec toute l'assemblée.

Je me garderai bien d'aborder ici tous les problèmes que mes deux collègues vont développer dans leurs exposés, à propos de l'économie ou de la psycho-dynamique limite. Je me bornerai à des facteurs qui demeurent liés à la problématique dépressive, et qui me semblent habituellement moins évoqués dans la plupart de nos travaux.

*

* *

Du point de vue *psychogénétique*, on sait que l'enfant passe par les stades classiques d'investissement oral, anal, phallique et génital. On a l'habitude d'insister sur ce qui se passe au stade oral et sur ce qu'il advient au stade génital, mais on s'attarde en général beaucoup moins sur les stades intermédiaires. Plusieurs auteurs cependant ont rappelé, au cours des dernières décennies, l'importance structurelle du moment anal et du moment phallique, et tout le monde reconnaît le rôle définitif de la période d'adolescence dans le choix structurel de la personnalité.

Il semble nécessaire de se pencher à la fois sur le délicat passage qui conduit de l'analité à la génitalité à travers le phallisme, et sur les remises en question des modes relationnels antérieurs qui se produisent au moment de l'adolescence.

Le passage de l'analité à la génitalité se produit dans le cadre de l'imaginaire phallique, dans l'un et l'autre sexe, et sous le couvert d'une relation affective de type homosexuel. Cette homosexualité affective constitue une sorte de charnière, de solution de passage entre le narcissisme ancien, qui consiste à ne voir que soi dans l'autre, et la relation objectale proprement dite, de statut génital, qui amène à reconnaître l'objet comme un autre sujet, égal en valeur absolue à soi-même et différent dans ses qualités propres, sexuelles ou autres.

Il paraît inutile de préciser que ce moment évolutif d'homosexualité affective n'a rien à voir avec la perversion adulte qui porte aussi le vocable d'homosexualité, et qui consiste à prolonger et à bloquer le potentiel évolutif de la première forme opératoire de sexualité objectale. L'homosexualité affective dont il est question ici, en tant qu'étape relationnelle obligatoire, permet l'acquisition d'une identité sexuelle et la possibilité, du même coup, d'intégrer à un autre niveau la partie affective marquant le sexe opposé que l'on continue à posséder de façon compensatoire dans un imaginaire en bon état de fonctionnement.

C'est cette identité sexuelle acquise dans un premier temps relationnel d'homosexualité affective qui va permettre de retrouver chez l'autre le sexe complémentaire de celui auquel aura conduit l'identification secondaire personnelle, et de parvenir ainsi à une hétérosexualité opératoire, seule capable d'assurer un durable dépassement à la fois des risques dépressifs et des risques de morcellement psychotique.

Il appartient en même temps à la mère et au père de dénouer l'impasse anale et phallique. L'enfant doit pouvoir dépasser la fameuse position dépressive en ayant reçu le droit et acquis la capacité d'intégrer, dans son imaginaire libidinal, tour à tour le potentiel phallique maternel puis le phallisme paternel, avant de s'identifier soit au potentiel sexuel réceptif (et en cela *créatif* et non pas passif) de la *mère*, soit au potentiel sexuel fécondateur (et en cela seulement créatif et non pas dominateur) du père.

Mais ceci n'est possible bien sûr que si l'imaginaire de l'enfant perçoit à la fois un imaginaire paternel qui ne ridiculise pas le légitime phallisme maternel, sous le prétexte de réduire l'angoisse ressentie à la vue du sexe féminin, et un imaginaire maternel qui n'a pas besoin de contester le phallisme masculin de manière à réduire le pénis à un phallus avec lequel les simples conditions archaïques de combat seraient dans un climat redevenu narcissique.

Nous sommes très près ici de ce que W. Reid propose d'appeler l'*action symbolisante*.

L'état limite correspond à une impasse du développement affectif : le danger narcissique primaire de débordement psychotique par l'agressivité orale est dépassé, mais l'identité sexuelle n'est pas atteinte ; la dépressivité mentale marque l'impossibilité de dépassement d'une homosexualité affective qui ne parvient pas à reconnaître, au niveau imaginaire, le manque symbolique auquel elle correspond ; c'est en ce sens que j'aimerais compléter le point de vue d'Otto KERNBERG sur l'imaginaire pervers du dépressif limite. L'impossibilité de prise en compte de ce manque de représentation imaginaire du sexe féminin conduit tout naturellement, dans les circonstances les plus éprouvantes, à une expression comportementale ou hypocondriaque signant la dépression.

Les manifestations dépressives que je viens de décrire, et propres à la lignée «limite», ne vont subir aucune modification, du point de vue psychogénétique toujours, à l'âge normal de l'adolescence ; je dis bien *à l'âge* et non *au moment* de l'adolescence. Il a été constaté en effet que, du fait des blocages imaginaires que je viens de signaler plus haut, l'enfant se trouve en très mauvaise condition pour intégrer, en tant qu'organisateur, l'inscription symbolique oedipienne. L'évocation imaginaire de la situation oedipienne chez l'état limite ne bénéficie, de la part des inductions parentales, ni d'un tonus suffisamment puissant ni de garanties pare-excitatoires suffisamment rassurantes.

Il résulte donc de l'ensemble de ces *blocages imaginaires* une entrée assez rapide dans une sorte de «pseudo-latence», sans que les données oedipiennes aient pu s'organiser dans l'imaginaire de façon assez bruyante pour qu'il soit nécessaire de les refroidir quelque peu et pendant quelque temps, ce qui est le rôle de toute latence classique.

La« pseudo-latence» apparaît donc à la fois comme extrêmement insipide dans ses constructions imaginaires libidinales, comme extrêmement précoce (elle débute à la place d'une crise oedipienne véritable) et comme extrêmement prolongée ; elle peut durer toute la vie du sujet s'il n'y a pas d'intervention extérieure notable conduisant soit à une amélioration soit à une rupture de ce pseudo-équilibre affectif. Cette «pseudo-latence» correspond à la dépressivité spécifique si caractéristique des états limites, sur le plan psychogénétique.

D'un point de vue économique, nous pouvons concevoir que l'attitude défensive à laquelle se trouve en proie l'état limite ne constitue ni une conséquence de l'angoisse de castration, ni l'écho d'une angoisse psychotisante de morcellement. Il s'agit avant tout d'une défense destinée à empêcher la dépressivité foncière qui sous-tend de tels états de devenir dépression ; le sujet doit donc éviter la perte de l'objet, et toute l'économie limite est organisée autour de l'anaclitisme vis-à-vis d'un objet qui doit conserver son statut de réalité externe ; cette problématique de la dépendance relationnelle ne suppose ni une triangulation sexuelle oedipienne, ni une proximité confusionnelle avec l'objet, mais construit un univers où il existe des grands tout-puissants qui ne peuvent qu'être soit gratifiants soit persécuteurs, et des petits qui ne peuvent être que protégés ou persécutés. La différence entre les sexes ne joue pas un grand rôle sur le registre organisateur, et il n'existe d'autre part aucun statut d'égalité profonde et stable possible qui rende la coexistence pacifique, et encore moins productive.

De par son peu de solidité structurelle, l'économie dépressive «limite» ne peut prétendre à un mode de «normalité» structurelle stable, comparable au statut de normalité auquel peut parvenir un sujet de structure névrotique, ni même aussi solide que le statut de «normalité» auquel il faut bien reconnaître que peut parvenir également un sujet de structure psychotique, une fois un bon système adaptatif de défenses (par exemple de type obsessionnel) mis en place, avec toutes les voies créatrices que permet d'envisager une telle adaptation (dans une optique scientifique ou artistique par exemple) ; succès d'ailleurs très valorisé aux yeux des dépressifs «limites», c'est-à-dire de toute une partie de ce qu'il est convenu d'appeler le «grand public».

Le dépressif «limite» en effet ne parvient jamais à une très bonne adaptation originale. Nous demeurons dans le domaine des personnalités «comme si», si bien décrites par H. DEUTSCH et qui restent la base de recrutement des «bonnes sociétés». Il s'agit en effet beaucoup plus d'imitations que d'identifications chez de tels sujets. D'où une grande instabilité et une grande incertitude dans le mode adaptatif recherché, souvent même dans plusieurs modes adaptatifs successivement ou, parfois même, simultanément recherchés. On connaît les conséquences qu'on peut en tirer en psychopolitique.

J'ai parlé par ailleurs d'une «pseudo-normalité» que ne pouvaient dépasser les économies dépressives de type «limite» les moins menacées. Le dépressif «limite» se vit comme balancé malgré lui, et en perpétuelle recherche d'équilibre à la surface de flots environnementaux très mouvants et qui risquent sans cesse de déstabiliser la frêle embarcation économique que constitue son moi. La normalité «limite» a été décrite par P.C. RACAMIER, non pas comme établie selon une ligne verticale (que des systèmes adaptatifs efficaces chercheraient à maintenir), mais comme un balancier d'horloge dont l'équilibre fonctionnel nécessite un incessant mouvement symétrique une fois à droite, une fois à gauche (ou, si nous voulons dépolitiser le débat : une fois à bâbord, une fois à tribord). À bâbord (du côté rouge), il s'agit d'éviter l'envahissement psychotique dans une problématique plus ou moins fusionnelle avec l'objet persécuteur / à persécuter ; à tribord, il lui faut prévenir les dangers de morcellement par une problématique génitale apportant avec elle une angoisse de castration qui ne peut être perçue par le dépressif que comme une castration phallique, c'est-à-dire vitale pour l'objet total et non seulement réservée à l'objet partiel signant l'identification secondaire sexualisée.

C'est donc sur deux fronts que le dépressif limite se débat économiquement dans une lutte sans fin, sans succès, mais aussi, il l'espère, sans une trop grande défaite pour les assises essentielles du moi, c'est-à-dire pour le narcissisme primaire. Cette lutte apparaît comme incessante et épuisante. Or la clinique nous enseigne que, même dans les cas où il n'y a eu aucune tempête trop forte ni du côté de bâbord ni du côté de tribord, le naufrage peut cependant survenir paradoxalement du fait du mécanisme dépressif lui-même, puisque les défenses antidépressives peuvent conduire directement à la dépression par épuisement des dynamismes réactionnels si longtemps survoltés. Il s'agirait donc finalement d'une sorte de sabordage de l'embarcation moïque.

Je ne m'étendrai pas ici sur l'importance que j'accorde aux facteurs narcissiques en jeu au sein de l'économie dépressive «limite». W. Reid a développé par ailleurs ces problèmes liés au besoin d'omnipotence si particulier à ces sujets, et O. Kernberg s'est également penché à plusieurs reprises sur la même question. D'autre part, ici même à Montréal, on a fort pertinemment étudié dans le même sens les aléas de l'établissement d'un narcissisme vraiment opératoire. Je pense que ces questions tout à fait centrales pour notre débat seront reprises par mes deux collègues dans leurs exposés, et aussi par le public au cours de la discussion qui va suivre.

*
*   *

D'un point de vue *psychodynamique*, je serai amené à rappeler certaines de mes positions récentes concernant la mise en jeu progressive des mouvements pulsionnels, ainsi que le point de vue différentiel entre les dynamismes fort distincts qui interviennent comme moteurs du fonctionnement psychique humain.

J'ai cherché, comme on le sait, à continuer dans la même ligne — mais en désirant aller plus loin encore — les travaux de J. Laplanche et J.B. Pontalis sur les fantasmes primitifs. Ces auteurs ont montré que les trois fameux fantasmes dits «originaires» ne constituaient que des formations imaginaires secondaires destinées à rendre compte, beaucoup plus tard et après coup, du mystère des origines de la vie physique et affective humaine : le fantasme de scène primitive correspond à un besoin d'explication de la naissance, le fantasme de séduction, à un besoin d'explication de l'origine de la sexualité, et le fantasme de castration, à un besoin d'explication de la différence entre les sexes.

J'ai tenté pour ma part[3] de remonter encore le temps pour montrer que, beaucoup plus primitivement, existaient d'autres fantasmes plus archaïques que les fantasmes qui font entrer en scène la pulsion libidinale et la problématique génitale. Je me suis appuyé à ce propos sur les références de Freud à un instinct primitif violent analogue à l'instinct de survie des animaux, et dont il a cherché à développer les buts à propos de son concept de *Bemächtigungstrieb*, traduit en français sous les termes de «pulsion d'emprise» et en anglais sous l'expression d' *instinct for mastery*. Freud nous dit qu'il s'agit d'un dynamisme tout à fait élémentaire, qui ne comporte encore aucune notion d'amour et (du même coup) aucune idée de haine. Il s'agirait là de la forme la plus simple de l'instinct de survie dans une dialectique purement duelle : il n'y a pas de place pour deux au soleil, l'autre et moi. La lutte pour la vie commencerait donc dès le moment de la naissance, et du côté du nouveau-né et du côté des parents, des *deux* parents, la mère tout autant que le père. Le fantasme

---

(3) J.Bergeret, **La violence fondamentale**, Paris, Dunod, 1984.

infanticide concernerait l'un et l'autre des parents ; le fantasme parenticide prendrait tout autant une forme matricide que parricide.

Ce n'est pas pour rien que FREUD a choisi comme illustration de ses conceptions psychogénétiques le mythe d'Oedipe et sous la forme, en plus, de la tragédie de Sophocle, puisque ce texte comporte dans l'énoncé du tout premier oracle, qui n'a encore rien de génital et d'incestueux, un avertissement solennel prononcé par Apollon à l'égard de la future trilogie :

> « Ou bien, dit l'Oracle, il faudra que les deux parents tuent préventivement leur enfant ou bien ce sera l'enfant qui devra sauver sa propre vie en tuant l'un et l'autre des parents (V.1176). »

On ne s'étonne pas ensuite de rencontrer une lutte entre les générations, ou bien ce qu'on appelle les «psychoses puerpérales», ou encore le fameux dilemme consistant à déterminer, quand un accouchement autrefois se passait mal, qui l'on devait sauver (par conséquent tuer), la mère ou l'enfant ; on ne s'étonnera pas de rencontrer dans certains pays un débat passionné (et non pas seulement objectif) sur l'I.V.G. ; on ne s'étonnera pas non plus de rencontrer, dans les analyses de la haute époque dite «oedipienne», une incompréhension de la problématique féminine résultant de la dénégation ou des difficultés de la femme à intégrer son imaginaire infanticide, en écho à l'imaginaire primitif matricide du tout jeune enfant.

Tout ceci doit nous amener à réfléchir beaucoup plus profondément que nous ne l'avons fait jusque-là sur la problématique dépressive de statut «limite», et à ne pas rester fixés seulement à la problématique névrotique, ou même à la problématique psychotique.

Quand le psychodynamisme évolue correctement (c'est-à-dire dans le sens névrotique, génital, triangulaire et oedipien), FREUD a très clairement montré, dans sa théorie de l'étayage, que le dynamisme libidinal prenait appui sur l'instinct violent fondamental inné pour intégrer cette force au sein d'une vectorisation non pas destructrice et limitative affectivement, mais amoureuse et créatrice. C'est ce qu'Otto KERNBERG rappelle quand il dit que «l'agression est une composante essentielle de toute sexualité». Je le taquinerai néanmoins sur le terme d'agression qui me paraît impropre, et auquel je préfère le terme plus neutre et plus primitif de violence. Et, toujours dans cette hypothèse névrotique, les résidus violents demeurés encore mal intégrés au sein d'un tel mode d'évolution structurelle génitale contribuent, mais plus tard seulement par leur alliage à un peu de libido, à former secondairement des éléments affectifs agressifs, ambivalents, haineux, conduisant au masochisme et au sadisme qu'on peut trouver chez tout individu, même le mieux «névrotisé» structurellement.

D'autre part, on constate parfois l'évolution inverse : les inscriptions symboliques génitales oedipiennes peuvent au contraire se montrer sans effet

64

intégratif, du fait des perturbations apportées par l'imaginaire environnemental lui-même très perturbé dans son rôle inducteur. C'est alors le cas de la problématique psychotique où ce sont les éléments violents archaïques qui vont s'employer à utiliser très tôt des fragments plus ou moins importants de libido, pour prendre le primat organisationnel et conduire aux modes de fonctionnement mental qu'on connaît bien.

*

* *

En résumé, ce rapide tour d'horizon des psychodynamismes structurels classiques situe tout de suite la place du psychodynamisme propre à la dépressivité «limite». L'état limite, en effet (en raison de son inachèvement et de son incertitude structurelle), ne se voit capable ni d'intégrer la violence au sein d'une problématique triangulaire génitale et névrotique, ni d'intégrer assez d'éléments libidinaux au sein d'une violence archaïque devenue ainsi structurellement opératoire, comme cela est le cas dans les éventualités psychotiques. La solution dépressive essentielle, c'est-à-dire la solution «limite», consiste en une hésitation, sans solution intégrative, sur le primat qu'il sera possible d'accorder soit à la problématique violente, soit à la problématique libidinale. Il en résulte donc une sorte de flottement incessant et improductif relationnellement (en dehors de l'étayage rassurant), dans une dialectique du fort et du faible avec ce qu'on appelle à tort une «ambivalence affective» puisqu'il s'agit, en fait, d'une incapacité de vivre l'ambivalence naturelle qui résulte inévitablement de toute intégration structurelle réalisée dans un sens tout aussi bien névrotique que psychotique.

Cette carence associative, cette carence synthétique de l'imaginaire correspond, je pense, à ce que W. REID décrit comme l'attitude imaginaire «dissociative» qui caractérise l'état dépressif «limite».

CONCLUSION

Il nous faut conclure très sommairement sur les aspects évolutifs et thérapeutiques de la dépressivité «limite». On connaît les risques directement dépressifs et en particulier suicidaires de tout état limite, mais il existe aussi d'autres risques permettant d'éviter la solution purement dépressive dans son radicalisme. Les risques de psychotisation plus ou moins tardive sont clairement exposés dans les travaux d'Otto KERNBERG.

L'angoisse d'effondrement narcissique et relationnel peut également conduire à des manifestations nettement somatisées à point de départ hypocondriaque, ainsi qu'à des manifestations d'ordre économique tout différent et de nature psychosomatique. L'angoisse dépressive sur le versant psychotique se porte vers des évolutions maniaco-dépressives ou bien, s'il s'agit de sujets plus âgés, vers des évolutions plus nettement mélancoliques. S'il a été possible de prendre un plus proche contact avec la problématique œdipienne (même tardivement), on rencontre alors souvent des évolutions phobiques qui signent les difficultés d'entrée dans l'univers génital, triangulaire et névrotique par peur du fameux «piège» dont nous parle avec tant d'insistance le dépressif devenu phobique.

De toutes ces réflexions, il résulte que la thérapeutique de l'état limite, en raison de ses fondements dépressifs (correspondant à une incertitude structurelle et aux inhibitions pulsionnelles qui en résultent), ne peut pas commencer par une analyse des conflits libidinaux, pas plus que par l'analyse de mouvements vraiment agressifs. Il est indispensable de procéder tout d'abord à un lent examen des déficits narcissiques primaires et surtout secondaires, c'est-à-dire des raisons qui, dans l'interaction épigénétique des imaginaires du sujet et de ses environnements, ont bloqué les capacités fantasmatiques à une peur tous azimuts des émergences dynamiques et à une défense tous azimuts contre le rapproché relationnel tout autant que contre la distance prise par l'objet, faute d'introjection suffisante de cet objet dans son obligatoire polymorphisme original.

Bien sûr, on l'a vu et on le sait, les états limites peuvent se manifester bien autrement que par des réactions dépressives de toutes intensités. Mais il n'en reste pas moins évident que le danger d'une dépression essentielle, c'est-à-dire d'une expression clinique qui ne constitue pas un épiphénomène (comme c'est le cas chez un sujet de structure névrotique ou psychotique) mais la traduction même d'une non-intégration structurelle spécifique, représente l'aspect majeur, non seulement de la symptomatologie, mais surtout de l'économie de type authentiquement «limite».

Par suite de son manque de potentiel intégratif, l'état limite ne peut régresser sans danger de rupture, à partir de son équilibre précaire, vers des solutions provisoires remettant en question son obligatoire et incessante variation de la distance à l'objet.

On pourrait donc dire que, si l'état limite se défend avec autant de fougue contre une dépression qu'il sent à tout moment le menacer, c'est justement parce qu'il se sent si mal à l'aise vis-à-vis de la simple et naturelle capacité que possèdent d'autres structures mieux élaborées de supporter leurs simples et éventuels moments transitoires de dépressivité.

Montréal, 5 septembre 1984

SUMMARY

ÉTAT LIMITE AND DEPRESSIVITY

To study the relations between *état limite* (borderline state) and depressivity, we need to look at the problem simultaneously of the clinical, economic, psychogenetic, structural and therapeutic levels.

First, we have to acknowledge the fact that the term *état limite* used by French authors and the term "Borderline" used by English authors do not exactly have the same meaning : in fact, the notion of "Borderline" includes prepsychotic situations when the expression *état limite* remains defined by a structural imprecision and instability.

Sometimes, if there exist neurotic and psychotic depressions, most clinical depressive situations are observed within the framework of the "limite" type of defensive situations. Economically, we have here a narcissistic depletion and a noticeable imaginary deficiency much more than a genital conflict or an alteration of the contact with reality. The "limite" depressivity is based upon an anaclitic relation implying "an adult and a child" but not partners (or rivals) with sexual status. The anxiety resulting from this condition remains connected to the danger of the loss of object ; the specifically depressive defensives are organized around this problematic.

From a psychogenetic point of view, the "limite" depressivity has derived from the affective homosexual moment which links dual passive anality to the triangular oedipal activity through the second anal (active) sub-stage and the phallic stage (too often mistaken for genitality). There is an insuffisant strenght of the proposed relation by the environment where are concerned the protective shield and the necessary instinctive inductions on the genital as well as the violent level. We need, in fact, to distinguish between violence and death instinct ; the fundamental innate violence constitutes the natural instinct of survival on which all libidinal evolution must organize itself, otherwise, depression appears and eventually the danger of "psychotization" when violence is too specifically excited by the environment to the detriment of the libidinal imaginary.

Consequently, the therapy for the *dépression limite* cannot begin by an analysis of the genital conflicts ; first, it must correspond to a restauration of the essential narcissistic needs which results finally in a consideration of the oedipal imaginary ; then, usual depressivity becomes tolerable without any risk of a real depression.

Réflexions

métapsychologiques

sur le transfert limite

Wilfrid **Reid**

> « *Je suis passée à travers le miroir.* »
> Liliane,
> une analysante

Sur la recommandation de son psychiatre, Isabelle me consulte expressément en vue d'une psychanalyse. Au début de la trentaine, elle vit une souffrance morale sévère depuis environ une dizaine d'années. Nous retrouvons clairement dans son histoire ce que Jean Bergeret [5] appelle un trauma désorganisateur tardif ; il s'agit d'un évènement précis, pour elle demeuré clairement délimité dans son esprit, peut-être d'autant plus dévastateur qu'il est survenu de manière tout à fait inattendue. Un jour son ami, celui qui par la suite deviendra son mari, lui annonce la rupture de leur relation ; il retourne auprès de celle qu'il fréquentait avant de connaître Isabelle ; il va bientôt se marier avec elle, comme d'ailleurs la chose était prévue au moment de sa rencontre avec Isabelle. Celle-ci reviendra régulièrement sur l'évènement au cours de la première année d'analyse ; une profonde déchirure s'est introduite à l'intérieur d'elle-même ; elle croit devenir folle ; c'est d'abord, sur le moment, un accès de larmes continu, irrépressible, sans fin ; ainsi que le rappelle Bergeret [5], après le trauma désorganisateur tardif, c'est l'accès d'angoisse.

Isabelle vit une très grande fébrilité : le monde soudainement n'a plus le même visage ; une peur des gens se manifeste qui, pour être ensuite moins perçue, n'en demeurera pas moins toujours présente; quelques tentatives d'organisation sur un mode agoraphobique ne réussissent pas à colmater l'angoisse, et c'est l'entrée progressive dans un syndrome dépressif sévère. Un tableau d'allure névrotique se manifeste — aucune composante psychotique ne paraît en cause. Cependant, le mouvement dépressif continu va s'alourdissant, au fil des ans, malgré les apparences, malgré le retour de l'ami, le mariage. Après quelques années, elle devra abandonner un emploi qu'elle a longtemps tenté de tenir péniblement.

69

Elle consulte alors un psychiatre avec qui elle établira une relation très positive, bien sûr idéalisée, mais d'une manière constructive, mobilisante pour elle. Divers traitements psychiatriques fourniront une amélioration symptomatique certaine, en particulier quant à l'angoisse et à diverses somatisations fort «incapacitantes». Néanmoins, le syndrome dépressif demeure profond. Elle n'a pas repris son emploi alors qu'un travail à l'extérieur lui semble une condition *sine qua non* de son épanouissement personnel ; avec le début de l'analyse, elle amorcera un retour aux études (elle a toujours entretenu le projet de faire des études universitaires, sans jamais se permettre de concrétiser cette démarche). Surtout, les idées suicidaires demeurent très présentes ; elle ne pourra vivre toute sa vie en souffrant de cette manière, et elle ressent la psychanalyse comme sa dernière démarche thérapeutique.

Ce tableau clinique constitue ici l'arrière-scène du phénomène transférentiel, que je dénomme transfert limite. À la suite du premier entretien préliminaire à la cure, Isabelle demande un nouveau rendez-vous avec son psychiatre. Elle lui dit que jamais elle ne retournera voir le docteur Reid : c'est un homme beaucoup trop sévère, un véritable «moine», un homme austère, qui ne se permet aucun plaisir dans la vie… Il faudra tout le doigté du psychiatre qui, non sans manifester une certaine bonhomie, parviendra, sans la bousculer, à l'orienter vers le second entretien.

Selon moi, ce mouvement transférentiel initial, apparu d'emblée lors du premier contact avec l'analyste, dans sa qualité particulière, ne peut pas être considéré comme un phénomène marginal, accidentel ; il s'inscrit d'ailleurs à l'intérieur d'un vécu de terreur à l'endroit de l'analyste, vécu de terreur qui constituera l'essentiel de la trame du début de l'analyse. Si besoin est, Isabelle l'illustrera par d'autres agirs : ainsi, certaines somatisations deviendront si accablantes qu'elle ne pourra, durant quelques jours, se rendre à ses séances ; elle demandera à un omnipraticien de communiquer avec moi, afin d'authentifier la présence de ses symptômes et de justifier ses absences. Quand je l'invite à analyser son désir d'introduire un tiers dans la relation analytique, c'est le vécu de terreur qui de nouveau refait surface ; bien sûr, l'analyste, si sévère, n'allait pas croire qu'elle soit véritablement malade, ou suffisamment malade pour s'absenter. Il ne sera pas difficile de lui faire reconnaître qu'elle-même ne le croit pas vraiment : de fait, elle s'adresse à l'omnipraticien, non surtout pour qu'il découvre l'étiologie de ses symptômes — elle est assez convaincue de leur nature psychogène —, mais plutôt pour qu'il lui dise ce qu'elle ressent dans son corps, qu'il authentifie d'abord pour elle-même, puis pour moi, le caractère extrêmement douloureux des présentes sensations corporelles.

Ce mouvement transférentiel spécifique, la rencontre avec un analyste «sévère, austère, incapable de s'offrir quelque plaisir dans la vie», rencontre associée à un vécu de terreur et qui entraîne d'emblée un agir, c'est-à-dire le recours au psychiatre, selon moi, nous n'en avons pas épuisé la complexité quand nous avons été attentifs à la composante quantitative ou, si l'on veut, à son intensité. Il y a lieu, il me semble, de mettre en évidence un aspect qualitatif, soit la condensation de ce que le sujet perçoit et de ce que le sujet ne fait que se représenter intérieurement, ou la condensation entre la perception et la représentation. L'objet réel ou la perception demeure (il est toujours un analyste) ; nous verrons qu'il n'en est plus ainsi dans le transfert psychotique. En même temps, l'analyste tel que je me le représente, tel qu'il est présent dans ma tête, dans son extrême sévérité, s'amalgamme à l'analyste réel ; tout cela devient une seule et même chose. Le sujet escamote le «comme si» ; l'analyste ou le psychothérapeute devient ce que le patient éprouve à son endroit : voilà ce que j'appelle la condensation de l'analyste réel et de l'analyste imaginaire, phénomène qui, sur le plan formel, me paraît caractériser le transfert limite.

J'ai souligné ailleurs [33] l'aspect unidimensionnel du transfert limite, dans la mesure où il y a télescopage des deux dimensions, celle de l'imaginaire et celle de la réalité extérieure ou de la perception, alors que le transfert névrotique peut être considéré comme bidimensionnel car il préserve une différenciation de l'analyste imaginaire et de l'analyste réel. Liliane, une autre analysante, utilisera parfois une expression qui me semble illustrer d'une manière lumineuse le phénomène que j'essaie péniblement de décrire. Elle dira parfois : «Je suis passée à travers le miroir.» Est-il possible de mieux exprimer la possibilité de confondre la chose et l'image de la chose ?

J'ai évoqué ailleurs [33] une métaphore empruntée à la peinture pour montrer cette condensation du réel et de l'imaginaire. Dans la peinture traditionnelle, le peintre possède d'abord une toile, c'est-à-dire un dispositif matériel, qui constituera un support propre pour les images que son pinceau voudra tracer. Dans l'art pariétal paléolithique, le peintre ne dispose pas d'un tel support matériel spécifique pour son activité artistique ; il utilisera la paroi des cavernes sur laquelle il viendra déposer directement ses signes et ses images. À la manière du peintre traditionnel venant déposer son tableau sur un mur, mur et tableau demeurant distingués, ainsi dans le transfert névrotique, le sujet pratique l'étayage de l'analyste imaginaire sur l'analyste réel. À la manière du peintre paléolithique, qui associe de manière étroite et indissoluble la paroi de la grotte et l'image dessinée, dans le transfert limite, le sujet condense l'analyste réel et l'analyste imaginaire.

Par certains égards, le transfert limite s'apparente plus au rêve qu'à la vie éveillée, en ce sens que le sujet croit à la vérité de ses mouvements transférentiels comme le dormeur croit en ce qu'il rêve. Par ailleurs, ainsi qu'il est souligné dans le chapitre VII de L'interprétation des rêves [13], dans le rêve, si on se réfère au schéma de l'arc réflexe, il y a fermeture du pôle perceptuel : dans le rêve, le système perceptif n'est plus stimulé, de manière prépondérante, par les excitations extérieures ; de par la régression propre du rêve, il est plutôt investi par les excitations internes, alors que dans le transfert limite le perceptuel continue de recevoir les stimuli externes.

Il importe de distinguer le transfert limite du transfert névrotique. Dans ce dernier, le sujet distingue un analyste réel, éventuellement perçu comme bien disposé à son endroit, et un analyste imaginaire ou tel que le sujet se le représente, c'est-à-dire un analyste éventuellement très sévère vis-à-vis de lui. Tout le discours est porté par cette distinction, parfois de manière implicite : «J'ai l'impression que...» «Je vous sens...» sont des formules susceptibles d'apparaître dans le langage du névrotique. Ce dernier a un champ imaginaire bien délimité par rapport au champ perceptuel : il pourra laisser dans le champ imaginaire ce qui prend naissance à ce niveau ; éventuellement, dans le transfert, il pourra projeter le champ imaginaire dans le champ perceptuel ; il saura néanmoins maintenir la distinction entre les deux champs ; le discours d'une texture particulière peut conserver sa trajectoire propre, alors que la condensation du réel et de l'imaginaire menace constamment de déboucher dans l'agir.

On peut concevoir que l'activité motrice ait prise sur une excitation d'origine externe. Devant un phénomène semblant se dérouler dans la réalité extérieure, la question se pose, en effet, d'avoir ou non à réagir. Me semble alors aller de soi cette prédominance de l'agir sur la mentalisation, prédominance souvent associée à l'organisation limite. Faut-il rappeler que, pour le sujet, le phénomène a un caractère réciproque : en effet, si pour l'analyste, l'agir vient constamment menacer le processus analytique, pour le sujet, il y a menace tout aussi constante de l'agir de l'analyste. Isabelle, qui est tentée de fuir dès le premier entretien, connaîtra la crainte intense qu'à tout moment l'analyste puisse se lever et venir la frapper ; elle sursaute au moindre mouvement inattendu.

Par ailleurs, il y a lieu de distinguer transfert limite et transfert psychotique, dans la mesure où ce dernier introduit non plus une condensation du réel et de l'imaginaire, mais un désinvestissement de l'objet réel, lors de la rupture du lien avec la réalité, entraînant par la suite la création d'une néo-réalité ou, éventuellement, d'une trame délirante dans le transfert.

Ces distinctions et cette définition du transfert limite me paraissent décrire un défi majeur de la thérapeutique analytique, soit l'absence de distance du sujet par rapport aux divers mouvements transférentiels vécus par lui. Dans l'un de ses écrits techniques, *Remémoration, répétition et élaboration*, FREUD [15] décrit le transfert comme une région intermédiaire entre la maladie et la vie réelle. Cette nouvelle condition devient une tranche de vie réelle qui prend tous les traits de la maladie, mais elle représente une maladie *artificielle*, qui est en tout point accessible à notre intervention. Ainsi, le caractère «artificiel» de la nouvelle maladie contribue-t-il à faciliter l'intervention thérapeutique ? Qu'en est-il lorsque le caractère «artificiel» ou le «comme si» n'est plus reçu ? En 1920, dans *Au-delà du principe du plaisir*, FREUD [19] reprend cette question et présente le transfert comme la nécessité de

« ...revivre dans le présent les événements refoulés et de s'en souvenir ainsi que le veut le médecin, comme faisant partie du passé.[...] D'une façon générale, poursuit-il, le médecin ne peut pas épargner au malade cette phase du traitement ; il est obligé de le laisser revivre une partie de sa vie oubliée et doit seulement veiller à ce que le malade conserve *un certain degré de supériorité* qui lui permettra de constater, malgré tout, *que la réalité de ce qu'il revit et reproduit n'est qu'apparente* et ne peut que refléter un passé oublié. Lorsqu'on réussit dans cette tâche, on finit par obtenir la conviction du malade et le succès thérapeutique dont cette conviction est la première condition. »

On peut considérer comme une tâche énorme, celle de permettre à l'organisation limite de conserver un certain degré de supériorité vis-à-vis des vécus transférentiels.

Une analogie prise dans le champ culturel me permettra peut-être de mieux mettre en évidence comment les mêmes contenus peuvent entraîner des vécus d'une qualité radicalement différente, tout en étant apparemment de même nature. Ceux qui ont vu la représentation théâtrale *Des souris et des hommes* de John STEINBECK [35] savent comment la mort de Lennie peut être profondément émouvante… sans doute pour le comédien comme pour le spectateur. Ceci dit, le comédien mort sur scène… peut rentrer tranquillement chez lui. Dans un tout autre registre s'insère le phénomène de la «mort vaudou» [6] [9] [30], phénomène maintenant bien documenté par les anthropologues. Dans certaines sociétés, lorsque le groupe social a décrété la mise à mort d'un sujet, une personne dûment autorisée par le groupe introduit des aiguilles dans une statuette représentant le sujet concerné. Ce dernier, se sachant victime d'un tel ostracisme social, par des phénomènes biologiques qui demeurent mal élucidés, en vient à mourir vraiment sans autre manoeuvre d'autrui ou du sujet. La représentation théâtrale me semble bien figurer le «comme si» du sujet névrotique ; la «mort vaudou» me paraît bien illustrer l'absence de distance du vécu transférentiel limite. Peut-être nous aide-t-elle à comprendre la terreur qu'Isabelle ressent devant son analyste.

Ayant ainsi défini la nature du transfert limite, avant d'en proposer une compréhension métapsychologique, il peut être utile d'évoquer brièvement comment cette condensation du réel et de l'imaginaire, si tant est qu'elle soit caractéristique de l'organisation limite, pourrait se retrouver à d'autres niveaux, dans cette même organisation. Ainsi en est-il, selon moi, dans l'utilisation à la fois du cadre analytique, du langage et des modalités défensives, de même que dans la lecture de la réalité extérieure.

À propos du cadre, je rappellerai d'abord la définition qu'en fournit José BLÉGER [8], soit l'ensemble des constantes présentes du début à la fin de la démarche, et ce, par opposition au processus analytique qui lui se réfère à tout ce qui est de l'ordre du changement. Entendu en ce sens, le cadre comprend le dispositif divan-fauteuil, le fait des horaires, des honoraires et des interruptions, et aussi le rôle de l'analyste, soit le silence et les interprétations, de même que le rôle de l'analysant, soit la règle des libres associations, ces deux rôles étant en principe également constants tout au long de la cure analytique. Défini de cette façon, pour une part, le cadre dans son alternance de rencontre et de séparation fait partie de la réalité extérieure.

Nous retrouvons également à ce niveau une condensation de la perception et de la représentation. Liliane, dont la représentation du cadre a visiblement un caractère symbiotique, verra sa perception de ce cadre prendre la même coloration : elle ne pourra de fait accepter cette partie du cadre qui implique le caractère limité dans le temps du rapport analytique avec une durée définie des séances et des interruptions ; en particulier, les vacances deviennent un aspect du cadre tout à fait rejeté ; le «comme si» s'efface là aussi ; de manière syntone au moi, ces vacances deviennent purement et simplement, de manière totalement consciente, un abandon de la part de l'analyste.

Nous observons alors une grande difficulté à respecter ce cadre ; au-delà de ces bris éventuels, dans des agirs à l'intérieur de la séance, nous devons être attentifs à l'absence d'une véritable intégration du caractère fonctionnel du cadre analytique, qui est vécu comme imposé au sujet davantage que mis à son service pour le bon déroulement d'un processus thérapeutique. À cet égard, nous pouvons nous demander si ce vécu d'imposition n'est pas partiellement justifié dans la mesure où la psyché limite n'aurait pas atteint un stade suffisamment évolué pour utiliser à bon escient le cadre de la cure type.

Cette difficulté d'utilisation peut également se manifester dans le langage, pour lequel il est possible de dégager une fonction représentative et une fonction que j'appellerais mobilisatrice[1], faute d'une meilleure expression.

Dans sa fonction représentative, le langage véhicule une information qui a plusieurs facettes, entre autres la polyvalence et une visée exploratoire. Cette fonction, particulièrement sollicitée dans la règle des libres associations, peut être désignée sous la forme du mot-représentation.

La fonction mobilisatrice laisse entendre que tout le discours cherche non pas à véhiculer de l'information, mais plutôt à induire un affect ou un comportement chez l'interlocuteur, en l'occurrence l'analyste ; c'est en quelque sorte le mot-action, qui vise à s'assurer de la présence d'un affect ou d'un agir chez l'analyste, alors que le mot-représentation a pour effet d'évoquer l'image de la chose en l'absence de cette chose.

Le mot-représentation demande une séparation du signe et de la chose, alors que le mot-action, fusionnant le signe et la chose, évoque à un autre niveau cette condensation du réel et de l'imaginaire. Nous pouvons déjà entrevoir toutes les implications contre-transférentielles de ce phénomène du mot-action ; ces implications seront brièvement évoquées en fin de parcours dans les considérations thérapeutiques

---

(1) La fonction «mobilisatrice» est appelée fonction pragmatique en linguistique moderne. (Didier ANZIEU, communication personnelle.)

reliées au maniement du transfert limite. Pour ne souligner que ses répercussions sur les modalités défensives, nous ne serons pas étonnés d'y observer une composante interactionnelle majeure. Les processus défensifs ne sont pas confinés à l'intérieur de la psyché, ils envahissent volontiers le champ relationnel ; telle cette anorexique qui aménage sa très vive inquiétude face à tout ce qui entoure l'absorption de nourriture, en adoptant un comportement qui va inquiéter sa mère jusqu'à l'exaspération.

Nous pouvons de plus observer cliniquement un lien entre une difficulté à lire la réalité extérieure et une difficulté à faire en sorte que l'objet conserve un statut de simple représentation, c'est-à-dire à ce que la représentation demeure une image de la chose, non pas la chose elle-même. Cette non-distinction entre ce qui est perçu et ce qui est simplement représenté peut se faire au moins de deux manières : l'une abolit le perçu et le remplace par le représenté, c'est la lecture psychotique de la réalité ; l'autre maintient à la fois le perçu et le représenté en les condensant — ils deviennent une seule et même chose —, c'est le mode limite de lecture de la réalité (voir la figure 1). L'organisation limite «hallucine», en quelque sorte, dans la réalité. En voici un exemple.

Fernand a plusieurs petites amies ; ce sont souvent des femmes séparées, chacune mère d'un enfant. Le jeune homme s'attache beaucoup et de façon particulière à l'un d'eux. Il décrit un tel vécu que nous sommes tentés de présenter ainsi sa relation à l'enfant : à toute fin autre que de droit, il devient le père de l'enfant. Fernand semble ainsi «halluciner» une paternité dans la réalité. Au sens strict, soit celui d'une distinction entre excitation interne et excitation externe, nous pouvons considérer qu'il y a maintien de l'épreuve de la réalité ; ceci dit, plutôt qu'une véritable distinction entre perçu et représenté, là encore, il me semble plutôt s'agir d'une condensation de ces deux phénomènes.

FIGURE 1 : Lecture de la réalité extérieure

Mode névrotique de lecture = **étayage du représenté sur le perçu.**

Mode limite de lecture = **condensation du perçu et du représenté.**

Mode psychotique de lecture = **abolition du perçu et son remplacement par le représenté.**

Avant de dégager à proprement parler une conception métapsychologique du transfert limite, il importe de préciser un certain nombre de notions, dont celles de symbolisme et d'imaginaire. À propos du symbolisme, en consultant le *Vocabulaire de la psychanalyse* de LAPLANCHE et PONTALIS [28], nous rencontrons d'emblée un sens étroit et un sens large à ce terme. Je signale pour mémoire le sens étroit auquel je ne ferai plus référence par la suite. Il s'agit, selon l'ouvrage cité,

« ... d'un mode de représentation qui se distingue principalement par la constance du rapport entre le symbole et le symbolisé inconscient, une telle constance se retrouvant non seulement chez le même individu et d'un individu à l'autre, mais dans les domaines les plus divers (mythe, religion, folklore, langage, etc.) et les aires culturelles les plus éloignées les unes des autres. »

Au cours de cet exposé, nous nous intéresserons d'abord et avant tout au sens large du terme symbolisme, soit un «mode de représentation indirecte et figurée d'une idée, d'un conflit, d'un désir inconscient ; en ce sens, on peut en psychanalyse, tenir pour symbolique toute formation substitutive». Les auteurs souligneront que ce sens large se retrouve dans la conception du symptôme comme «symbole mnésique» du conflit.

Pour nous faire voir la notion d'imaginaire, j'ai pensé rapporter une courte illustration clinique fournie par Didier ANZIEU [4] dans son ouvrage intitulé *Le psychodrame analytique chez l'enfant et l'adolescent* (p. 161). ANZIEU se réfère alors explicitement aux acceptions lacaniennes de l'imaginaire et du symbolique. On ne sera pas étonné que, me référant plutôt aux acceptions freudiennes de ces mêmes termes, j'en vienne à des formulations théoriques quelque peu différentes. Cependant, le matériel clinique demeure exemplaire. ANZIEU désire faire saisir cette intervention des psychodramatistes, corrélative du passage de l'imaginaire au symbolique (selon le sens lacanien).

« Denis — 13 ans — s'est habitué au psychodrame pendant une douzaine de séances avant les grandes vacances. Voici sa séance de rentrée, où il est pris seul avec trois psychodramatistes. [Comme le veut la technique, en début de séance, Denis construit un scénario :] « Un sanglier dévaste tout. Une battue est organisée. On finit par le tuer. » Lui-même sera le garde-chasse, Mme T., un chasseur blessé par le sanglier et qui l'évite en faisant un écart. M. AR... est un chasseur qui ne fait que blesser le sanglier. M.A... un chasseur qui le tue définitivement. Monsieur A... fait remarquer que personne ne joue le rôle du sanglier ; c'est donc un ennemi imaginaire ; Mme T... ajoute : c'est sans doute parce que tu en as peur et que tu veux le rendre moins dangereux. Denis réagit en décidant d'être à la fois le garde-chasse et le sanglier. Dans le jeu, il fait tout de suite le sanglier et se montre violent et dangereux.

[L'auteur, de poursuivre :] Commentaires. — D'un point de vue strictement psychanalytique, Denis se défend contre ses instincts agressifs. Il serait plus juste de dire qu'il cherche à faire reconnaître ses instincts en les dénonçant [...] Le groupe psychodramatique, souple et ouvert, lui offre l'occasion de mettre à l'épreuve son hostilité en adoptant alternativement le rôle de celui qui l'assume et de celui qui la réprime. Encore ne faut-il pas laisser cette hostilité s'évanouir en l'attribuant à un absent. L'imaginaire pur n'est pas acceptable en psychodrame. Tout rôle nécessaire à l'action dramatique doit être porté par un sujet ou par un personnage auxiliaire. »

Nous pourrons ultérieurement considérer à l'inverse qu'idéalement, seul l'imaginaire pur est «acceptable» dans la cure analytique. Pour l'instant, rappelons simplement que si *personne ne joue le rôle du sanglier, il s'agit d'un ennemi imaginaire.* Ainsi, le monde imaginaire à minima figure le monde où se déploient les images des choses ; c'est l'activité représentative en elle-même. Évidemment, l'absence de la chose permet de mieux dégager l'imaginaire, c'est-à-dire l'image ou la représentation de la chose puisqu'elle est seule en cause ; c'est l'imaginaire pur. C'est d'ailleurs l'intérêt de la technique classique, en particulier la position divan-fauteuil, où l'absence de l'analyste réel vise à mieux entrevoir l'analyste imaginaire.

En 1925, dans un article intitulé «La dénégation», FREUD [21] souligne que «la pensée possède la capacité de rendre à nouveau présent, par la reproduction dans la représentation, quelque chose qui a été perçu autrefois, sans qu'il soit encore nécessaire que l'objet soit là à l'extérieur». Il est peut être utile de signaler dès maintenant ce sur quoi j'insisterai, à savoir que, dans le processus de différenciation du moi et du non-moi, cette «capacité de la pensée» n'intervient qu'à un moment tardif, soit dans un troisième temps intitulé «moi-réalité-définitif» ; c'est l'épreuve de la réalité permettant de distinguer ce qui est simplement représenté et ce qui est perçu.

Ces notions de symbolisme et d'imaginaire étant posées, je propose leur articulation d'une manière particulière grâce au matériel clinique fourni par Didier ANZIEU [4]. Si nous mettons en scène le scénario de la chasse au sanglier, qu'il y ait ou non un personnage qui joue le sanglier, nous demeurons dans le registre du symbolisme dans la mesure où il y a *un mode de représentation indirecte et figurée d'une idée, d'un conflit, d'un désir inconscients.* Si aucun personnage ne joue le rôle du sanglier, nous obtenons une expression imaginaire du symbolisme. Si, au contraire, un personnage joue ce rôle, nous quittons le registre de l'imaginaire pour observer ce que je propose d'appeler l'expression perceptuelle du symbolisme. Nous distinguons ainsi deux modalités clairement différenciées du symbolisme : la modalité imaginaire et la modalité perceptuelle.

Liliane, durant plusieurs années, entend une voix intérieure entre les séances, celle d'une toute petite fille qui, liée très intimement à l'image de l'analyste, murmure, sur un mode obsédant : « Mon papa, mon papa, mon papa, le papa de Liliane, où est-il ? » La régression analytique qui permet, chez Liliane, la résurgence d'une conflictualité psychique inconsciente se traduit symboliquement dans le transfert. Liliane fut engouffrée dans la relation maternelle, avec exclusion du père. Par exemple, accueillant ses parents à l'aéroport, elle déplore apparemment le caractère trop voyant de la tenue vestimentaire paternelle. Elle fait un lapsus : «On ne pouvait pas le voir», alors qu'elle a voulu évidemment signifier qu'on ne pouvait pas man-quer de le voir. Un souvenir écran, de la période de latence, illustre la fonction instrumentale, antidépressive exercée par Liliane auprès de sa mère. Elle se souvient avoir observé certains jours sa mère qui, revenant à la maison après ses courses, paraissait tout affaissée quand elle entrait dans la cuisine en désordre, sans toutefois formuler quelque allusion au désordre en cause. Si Liliane s'affairait vaillamment à tout remettre en ordre avant le retour de la mère, celle-ci, bien sûr, ne formulait aucune observation sur le travail de sa fille ; cependant, comme par magie, elle paraissait de meilleure humeur. Liliane parvient mal à se dégager de la relation duelle pour s'organiser véritablement sur un mode triangulaire. Ainsi que le peintre paléolithique utilise la paroi de la caverne, Liliane semble utiliser l'analyste réel afin de parvenir à l'expression perceptuelle de sa conflictualité inconsciente. Nous ne serons pas étonnés de son affirmation selon laquelle «les plus beaux moments de son analyse», c'est l'entrée et la sortie de la séance, moments où elle peut enfin apercevoir son analyste. Dès qu'elle a quitté, malheureusement, la psyché parvient mal à conserver ce qui n'est plus perçu mais simplement représenté, et c'est le discours obsédant «Mon papa, mon papa, le papa de Liliane, où est-il?» qui tente de ranimer la représentation vacillante. Ce ne sera pas pour nous surprendre si parfois Liliane «passe à travers le miroir».

Selon LAPLANCHE et PONTALIS [28], «les termes fantasme - fantasmatique» ne peuvent manquer d'évoquer l'opposition entre imagination et réalité (perception). Si nous faisons de cette opposition une référence majeure de la psychanalyse, nous sommes conduits à définir le fantasme comme une «production purement illusoire, qui ne résisterait pas à une appréhension correcte du réel». C'est dire que nous ne pouvons évoluer, dans l'examen de la notion d'imaginaire, sans regarder d'un peu plus près celle de fantasme. Pour ce faire, un article de Colette CHILAND [10], précisément intitulé «Le statut du fantasme chez Freud», me fut particulièrement utile. Une première citation de Colette CHILAND :

> « Un texte très clair de Freud situe la naissance de la vie fantasmatique. C'est un passage des «Formulations concernant les deux principes de fonctionnement mental» et, de citer Freud [14] : « Avec l'introduction du principe de réalité, une espèce de l'activité de pensée fut clivée ; elle fut maintenue libre de l'épreuve de la réalité et demeure soumise au seul principe de plaisir. Cette activité est la fantasmatisation, qui commence déjà dans le jeu de l'enfant et qui plus tard, poursuivie en tant que rêverie diurne, abandonne la dépendance à l'égard des objets réels. »»

Ainsi donc, la fantasmatisation, au sens freudien du terme (nous verrons un peu plus loin, pour le sens kleinien) est un phénomène contemporain de l'instauration du principe de réalité. La psyché ayant atteint «l'étape décisive» que constitue la mise en place du principe de réalité peut dorénavant se cliver, «réservant» une partie de son activité à la fantasmatisation. FREUD, justement, compare d'ailleurs cette nouvelle activité, que constitue la fantasmatisation, à la réserve naturelle du parc de Yellowstone. Jean IMBEAULT [25], dans une présentation au Pavillon Albert-Prévost, a fort pertinemment insisté sur le fait qu'une réserve naturelle doit être distinguée de la nature à l'état primitif. C'est à partir du moment où une nation exploite ses ressources naturelles, en vue de l'enrichissement collectif, qu'elle décide de préserver un domaine où certaines ressources naturelles seront protégées.

C'est dire que la fantasmatisation est une démarche concomitante à l'effort pour transformer la réalité, donc contemporaine de l'instauration du principe de réalité. Par voie de conséquence, le réel devient partie prenante dans l'élaboration d'une véritable fantasmatisation ou d'un imaginaire évolué. Pour son établissement, cette fantasmatisation nécessite une part de réel (elle demande, pour advenir, le principe de réalité) ; en même temps, de par la différenciation de l'activité de pensée qui la fonde, elle représente un «abandon de la dépendance à l'égard des objets réels», selon l'expression de FREUD. Il y a d'abord rencontre préalable puis affranchissement du réel. Ceci nous conduira à postuler bientôt que cette condensation de l'objet réel et de l'objet imaginaire que constitue le transfert limite, correspond à la non-atteinte d'une véritable fantasmatisation, au sens freudien du terme.

Dans cette perspective, est-ce que la notion de fantasme ne cesse pas de revêtir un sens couramment entendu en clinique, où fantasme équivaut à peu près à désir ? En effet, et pour justifier notre désaccord avec cette synonymie, nous reviendrons au texte de Colette CHILAND [10]. Selon elle, il faut rapprocher la citation mentionnée plus haut — extraite des «Formulations concernant les deux principes de fonctionnement mental» — d'un passage de *L'interprétation des rêves*, où précisément FREUD dépeint le désir : «Le premier désirer paraît avoir été un investissement hallucinatoire du souvenir de la satisfaction.» Et Colette CHILAND d'ajouter :

« Le fantasme qui comporte une représentation de l'objet ne peut être confondu avec le souvenir hallucinatoire de la satisfaction, mais naît de son refoulement et de la naissance de la distinction MOI - non-MOI. Les fantasmes naissent avec le refoulement primaire du désir. C'est même en cela que constitue, comme l'a montré René Diatkine, le refoulement primaire, concept d'élucidation difficile. Si la satisfaction hallucinatoire n'était pas refoulée, *si le sujet ne se tournait pas vers la réalité* pour y chercher l'objet, source de satisfaction réelle, il ne se développerait jamais en individu autonome. Les fantasmes, comme les symptômes, sont toujours un compromis entre la pulsion et les défenses, ce que sous-estiment les kleiniens. »

Elle [10] cite aussi Susan ISAAC [26] qui présente le fantasme comme «le corollaire mental, le représentant psychique de la pulsion». Puis elle poursuit :

« Même s'ils sont la forme d'activité psychique la plus riche en processus primaires, ils portent la marque des processus secondaires sous la forme où nous les atteignons. »

Peut-on ainsi formuler des reproches aux kleiniens à propos de leur manière de concevoir les fantasmes ? Je proposerais plutôt de dégager clairement un sens kleinien où le fantasme demeure «le corollaire mental, le représentant psychique de la pulsion», selon l'expression de Suzan ISAAC, où de fait le fantasme apparaît plus ou moins synonyme de satisfaction hallucinatoire du désir ou de «premier désirer». Cela me semble possible à condition que nous le distinguions clairement du sens freudien du fantasme, présenté par Colette CHILAND. Nous pouvons d'ailleurs rappeler la définition métapsychologique la plus complète que FREUD [17] ait fourni du fantasme, dans son essai de métapsychologie intitulé *L'inconscient* :

« Ils [les fantasmes] sont d'une part hautement organisés, non contradictoires, ils ont mis à profit tous les avantages du système conscient et notre jugement les distinguerait avec peine des formations de ce système ; d'autre part, ils sont inconscients et incapables de devenir conscients. C'est leur origine (inconsciente) qui est décisive pour leur destin. Il convient de les comparer à ces hommes de sang mêlé qui en gros ressemblent à des blancs, mais dont la couleur d'origine se trahit par quelques indices frappants et qui demeurent de ce fait exclus de la société et ne jouissent d'aucyn des privilèges réservés aux blancs. »

LAPLANCHE et PONTALIS [28] souligneront par la suite le fait que «la problématique freudienne du fantasme n'autorise pas une distinction de nature entre fantasme inconscient et fantasme conscient». FREUD chercherait plutôt à établir des liens entre l'un et l'autre, voire à « trouver dans le fantasme un point privilégié où pourrait être saisi, sur le vif, un processus de passage entre les différents systèmes psychiques (l'inconscient et le conscient) ». Cette exploration de la notion de fantasme nous permet, me semble-t-il, de dégager deux composantes fondamentales de la fantasmatisation au sens freudien du terme. La première composante consiste en l'établissement d'un compromis entre défense et pulsion, la seconde en l'établissement d'un compromis entre processus primaire et processus secondaire. « Ce sont des hommes de sang mêlé », dit FREUD. Et ce compromis entre processus primaire et processus secondaire souligne bien que nous avons franchi cette «étape décisive» que constitue l'instauration du principe de réalité.

Il est alors possible de dégager deux niveaux d'activité représentative ou deux niveaux d'imaginaire. Un premier niveau peu évolué ou imaginaire rudimentaire, le fantasme au sens kleinien du terme, se rapproche du modèle de la satisfaction hallucinatoire du désir. C'est Liliane qui, ayant à l'esprit de manière obsédante l'image de son analyste, entend intérieurement cette voix de toute petite fille qui dit : « Mon papa, mon papa, mon papa ». Le second niveau d'activité représentative ou imaginaire, plus évolué, comprend la fantasmatisation au sens freudien du terme avec les deux composantes introduites ci-dessus. Cette distinction entre deux niveaux d'activité représentative, toute théorique qu'elle soit dans sa formulation, revêt, selon moi, une importance clinique certaine.

Ainsi, dans la métapsychologie freudienne, il existe une chose telle que la réalité psychique qui ne recouvre pas purement et simplement le champ psychologique ou le monde intérieur, mais «ce qui, pour le sujet, prend, dans son psychisme, valeur de réalité» (LAPLANCHE et PONTALIS [28]). FREUD [13] précise, dans L'interprétation des rêves, ce que comprend cette réalité psychique :

« Bien entendu, on ne peut l'admettre en ce qui concerne toutes les pensées de transition et de liaison. Lorsqu'on se trouve en présence des désirs inconscients ramenés à leur expression la dernière et la plus rare, on est bien forcé de dire que la réalité psychique est une forme d'existence particulière qu'il ne faut pas confondre avec la réalité matérielle.»

Ainsi, le champ psychologique ou le monde intérieur comprend à la fois la réalité psychique et des pensées de transition et de liaison.

S'il y a plein développement de l'imaginaire ou présence d'un imaginaire évolué, ce dernier permet d'introduire dans son champ la réalité psychique ou la réalité hallucinatoire du désir qui peut alors être confiné au monde intérieur. Nous avons ainsi un appareil psychique dont la délimitation est bien définie ; l'illusion peut être vécue *intra-muros* ; c'est alors l'expression imaginaire du symbolisme. Si nous sommes en présence d'un imaginaire peu évolué, rudimentaire (le premier niveau d'activité représentative déjà mentionné), la réalité psychique ou la réalisation hallucinatoire ne peut plus être contenue dans le monde intérieur ; elle déborde. L'objet externe devient alors un support perceptuel, qui permet la réalisation hallucinatoire du désir ; l'appareil psychique n'est pas clairement délimité : c'est le peintre paléolithique qui utilise la paroi de la caverne pour déployer ses images. Il s'agit de l'expression perceptuelle du symbolisme.

Ainsi, dans le transfert limite, le monde intérieur ne pouvant contenir la satisfaction hallucinatoire ou le vécu illusoire, il demande l'aide du système perceptif ou de la perception de la réalité. Le transfert limite représente donc une déficience de l'illusoire. Cette déficience est bien notée par Didier ANZIEU [2] dans son article «Machine à décroire : trouble de la croyance dans les états limites». Paradoxalement, cette déficience de l'illusoire dans la sphère proprement intrapsychique se traduit par un excès d'illusoire, un trop plein d'illusions, dans la sphère interactionnelle ou interpsychique. Ainsi, durant quelques années, Céline entretiendra une illusion : il suffirait d'avoir des relations sexuelles avec son analyste pour qu'elle assiste à la disparition de tous ses problèmes psychologiques ; elle connaîtrait enfin un bonheur sans nuage.

Dans le transfert névrotique, par contraste, dans la mesure où la satisfaction hallucinatoire est contenue *intra-muros*, dans la mesure où le mode illusoire, tout conflictualisé qu'il soit, demeure intrapsychique, le vécu illusoire n'abolit pas la perception d'un leurre, ce qui permet de préserver la «sereine supériorité» évoquée par FREUD [19], ou l'établissement d'une distance par rapport au vécu transférentiel. De la même manière, la conscience des processus de pensée étant liée aux représentations de mots, il n'est pas étonnant qu'à une qualité ou à un niveau différent d'activité représentative, corresponde une qualité différente dans l'utilisation du langage. Ainsi, au premier niveau d'activité représentative ou imaginaire rudimentaire correspond le mot-action ; au second niveau d'activité représentative ou imaginaire évolué correspond le mot-représentation.

Je pense maintenant être en mesure de tirer une première conclusion : la fantasmatisation, au sens freudien du terme, condition nécessaire pour l'établissement d'un imaginaire évolué, est un phénomène contemporain de l'instauration du principe de réalité. Ainsi, toute entrave dans l'instauration du principe de réalité compromet l'apparition d'une fantasmatisation au sens freudien ou sens strict du terme. Or, dans les «Formulations concernant les deux principes de fonctionnement mental», FREUD [14] signale que le monde extérieur peut, par la médiation du système perceptif, imposer au sujet le principe de réalité.

Qu'en est-il dans le transfert limite ? Nous pouvons comprendre que le système perceptif ne soit pas en mesure d'imposer le principe de réalité si, de par la carence de l'imaginaire, il reçoit d'emblée, sans l'intermédiaire de cet imaginaire, la tâche d'exprimer la réalité psychique ou l'omnipotence ou la réalisation hallucinatoire du désir. Nous observons ainsi une surcharge dans l'utilisation du système perceptif, qui doit aussi fournir le support perceptuel à l'expression du symbolisme. Il est possible d'entrevoir une relation circulaire entre le système perceptif et le registre de l'imaginaire, dans la mesure où un développement optimal du système perceptif vient favoriser l'établissement d'un imaginaire évolué, et qu'en retour l'établissement solide du champ imaginaire dégage le système perceptif, qui peut concentrer son investissement sur l'instauration du principe de réalité. C'est dire tout l'intérêt pour notre propos d'un certain regard sur le système perceptif, ou l'appareil perceptif ainsi que FREUD le désigne parfois.

Exception faite du court article intitulé «Notice sur le bloc magique» auquel nous reviendrons, à aucun moment FREUD n'a consacré un texte entier à ce thème en particulier. Cependant, du début à la fin de son oeuvre, de l'*Esquisse pour une psychologie scientifique* (1895) à l'*Abrégé de psychanalyse* (1939) en passant par *Le MOI et le Ça*, «Au-delà du principe du plaisir», etc., FREUD témoigne d'une préoccupation constante pour cette notion d'un appareil perceptif: Sa présentation varie d'ailleurs assez peu selon les époques, même si, bien sûr, elle est parfois formulée en des termes différents. Ainsi, dans l'*Abrégé* [22], il mentionne que «l'appareil perceptif psychique comporte deux couches, l'une externe, le pare-excitation, destiné à réduire la grandeur des excitations qui arrivent du dehors, l'autre, derrière celle-ci, surface réceptrice d'excitations, le système perception-conscience». On sait que dans «Au-delà du principe du plaisir» en 1920, il évoquera la métaphore de la vésicule vivante ou de la boule protoplasmique pour illustrer la formation du pare-excitation. À force de buter sur la surface de la boule, les excitations extérieures entraînent des changements durables de cette surface. La zone modifiée constitue le pare-excitation. À partir de l'établissement du pare-excitation, seule une fraction des excitations pénètre à l'intérieur de la vésicule. Si, cependant, les stimuli externes dépassent un certain seuil, c'est un contexte traumatique avec brèche dans le pare-excitation.

Dans la «Notice sur le bloc magique», FREUD [20] compare l'appareil perceptif à ce jeu pour enfants, disponible à son époque et qui le demeure pour nos enfants, soit le bloc-notes ou l'ardoise magique. Comme on le sait, cette ardoise comprend une tablette de cire recouverte de deux feuilles distinctes : la première, la plus superficielle, est une feuille de celluloïd transparent, la seconde étant une feuille mince de papier imprégné de cire. Quand l'enfant écrit, la lettre apparaît au moment où la cire adhère au papier ; quand l'enfant désire effacer, inversement, il sépare cire et papier et la lettre devient invisible alors que les traces de la lettre sont retenues dans la cire. La feuille de celluloïd et la feuille de cire constituent l'appareil perceptif qui a deux couches, soit respectivement le pare-excitation et le système perception-conscience. L'appareil perceptif peut ainsi redevenir vierge alors que les traces mnésiques demeurent enregistrées dans une autre partie de l'appareil psychique. FREUD illustre de cette manière une opinion souvent reprise dans son oeuvre, selon laquelle la perception et la mémoire doivent correspondre à des parties différentes de l'appareil psychique.

Dans «Au-delà du principe du plaisir», LAPLANCHE et PONTALIS [28] nous le rappellent, FREUD situe les organes des sens sous le pare-excitation qui, tel un tégument, recouvre l'ensemble du corps. Nous savons quelle extension Didier ANZIEU [3] accordera à ce phénomène en élaborant sa notion de «MOI-Peau». Dans ce contexte, je propose d'introduire la notion d'un écran psychique, écran étant entendu au sens cinématographique du terme. Dans la mesure où il y a présence de cet écran psychique, l'activité représentative peut demeurer *intra-muros* ou proprement intrapsychique ; cette délimitation nette de l'intrapsychique va de pair avec l'établissement de ce que je désigne comme un imaginaire évolué. En quelque sorte, nous nous retrouvons avec une surface dont le côté externe protège contre les excitations extérieures (c'est le pare-excitation), et dont le côté interne permet d'illustrer l'activité représentative (c'est l'écran psychique).

FIGURE 2 : L'appareil perceptif

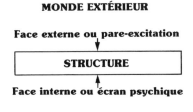

Le pare-excitation devient le tain qui, derrière la glace, transforme celle-ci en miroir. Il s'agirait de deux faces d'une même structure, car toute brèche dans le pare-excitation paraît entraîner une faille dans l'écran psychique. C'est un peu de tain qui manque et la glace demeure une glace ; le sujet distingue mal ou condense l'activité représentative et l'activité perceptuelle. Cette hypothèse me semble être confirmée cliniquement, car le sujet limite éprouve simultanément des difficultés de lecture de la réalité extérieure et de la réalité intérieure ; de plus, il lit régulièrement sa réalité intérieure dans autrui. C'est alors que toute brèche dans le pare-excitation entraîne une non-délimitation de l'espace intrapsychique : le champ imaginaire demeure à un niveau rudimentaire en ce sens que l'activité représentative nécessite une participation du réel pour sa pleine efflorescence ; ce qui entraîne cette condensation du réel et de l'imaginaire quand, dans la cure analytique, l'analyste réel fait office d'écran psychique auxiliaire. Ainsi, parfois, Liliane «passe à travers le miroir».

Nous pouvons dès lors revenir à l'analogie évoquée plus haut entre le transfert limite et l'art pariétal paléolithique : tel le peintre traditionnel dont la toile représente un support matériel intrinsèque à l'oeuvre, l'analysant ayant une structure névrotique possède un écran psychique ou un écran proprement intrapsychique. Tel le peintre paléolithique dont la paroi de la grotte constitue un support matériel extérieur à l'oeuvre, ainsi l'organisation limite utilise l'objet externe ou l'analyste réel, afin de compenser la faille dans le développement de l'appareil psychique, lui demandant de devenir un écran psychique auxiliaire.

Mettre l'accent sur le pare-excitation et son concomitant, l'écran psychique, c'est souligner toute la participation des expériences de vie du sujet dans le

FIGURE 3 : Fonctionnement psychique névrotique ou imaginaire évolué

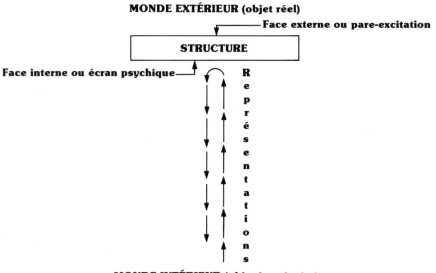

Note : Cette différenciation du perçu et du représenté ne doit pas faire oublier l'étayage du représenté sur le perçu que constitue la lecture névrotique de la réalité (voir figure 1), y compris dans le transfert.

développement de son appareil psychique. Nous pouvons à cet égard dégager un continuum qui va de la présence de parents «suffisamment bons», pour reprendre l'expression de WINNICOTT, jusqu'à l'existence de conduites parentales franchement pathologiques.

J'ai souligné comment Liliane, de toute évidence, n'a pas d'existence auprès de sa mère, jouant d'abord et avant tout une fonction instrumentale antidépressive auprès de celle-ci. D'ailleurs, dans la légende familiale, cette mère a fait office de «médication antidépressive» pour celui qui deviendra son époux. En effet, selon cette légende, ce dernier se retrouve profondément désemparé par l'abandon de son amie, quand il voit sa propre mère intervenir et supplier la future belle-fille de revoir un fils éploré, démuni. C'est dire toute la dépressivité de ce milieu familial et comment autrui, surtout l'aînée des filles, Liliane, sera utilisée par sa mère comme mesure antidépressive.

En ce qui a trait à Isabelle, il ressort clairement des diverses évocations de la personnalité de sa mère, que celle-ci souffrait de ce que Jean BERGERET [5] a décrit sous le nom de perversion de caractère, soit, par référence au modèle du

FIGURE 4 : Fonctionnement psychique limite ou imaginaire rudimentaire

MONDE EXTÉRIEUR (objet réel - objet imaginaire)

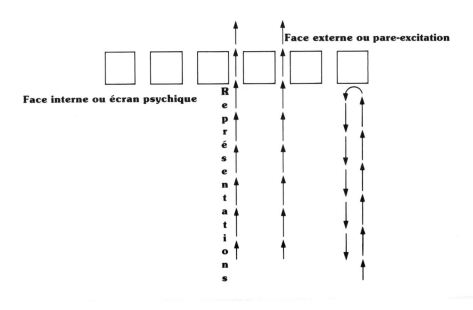

MONDE INTÉRIEUR (objet imaginaire)

déni du sexe féminin dans la perversion sexuelle, la présence dans le caractère d'un déni du narcissisme d'autrui. Parmi moult incidents, signalons qu'au début de l'adolescence, Isabelle accusera une très grande asthénie durant plusieurs semaines. Elle n'est pas fatiguée, selon la mère, jusqu'au moment où l'hémoptysie révèle une tuberculose, pour laquelle elle fera un long séjour au sanatorium.

Dans «Au-delà du principe du plaisir», se référant à un modèle somatique, FREUD [19] évoque la douleur comme susceptible d'effectuer une brèche dans le pare-excitation. Il décrit, à la suite de cette brèche, un phénomène de contre-investissement de l'appareil perceptif avec appauvrissement des autres systèmes psychiques. Ce contre-investissement de l'appareil perceptif m'apparaît se manifester cliniquement par les difficultés de lecture de la réalité extérieure, perceptibles dans l'organisation limite. Celle-ci semble mal reconnaître l'agression d'autrui quand elle se manifeste ; inversement, elle pourra déformer un mouvement de bienveillance qui lui est adressé.

Otto KERNBERG [27] a bien souligné cette difficulté d'empathie, propre à l'organisation limite. Outre ce contre-investissement, il faut rappeler le phénomène mentionné ci-dessus, soit la surcharge dans l'utilisation de l'appareil perceptif qui doit assister l'activité représentative en vue de l'expression perceptuelle du symbolisme. Nous retrouvons dès lors dans l'état limite un ensemble de manifestations cliniques caractéristiques qui dénotent ce que nous pourrions appeler une conflictualité inconsciente péripsychique, c'est-à-dire survenant à la périphérie de la psyché ou encore dans le rapport de la psyché avec le monde extérieur. J'ai signalé ailleurs [33] le caractère adhésif du lien entre psyché et milieu externe dans l'organisation limite.

Si nous revenons à la cure analytique, nous pouvons quasi expérimenta-lement observer, *in vitro*, les traces visibles de la brèche dans le pare-excitation. En effet, dans la cure analytique, le cadre devient le dépositaire du pare-excitation. La facilité à utiliser le cadre analytique devient le garant de l'intégrité du pare-excitation. En ce sens, José BLÉGER [8], psychanalyste argentin, a tout à fait raison de souligner que «dans la situation idéalement normale, le cadre est muet». Cependant, toute brèche importante dans le pare-excitation entraîne des difficultés sévères à utiliser le cadre analytique, qui devient alors extrêmement loquace. Liliane, comme je l'ai déjà mentionné, ne pouvait accepter cette partie du cadre, impliquant le caractère limité dans le temps du rapport analytique, soit les fins de séance et les vacances de l'analyste. Ces dernières devenaient consciemment, de manière tout à fait syntone au moi, un abandon.

Avant d'aborder certaines considérations d'ordre thérapeutique, je me permettrai une dernière incursion dans le champ théorique. Les limites du présent exposé me contraignent d'ailleurs à simplement faire allusion à cette question que je ne peux passer sous silence car il s'agit de réflexions métapsychologiques. Comme nous le savons, FREUD a élaboré deux théories de l'appareil psychique : une première, dite première topique, dans le chapitre VII de *L'interprétation des rêves* en 1900 — l'appareil psychique comprend trois systèmes, soit le conscient, le préconscient, l'inconscient ; la deuxième théorie, dite deuxième topique, apparaît formellement en 1923 dans *Le MOI et le Ça*, divisant l'appareil psychique en ça, moi, surmoi. Pour nous référer uniquement à la première topique, il est assez clair que mettre l'accent ainsi que je l'ai fait sur l'appareil perceptif, soit le pare-excitation et le système perception-conscience, ne peut manquer d'entraîner la possibilité d'un nouvel éclairage posé sur l'ensemble de cette première topique.

À cet égard, à titre d'esquisse, je ne ferai que souligner le phénomène suivant. La démarche thérapeutique, dans la mesure où elle consiste dans le devenir conscient, met nettement l'accent sur un parcours, qui va de l'inconscient vers le conscient. Ainsi on recherche, et pour cause, comment l'inconscient peut influencer le conscient et beaucoup moins l'inverse, c'est-à-dire comment le conscient ou le préconscient peut exercer une influence sur l'inconscient. Au plan de la théorie, l'intérêt pour le pulsionnel, si fondamental en psychanalyse, évoque un parcours qui va de l'inconscient vers le conscient : ainsi le refoulé, le retour du refoulé, etc. Bien sûr, la découverte des processus inconscients constitue la pierre angulaire de la psychanalyse. Cependant, on sous-estime souvent le fait que l'appareil psychique comprend, de façon continue, le mouvement inverse, c'est-à-dire celui du conscient vers l'inconscient.

Une partie de ce mouvement a connu un regain d'intérêt hors du milieu analytique sous l'appellation de perception subliminale. Pourtant FREUD [17] y fait spécifiquement référence dans un écrit métapsychologique fondamental, intitulé *L'inconscient* :

> « Il serait faux également d'admettre que les rapports entre les deux systèmes (le système pré-conscient et le système inconscient), se limitent à l'acte du refoulement, le pré-conscient jetant dans le gouffre de l'inconscient tout ce qui lui paraît perturbant. L'inconscient est au contraire vivant, capable d'évoluer et il entretient un grand nombre d'autres relations avec le pré-conscient parmi lesquelles aussi la coopé-ration. »

Ainsi, la censure ne représente pas la seule modalité de rapport entre le conscient et l'inconscient. Qui dit coopération dit action se déroulant dans les deux sens.

Parfois, ce qu'il est loin de toujours faire, FREUD souligne l'intérêt de vraiment distinguer le système conscient et le système préconscient. Toujours dans le même article, il dira que le contenu du système préconscient (ou conscient) provient pour une part de la vie pulsionnelle par l'intermédiaire de l'inconscient, pour une part de la perception, par l'intermédiaire de l'appareil perceptif devrait-on ajouter. Ainsi, c'est entrevoir le système préconscient comme une zone intermédiaire qui rend l'inconscient disponible sur un plan purement mental, dans la mesure où il est le lieu des représentations de mots ; ce système préconscient fait fonction de médiation, assurant la «coopération» entre le conscient et l'inconscient. Toute brèche majeure dans le pare-excitation, portant toute atteinte sérieuse au système perceptif, ne peut que compromettre le développement de cette coopération entre deux partenaires inégalement fonctionnels. Nous arrivons ainsi à une vision développementale du système préconscient, qui cesse d'apparaître un donné pour devenir plutôt un acquis pouvant ou non advenir.

La première topique décrite dans le chapitre VII de *L'interprétation des rêves*, plutôt que de constituer en soi l'appareil psychique, devient la prérogative d'un appareil psychique évolué, celui de la structure névrotique. Dans l'organisation limite, nous pouvons envisager une agénésie du système préconscient, qui demanderait l'existence d'un écran psychique auxiliaire pour connaître son plein développement. Nous avons ainsi une séquence : brèche dans le pare-excitation, déficience dans la constitution de l'écran psychique, agénésie du préconscient, coopération réduite entre le système conscient et le système inconscient, difficulté à établir des compromis entre processus primaires et processus secondaires, absence d'une véritable fantas-matisation au sens freudien du terme. Revenons à la clinique à cet égard. Dans son article intitulé «Complément métapsychologique à la théorie du rêve» (1917), FREUD [17] mentionne :

« Ces restes diurnes, nous en faisons connaissance dans l'analyse sous la forme des pensées latentes du rêve et nous sommes forcés, d'après leur nature comme en raison de l'ensemble de la situation, d'y reconnaître des représentations pré-conscientes, des ressortissants du système pré-conscient. »

Or, chez l'état limite, nous observons souvent un vécu tout à fait particulier, par rapport au rêve, soit le sentiment d'un corps étranger, sans lien si confus soit-il avec la vie à l'état de veille. L'absence d'évocation de restes diurnes est une des expressions de cette agénésie du préconscient.

Après ce détour métapsychologique, nous pouvons aborder certaines considérations d'ordre thérapeutique. Celles-ci sont fondées sur l'énoncé fondamental suivant : il existerait deux modèles distincts de fonctionnement psychique. Le premier, que l'on retrouve dans la structure névrotique, comprend un imaginaire évolué avec possibilité d'expression imaginaire du symbolisme. Le second, que l'on retrouve dans les organisations ou états limites, comprend un imaginaire rudimentaire avec la simple possibilité d'une expression perceptuelle du symbolisme. Il m'apparaît que cette distinction demande un élargissement de l'écoute analytique, c'est-à-dire une façon parfois différente d'accueillir tout agir ou tout maniement d'objets concrets, tant à l'intérieur qu'à l'extérieur de la relation transférentielle. Ainsi, à un premier niveau, le recours à la matérialité sera accueilli tout à fait au même titre que le recours à la verbalisation, ce recours à la matérialité étant entendu comme la seule modalité alors disponible d'expression psychique. Le sujet, grâce à l'objet concret, comble la brèche dans le pare-excitation, institue un écran psychique auxiliaire.

Une patiente, suivie en psychothérapie au rythme d'une séance par semaine, a vécu dans un milieu familial présentant une psychopathologie sévère : des relations incestueuses régulières avec le père, entre l'âge de cinq et dix-sept ans constituent la pointe de l'iceberg dans la psychopathologie familiale ; de toute évidence, une brèche considérable dans le pare-excitation. Elle apporte elle-même spontanément un écran psychique auxiliaire, des dessins, qui sont reçus de la même manière que s'il s'agissait de verbalisations. J'exprime le désir de les conserver si elle n'y voit pas d'objection. À un certain moment, je lui souligne moi-même le fait qu'elle a évité d'apporter un dessin dont elle parle en séance. L'exploration de cette résistance se révèle particulièrement heureuse. À ma grande surprise, elle m'annonce à la séance suivante qu'elle est maintenant capable de faire elle-même ce que je fais avec ses dessins. Sans un mot, un peu cérémonieusement, elle le déchire soigneusement en quatre et va le déposer dans mon panier à rebut. Ce geste me permet d'explorer sa grande difficulté à conserver quelque chose à l'intérieur d'elle-même, partant à conserver quelque chose pour elle-même. Elle jette les livres lus, ne peut porter les vêtements qu'elle s'achète et ainsi de suite.

Donc, selon moi, toute matérialité introduite dans la cure, geste, menu cadeau, etc., ne devrait pas être reçue, comme nous avons raison de le faire en présence d'un fonctionnement psychique névrotique, c'est-à-dire comme faisant office de résistance à l'élaboration psychique. Dans l'organisation limite, la matérialité ne vient pas à la place de l'élaboration psychique, elle participe d'une forme différente d'élaboration psychique ; elle contient une mise en marche du processus de symbolisation selon une autre modalité.

À un second niveau, l'expression perceptuelle du symbolisme peut revêtir une tout autre importance. Nous savons, et je le rappelais à l'instant, que dans la conception psychanalytique classique tout agir ou toute utilisation de la matérialité dans la cure représente un mouvement défensif, une résistance. Devant l'agir, l'analyste ou le psychothérapeute analytique se trouve à un carrefour : ou bien agir, c'est-à-dire répéter, ou bien se remémorer. Ceci demeure sans doute vrai pour la structure névrotique. Dans l'organisation limite, tout mouvement progressif, toute ouverture pouvant survenir à l'intérieur de la conflictualité psychique inconsciente ne sera pas nécessairement «transposée indirectement» (voir la définition du symbolisme mentionnée plus haut) dans le registre de l'imaginaire. Ce pas en avant, cette ouverture pourra se «transposer» ou s'exprimer symboliquement, là encore, sur un mode perceptuel.

Je propose d'appeler action symbolisante cette ouverture, ce pas en avant dans la conflictualité inconsciente, quand elle s'exprime ainsi sur le mode perceptuel. L'expression est bien sûr apparentée à celle de somatisation symbolisante, avancée par Christophe DEJOURS [10] pour décrire certaines somatisations survenant en cours de thérapie et ayant une fonction organisatrice, celles-ci étant distinguées des somatisations courantes qui expriment plutôt une désorganisation de la vie psychique, ainsi que Pierre MARTY nous l'a enseigné. Elle s'inspire également du titre et du contenu de deux exposés récents de Paulette LETARTE [29] sur la thérapie du borderline.

J'illustrerai cette notion d'action symbolisante par certains fragments de la cure d'Isabelle. Elle vient de parler de sa mère ; elle a vu un film où une femme va chez un psychanalyste ; en flash-back, présence d'une mère autoritaire. Laissons la parole à Isabelle :

C'est fou, vous allez dire, après trois ans, je commence à me demander si il est possible que ma mère ait été sévère, autoritaire ; je ne parviens pas à me croire, ma mère est tellement grosse (elle ouvre les bras), *moi si petite, il n'y a plus de place pour moi, j'aurais le goût de me retourner, de voir si vous êtes plus près, j'ai senti vos mains très proches, je n'ai pas le droit de vous regarder, vous pourriez me détruire avec vos yeux, j'ai vu la couverture dès le début*(depuis quelques séances, elle l'utilise), *je n'osais pas vous la demander pourtant c'est clair... si vous la placez sur le fauteuil... la même chose pour me retourner, je peux vous toucher, vous ne pouvez pas me toucher, vous allez me détruire.*

Je lui rappelle que, selon elle, elle n'a pas le droit de me regarder. Ainsi, il y a lieu de considérer le cadre en rapport avec le fonctionnement psychique limite ; il n'y a pas de vertu extrême à ce que le malade demeure allongé. Cette partie du cadre, le dispositif divan-fauteuil — nous y reviendrons —, revêt un caractère facilitateur du processus analytique. Il cesse temporairement d'avoir ce caractère s'il est associé à un net interdit du maniement d'un «morceau d'objet réel», car parfois le maniement d'un morceau d'objet réel peut être utile à un certain relâchement, une certaine atténuation de la condensation analyste réel - analyste imaginaire, et permettre un acheminement vers un imaginaire évolué. À ma connaissance, cette expression «morceau d'objet réel» fut d'abord utilisée par Roger DUFRESNE [12].

Isabelle poursuit :

Oui, c'est drôle, cet interdit à vous regarder, vous m'avez jamais empêché de vous regarder, vos yeux comme vos mains, les yeux et les mains de ma mère, dont j'avais le plus peur, je pense de plus en plus que vous êtes ma mère, je suis habitée, une Isabelle qui se sent au fond intelligente, une autre, qui se croit pas intelligente, je vous prête la pensée que je ne suis pas intelligente. (Mon langage qu'elle reprend) *Voyons, qu'est-ce qu'elle attend pour se rendre compte qu'elle est incapable de faire un cours universitaire, vous auriez dit un mot la dernière fois, j'annulais mon cours à l'Université, je vous prête un tel pouvoir* — silence — *c'est comme le rire, ma mère n'a jamais ri, parfois, mais c'était faux, je sens que c'était faux, je n'aurais jamais pensé il y a trois ans que votre rire serait un tel jalon pour m'aider à comprendre* (de la salle d'attente, elle m'a entendu rire lors d'une conversation téléphonique), *je croyais rêver en vous entendant, vous tellement sévère, tellement austère, en fait, je cherchais à me décrire sans plaisir, je cherchais le mot, vous avez dit «austère», ça m'a pris trois jours pour aller voir dans le dictionnaire, je ne m'accorde aucun plaisir, comme ma mère ; c'est mêlant, des fois vous êtes moi, des fois vous êtes ma mère, vous m'avez dit que je devrais tuer une femme sur mon chemin quand j'ai parlé de cette femme qui a tué une autre femme enceinte pour lui prendre son enfant dans son ventre, peut-être que... je dois détruire ma mère, que c'est vous que je dois détruire dans les pensées que je vous prête — silence — c'est mêlant, des fois vous êtes moi, des fois vous êtes ma mère, peut-être une partie de moi qui lui ressemble ? Est-ce que c'est oui ? (j'ai fait un murmure), vous m'aiderez pas pour deux sous, pendant longtemps, vous n'avez pas bougé, vous saviez que j'avais trop peur, maintenant vous commencez à le faire quand vous en avez envie.*

Vous avez ainsi une idée du climat des séances qui précéderont de peu un agir, qui me semble un mouvement progressif, une action symbolisante.

Ça fera trois ans bientôt, je vous ai appelé pour commencer l'analyse, j'ai encore rêvé à vous, je vous regardais, je n'avais pas peur de vous regarder, puis je me suis mise à vous toucher de manière fébrile, comme quand on veut enlever une peur — silence — le dessin dans la salle d'attente, je le regarde depuis trois ans, l'enfant, je veux dire, le petit lapin est à quatre pattes, c'est ça qui m'indique la sévérité, il a peur, la mère a un doigt comme ça (mouvement d'un doigt pointé)ça indique la sévérité, je vous en parle, je ne suis pas sûre maintenant qu'elle a le doigt comme ça (elle veut élaborer, revient au dessin), ça me fatigue, je ne sais pas si elle a le doigt comme ça. Je lui demande si elle veut aller voir ; elle se met à dire : NON, NON, j'ai beaucoup trop peur de vous, vous vous en souvenez, ça a déjà été tout un exploit d'aller chercher un kleenex, je n'ai pas peur quand vous allez me chercher dans la salle d'attente, quand vous me reconduisez après la séance, mais là... passer devant vous, vous voir... je perdrais connaissance. Je lui demande ce qu'elle imagine qu'il surviendrait. Vous le savez, mes jambes faibliraient, je perdrais connaissance.

A posteriori, il est assez facile de repérer dans le contre-transfert de l'analyste la présence de certaines associations antérieures d'Isabelle. Elles ont trait à des somatisations, soit des douleurs vagues aux membres inférieurs, soit encore l'utilisation du mot «se lever» pour signifier l'éventualité de son affirmation personnelle. Cet écho rencontré dans le contre-transfert a sans doute participé à la mobilisation du jeu transféro-contre-transférentiel.

Isabelle poursuit :

Vous êtes trop puissant, vous regarder, vous, assis, je pense à mon amie, elle a vu une psychanalyste, elle lui a dit qu'elle n'aimait pas son bureau, que son fauteuil n'était pas confortable, elle est allée chercher des coussins pour être confortable; on aurait du plaisir ensemble si j'avais pas peur.

Je lui signale que, dans le rêve, elle n'a pas peur de me regarder, peut-être que conserver cette peur lui permet de se protéger contre autre chose... Elle me répond, non sans à propos :

En fait, dans un rêve, j'ai déjà parlé à ma mère, vous m'aviez dit : « Ce n'est pas comme dans la réalité, c'est peut-être plus facile en rêve, ne pas avoir peur. » — silence — C'est complexe, ce que vous représentez; quand j'aurai moins peur avec vous, je serai mieux — silence — ça me chicote, votre invitation, vous ne me l'auriez pas faite, il y a deux ou trois ans. Si vous me la faites maintenant, ce n'est pas sans raison, je me suis rendue compte récemment, vous ne m'avez jamais défendu de vous regarder, vous derrière, il m'interdit pas de le regarder, quand j'avais tellement peur de vous parler, que vous cessiez de m'écouter, vous pourriez devenir fâché de ce que j'avais dit, j'aurais pu me retourner, ça me chicote, y aller ou pas (elle regarde sa montre), je ne veux pas attendre la fin de la séance, quand vous me dites que je n'ai pas vraiment peur, peut-être que vous me faites un signe, je vous dis souvent, vous ne m'aidez pas, là vous m'indiquez quelque chose, j'ai toujours fait ce que je pouvais pour guérir. (Elle se lève, va voir le dessin dans la salle d'attente, reprend la position allongée.) Je ne suis pas morte, c'est fou. Moi j'ai si peur, je vois un homme assis, tranquille, qui m'écoute, j'ai peur de mes idées, ça me fait honte, je suis contente et je suis déçue, contente de ne pas avoir cédé à la peur, déçue, un peu honte, de voir comment j'ai peur, elle a bien le doigt comme ça ; comme dans les examens, j'ai toujours peur de ne pas savoir, en fait, j'ai raison, mais je me mets à douter.

Voici un court fragment de la séance suivante. Pour la seule fois jusqu'à maintenant, elle va d'abord s'asseoir sur le divan près de moi, et ne s'allongera que vers la fin de la séance.

J'ai été très étonnée de mon expérience la dernière fois, de vous regarder, je vous regarde maintenant, je ne suis pas morte, je ne meurs pas. (On peut ainsi observer comment il est difficile de prendre une distance vis-à-vis d'un vécu transférentiel qui s'apparente à celui de la «mort vaudou».) *Je suis sortie, j'étais démunie devant ce qui m'arrivait, c'est pas possible, qu'est-ce qui m'arrive? Je suis allée là pendant trois ans, j'avais peur ; il me semble que les murs se rapprochent, que la pièce est plus petite.* (Isabelle fait état d'un changement dans sa perception de la réalité extérieure. La pièce ne serait plus aussi grande que la mère? Y aurait-il réduction de la condensation de la pièce imaginaire-mère et de la pièce réelle?) *J'avais peur d'un homme, je vois un homme tranquille qui m'attend, je me suis levée, je suis allée voir, vous ne m'avez pas forcée, je suis revenue, j'avais le goût de vous faire un clin d'oeil.* (Elle m'avait prévenu. Il serait possible d'avoir du plaisir ensemble si elle avait moins peur.) *Je vois un homme tranquille qui m'attend, qui veut m'aider, j'ai l'impression d'avoir franchi une étape.*

Un peu plus tard, elle s'allonge, elle fait un rapprochement entre son analyste qui, au premier entretien, avait l'allure d'un moine et... son désir à l'adolescence de devenir soeur cloîtrée.

C'est comme la même chose, dira-t-elle, moine, soeur cloîtrée, le masculin, le féminin, est-ce que ça serait moi que je regardais? Vous seriez comme un miroir?

Ainsi la présentation d'un «morceau d'objet réel» permettrait le relâchement de la condensation objet réel - objet imaginaire, tout en venant combler partiellement la brèche dans le pare-excitation, et développerait *ipso facto* l'écran psychique. Décidément, Isabelle devient presque complaisante vis-à-vis des réflexions théoriques de son analyste.

La présentation d'un morceau d'objet réel peut revêtir de multiples formes, et l'accueil de l'expression perceptuelle du symbolisme n'est que l'une d'entre elles. Selon moi, il s'agirait d'une rubrique générale sous laquelle, outre cet accueil, on pourrait retrouver ce qu'ANZIEU [1] appelle l'interprétation à la première personne, également ce qu'André GREEN [24] dénomme l'élaboration imaginative de la part de l'analyste. En effet, l'organisation limite présentant non pas un discours associatif, de par l'absence de fantasmatisation au sens strict, mais plutôt un «discours dissociatif», selon l'expression heureuse d'Elisabeth BIGRAS [7], nous devons songer à une certaine «élaboration imaginative» de la part de l'analyste plutôt qu'au silence traditionnel. Dans cette direction, Jacques MAUGER [31] parle de «rapiéçage», utilisant l'expression d'une analysante pour décrire le travail de liaison des représentations laissées clivées dans le «discours dissociatif». L'expression «élaboration imaginative» me plaît assez, dans la mesure où elle me semble laisser entendre une certaine carence de l'imaginaire ainsi que la mise en place d'un mouvement vers un imaginaire évolué.

Il m'apparaît important de souligner comment la présentation d'un morceau d'objet réel ne peut être utile qu'en s'inscrivant à l'intérieur de la technique analytique classique. En effet, comme James STRACHEY [35] l'a subtilement mis en lumière, cette technique analytique revêt un caractère paradoxal en ce sens que le meilleur moyen de s'assurer que le moi va distinguer fantasme et réalité consiste à retirer la réalité le plus possible. Dans la cure d'Isabelle, la règle consistant à soustraire l'analyste réel, autant que faire se peut, demeure valable. Cette règle a sans doute favorisé l'étalement progressif de l'activité représentative, qui se manifeste dans la terreur rencontrée à l'endroit de l'analyste. La présentation d'un morceau d'objet réel, telle une exception, confirme la règle paradoxale de la technique classique. Un avatar du développement de l'activité représentative, c'est-à-dire la condensation de l'objet réel et de l'objet imaginaire ou l'absence d'un imaginaire évolué, demande, selon moi, cette exception.

Il va sans dire que, dans mon esprit, l'interprétation des résistances et celle du transfert demeurent les outils thérapeutiques fondamentaux de la cure analytique, voire de la psychothérapie analytique des états limites. Il me semble utile de distinguer élaboration et interprétation transférentielles : la première décode, *hic et nunc*, le vécu transférentiel ; la seconde fait le lien entre le présent et le passé. Autant je crois que l'élaboration transférentielle doit être favorisée d'emblée, le plus possible, autant je souscris à la recommandation d'Otto KERNBERG [27] qui suggère de retarder l'interprétation proprement dite du transfert, ou la présentation du lien avec le passé. En effet, avant de songer à déplacer les images d'une pièce à l'autre, on doit s'assurer au préalable que l'artiste dispose bien d'une toile, d'un support perceptuel intrinsèque à son oeuvre. Si nous devions entreprendre le mouvement avec un artiste de l'ère paléolithique ou un sujet à l'imaginaire demeuré rudimentaire, ce serait un peu comme vouloir *déplacer* les images des grottes de Lascaux.

La mise en garde m'apparaît d'autant plus nécessaire qu'il demeure terriblement inconfortable de tolérer cette condensation du réel et de l'imaginaire. Le sujet utilise les grains de notre peau, les grains de notre être propre pour dessiner ses images. Le discours limite, utilisant à merveille le mot-action, revêt un caractère corrosif pour l'analyste, d'où cette composante douloureuse du contre-transfert limite. Il est pour moi évident qu'à l'intérieur de l'élargissement de l'écoute analytique mentionnée plus haut, la perception et l'utilisation judicieuse de la douleur contre-transférentielle constituent un élément dominant. Le risque me semble en effet permanent, de se dégager de la douleur contre-transférentielle en se référant prématurément au passé, en interprétant plutôt qu'en élaborant le vécu transférentiel. Le risque est d'autant plus grand que l'expression perceptuelle fourmille de significations, y compris de significations génétiques tout autant, sinon plus, que l'expression imaginaire du symbolisme.

Ces réflexions métapsychologiques sur le transfert limite apparaîtront peut-être à certains comme un peu spéculatives. FREUD, après avoir introduit la première topique dans le chapitre VII de *L'interprétation des rêves*, s'interroge sur la valeur pratique de ces études pour la connaissance de l'âme et «la découverte des traits de caractère cachés». Il y répond ainsi :

« La valeur théorique des études sur le rêve réside pour moi dans la contribution qu'elles apportent à la connaissance psychologique des psycho-névroses. Dès maintenant, le peu que nous savons nous permet d'exercer une influence favorable sur les formes guérissables des psycho-névroses ; qui peut dire l'importance qu'aurait une connaissance profonde de la structure et du fonctionnement de l'appareil psychique ? »

Cette description du transfert limite en termes de condensation de l'objet réel et de l'objet imaginaire a sans doute revêtu, dans sa formulation, un caractère un peu lourdaud. Aussi, en terminant, je laisserai la parole à un poète, Michel GARNEAU [23] :

Étrangement,
c'est souvent dans le dit de nos rêves
qu'on rejoint le mieux la réalité des autres
et ma réalité sonne souventes fois
comme un vieux rêve de tous

Quand je ne fais plus la différence
entre mon rêve et ma réalité
ça me prend beaucoup de conscience
j'appelle ce furieux mariage réel.

SUMMARY

METAPSYCHOLOGICAL CONSIDERATIONS ON THE BORDERLINE TRANSFERENCE

In psychoanalysis or long term analytical psychotherapy we sometimes observe a great difficulty in establishing proper distance regarding the various transference experiences of life in borderline state (*état limite*). While a neurotic patient maintains an explicit or implicit distinction between the analyst as he appears in the external reality and the idea or presentation of the analyst as the patient sees him in his own mind, the borderline organization cannot always make this distinction ; in the abstract, we are then faced with a condensation of the real analyst and the imaginary one.

According to FREUD, a real fantasy involves both a compromise between pulsion and defense, plus a compromise between the primary process and the secondary process, this last arrangement implying the instauration of the principle of reality ; we then may consider that the borderline patient has not reached the stage of a real fantasmatization ; he is endowed only with the rudiments of an imaginary. Thus for the expression of symbolism, i.e. "the indirect and figurative presentation of an idea, of a conflict, of an unconscious desire" (LAPLANCHE et PONTALIS, *Vocabulaire de la psychanalyse*), in order to reach full display of his representative activity, the borderline patient needs to rely on 'a real object in the capacity of a screen, taken in the cinematographic sense ; it is the perceptual expression of symbolism as opposed to the imaginary expression of the neurotic. In the first case, the analyst becomes an auxiliary psychic screen, this manifesting a failure of the protective shield : in fact this protective shield constitutes the external side of the structure while the internal face could be better described in terms of a psychic screen. At some moments of the psychoanalytical therapy, these metapsychological considerations, regarding the psychic functioning that is typical of the borderline organization, need the introduction of a part of a real object ; this is an exception in the analytic classical method which demands that the real analyst be put into parentheses, in as much as this can be done. As far as I am concerned, this exception, which only confirms the rule of classical procedure, brings a greater efficiency of this method and thus enhances the analytical process with borderline organization.

Clinical cases will demonstrate the subject of this communication.

BIBLIOGRAPHIE

1. ANZIEU, D. (1974) «Le Moi-Peau», *Nouvelle revue de psychanalyse*, n° 9.

2. ANZIEU, D. (1978) «Machine à décroire : Sur un trouble de la croyance dans les états limites», *Nouvelle revue de psychanalyse*, n° 18.

3. ANZIEU, D. (1979) «La démarche de l'analyse transitionnelle en psychanalyse individuelle», *Crise, rupture et dépassement*, ouvrage collectif, Paris, Dunod, collection Inconscient et Culture.

4. ANZIEU, D. (1979) *Le psychodrame analytique chez l'enfant et l'adolescent*, Paris, P.U.F., Bibliothèque de psychanalyse.

5. BERGERET, J. (1974) *La dépression et les états limites*, Paris, Payot.

6. BIBEAU, G. (1983) *L'activation des mécanismes endogènes d'auto-guérison dans les traitements rituels des Angbandi*, Culture III.

7. BIGRAS, E. (1983) «"Le refus de n'être qu'un", un rempart contre la mélancolie», commentaires formulés oralement lors de la présentation du texte à la Société psychanalytique de Montréal, le 1er décembre.

8. BLÉGER, J. (1979) «Psychanalyse du cadre psychanalytique» (traduction française), *Crise, rupture et dépassement*, ouvrage collectif, Paris, Dunod, collection Inconscient et Culture.

9. CANNON, W.B. (1942) «Voodoo Death», *American Anthropologist*, p. 44, 169, 181.

10. CHILAND, C. (1971) «Le statut du fantasme chez Freud», *Revue française de psychanalyse*, vol. 35, n°s 2-3, p. 203-216.

11. DEJOURS, C. (1983) «Symbolizing Somatizations», *Psychosomatic Medicine, Theoretical, Clinical and Transcultural Aspects* (A. KRAKOWSKI & C. KIMBALL, Eds.), Plenum Press, p. 439-446.

12. DUFRESNE, R. (1983) Communication orale lors d'une réunion des psychiatres du pavillon Albert-Prévost, Hôpital du Sacré-Coeur, Montréal, mai, avec Paulette LETARTE.

13. FREUD, S. (1900) *L'interprétation des rêves*, nouvelle édition augmentée et entièrement révisée par Denise BERGER, Paris, P.U.F., 4e trimestre 1967.

14. FREUD, S. «Formulations on the two principles of mental functionning», *The Standard Edition of the Complete Psychological Works of S. Freud* (J. STRACHEY, Ed.), vol. XII.

15. FREUD, S. «Remémoration, répétition et élaboration», *La technique psychanalytique*, traduit de l'allemand par Anne BERMAN, Paris, P.U.F., Bibliothèque de psychanalyse.

16. FREUD, S. (1915) «Pulsions et destins des pulsions», *Métapsychologie*, traduit de l'allemand par Jean LAPLANCHE et J.B. PONTALIS, Gallimard, collection Idées.

17. FREUD, S. (1915) «L'inconscient», *Métapsychologie*, Gallimard, collection Idées.

18. FREUD, S. (1917) «Complément métapsychologique à la théorie du rêve», *Métapsychologie*, traduit de l'allemand par Jean LAPLANCHE et J.B. PONTALIS, Gallimard, collection Idées.

19. FREUD, S. (1920) «Au-delà du principe du plaisir», *Essais de psychanalyse*, Petite Bibliothèque Payot.

20. FREUD, S. (1925) «Notice sur le bloc magique», *Revue française de psychanalyse*, traduit de l'allemand par Isle BARANDE et Jean GILLIBERT, tome XLV, sept.-oct. 1981.

21. FREUD, S. (1929) «Négation», *The Standard Edition of the Complete Psychological Works of Sigmund Freud* (J. STRACHEY, Ed.), vol. XIX.

22. FREUD, S. (1939) *Abrégé de psychanalyse*, traduit de l'allemand par A. BERMAN, Bibliothèque de psychanalyse et de psychologie clinique, Paris, P.U.F.

23. GARNEAU, M. (1974) «Langage 4», *J'aime la littérature, elle est utile*, Montréal, Aurore.

24. GREEN, A. (1974) «L'analyste, la symbolisation et l'absence dans le cadre analytique», *Revue française de psychanalyse*, p. 38.

25. IMBEAULT, J. (1983) «Hystérie et névrose actuelles», présentation au Grand Salon du pavillon Albert-Prévost, Hôpital du Sacré-Coeur, Montréal, 29 nov.

26. Isaac, S. (1948) «Nature et fonction du fantasme», ***Développement de la psychanalyse*** (J. Rivière, édit.), Paris, P.U.F., p. 64-114. ***International Journal of Psychoanalysis***, 1948, vol. XXIX, p. 73-97.

27. Kernberg, O. (1979) ***Les troubles limites de la personnalité***, Privat, domaine de la psychiatrie.

28. Laplanche, J. et Pontalis, J.B. (1967) ***Vocabulaire de la psychanalyse***, Paris, P.U.F., Bibliothèque de psychanalyse, p. 161.

29. Letarte, P. (1983) «L'action dans la thérapie du borderline», deux conférences présentées au Grand Salon du pavillon Albert-Prévost, Hôpital du Sacré-Coeur, avril (non publiées).

30. Lex, B.W. (1974) «Voodoo Death, New Thoughts on an Old Explanation», ***American Anthropologist***, 76, p. 818-823.

31. Mauger, J. (1984) «L'ombre symbolique : deuil et nostalgie», communication présentée à la Société psychanalytique de Montréal, le 12 janvier.

32. Modell, A. (1968) ***Object Love and Reality***, New York, International University Press Inc.

33. Reid, W. (sous presse) «Omnipotence et transfert unidimensionnel», ***Narcissisme et états limites***, ouvrage collectif sous la direction de Jean Bergeret et Wilfrid Reid, Dunod, collection Inconscient et Culture.

34. Steinbeck, J. (1977) ***Des souris et des hommes***, Paris, Gallimard, collection Folio.

35. Strachey, J. (1970) «La nature de l'action thérapeutique de la psychanalyse», ***Revue française de psychanalyse***, traduction de C. David, vol. XXXIV, n° 2, p. 255-285.

The Relation of Borderline Personality Organization to the Perversions

Otto F. KERNBERG

1. THE DYNAMICS OF BORDERLINE CONDITIONS AND PERVERSIONS

Several roads led me, from areas originally loosely connected to a common territory, that of perversion. The first road had its beginning in the psychoanalytic and psychotherapeutic treatment of patients with borderline personality organization. These patients regularly revealed certain dynamic features that provided understanding for their apparently chaotic sexual fantasies and behaviors. I have become aware in recent years that these psychodynamic features were also to be found in the unconscious conflicts of perversions, particularly in the recent psychoanalytic work of CHASSEGUET-SMIRGEL [4,5], McDOUGALL [19,20], MELTZER [21], LUSSIER [17], STOLLER [36,37], KHAN [16], PERSON and OVESEY [23-30].

In earlier work [9], I described how, in borderline patients, the child's pathologically intense pregenital and particularly oral aggression tends to be projected onto the parental figures, causing a paranoid distortion of the early parental images, especially of the mother. Because the child projects predominantly oral-sadistic but also anal-sadistic impulses, the mother is experienced as potentially dangerous; hatred of mother later extends to hatred of both parents because the child experiences them fantastically as a unit. A contamination of the image of father by aggression primarily projected onto the mother and then displaced onto him, and lack of differentiation between the parents under the influence of excessive splitting operations produce in both boys and girls a combined and dangerous father-mother image, with the result that all sexual relationships are later conceived of as dangerous and aggressively infiltrated. In an effort to escape from oral rage and fears, a premature development of genital strivings takes place, an effort that often miscarries because of the intensity of pregenital aggression, which contaminates genital strivings as well.

What can typically be found in these patients includes the following. First, an excessive aggressivization of oedipal conflicts so that the image of the oedipal rival typically acquires terrifying, overwhelmingly dangerous and destructive characteristics; castration anxiety and penis envy appear grossly exaggerated and overwhelming; and superego prohibitions against sexualized relations acquire a savage, primitive quality, manifested in severe masochistic tendencies or paranoid projections of superego precursors.

Second, the idealizations of the heterosexual love object in the positive oedipal relation and of the homosexual love object in the negative oedipal relation are also exaggerated and have marked defensive functions against primitive rage. Thus one observes both unrealistic idealization of and longing for such love objects and the possibility of rapid breakdown of the idealization, with a reversal from the positive to the negative (or negative to positive) relation in a rapid and total shift of the object relation. As a consequence, the idealizations appear both exaggerated and frail, with the additional complication, in the case of narcissistic character pathology, of easy devaluation of idealized objects and total withdrawal.

Third, the unrealistic nature of both the threatening oedipal rival and the idealized, desired one reveal, on careful genetic analysis, the existence of condensed father-mother images of an unreal kind, reflecting the condensation of partial aspects of the relations with both parents. Each particular relation with a parental object turns out to reflect a more complex developmental history than is usually the case with typically neurotic patients, in whom the transference developments are more closely related to realistic fixations of past events.

Fourth, the genital strivings of patients with predominant preoedipal conflicts serve important pregenital functions. The penis, for example, may acquire symbolic functions of the feeding, witholding, or punishing mother, and the vagina may acquire the function of the hungry, feeding, or aggressive mouth; similar developments occur regarding anal and urinary functions. Although many neurotic patients and patients with less severe types of character pathology also present these characteristics, the existence of these features in combination with excessive aggressivization of all the pregenital libidinal functions is typical of patients with borderline personality organization.

Fifth, these patients typically show what might be described as a premature oedipalization of their preoedipal conflicts and relations, a defensive progression in their instinctual development, which is reflected clinically in early oedipalization of the transference. The displacement of oral-aggressive conflicts from mother onto father increases castration anxiety and oedipal rivalry in boys, and penis envy and related character distortions in girls. In girls, severe pregenital aggression toward the mother reinforces masochistic tendencies in their relations to men, severe superego prohibitions against genitality in general, and the negative oedipal relation to the mother as a defensive idealization and reaction formation against the aggression. The projection of primitive conflicts around aggression onto the sexual relations between the parents leads to distorting and frightening versions of the primal scene, which may become extended into hatred of all love offered by others. More generally, the defensive displacement of impulses and conflicts from one parent to the other fosters the development of confusing, fantastic combinations of bisexual parental images condensed under the influence of a particular projected impulse.

I was not aware, at the time I reached those conclusions, that I was focusing on crucial dynamics of the perversions as formulated in recent psychoanalytic contributions. Thus, for example, the reinforcement of the negative Oedipus complex in boys under the influence of the combination of intense preoedipal fears of mother and the displacement of preoedipal conflicts around aggression from mother onto father (with the consequent intensification of castration anxiety) may lead to a largely preoedipally determined type of homosexuality in men, involving the unconscious wish to submit sexually to father in order to obtain from him the oral gratifications which were denied from the dangerous, frustrating mother. In these cases of predominantly orally determined male homosexuality, both father and mother are perceived as dangerous (so is heterosexuality), and homosexuality is used as a substitute way of gratifying oral needs.

My observations on the dynamic features of borderline patients also relate harmoniously to CHASSEGUET-SMIRGEL's [2] and McDOUGALL's [18] stress on pre-oedipal conflicts with mother as codeterminants of perversion, and to STOLLER's [37,38] emphasis on the central function of aggression in codetermining erotic excitement; STOLLER stresses the preoedipal roots of this aggression in an early sense of traumatizing humiliation. My observations also dovetail with MELTZER's [21] idea of the defensive confusion of sexual zones in perversion, the aggressive infiltration of all object relations in these cases, and the perverse nature of the transformation of dependent relationships into aggressively destructive ones. Within a different frame of reference, PERSON and OVESEY's studies mentioned before of the common dynamic features of male transsexualism, transvestism, and homosexual cross-dressing in men also reveal severe conflicts of separation-individuation, disturbances in identity formation, and structurally borderline characteristics.

André LUSSIER's comprehensive study on fetishism, *Les déviations du désir* [17], in which fetishism is used as a paradigm for the general study of perversion, includes the following as typical of male fetishistic patients : a) the need to exert absolute, even sadistic, control over a woman, and the utilization of the fetish as a symbolic reassurance of this control and as independence of the frustrating woman ; b) the fetish as a symbol of the safe possession of mother's breasts thus protecting against separation anxiety and depression as an expression of fears over oral frustration ; c) the fear of complete helplessness and abandonment related to the fear of the destructive effects of the aggression induced under such conditions, aggression projected onto mother and defended against by the possession of the fetish ; d) the intolerance of anxiety or tension from any source, and the function of the fetish as a source of supreme enjoyment and as a denial of severe anxiety ; e) an extremely sadistic and masochistic conception of the primal scene, with confusion of whether father or mother is aggressor or victim, uncertainty whether it is preferable to defensively identify with the aggressor of this ambiguous sexual scene or masochistically submit to being destroyed by such an ambiguous terrifying figure. The fetish, Lussier states, facilitates the defensive identification with both parents in the primal scene and provides reassurance against both castration and the dangerous phallic mother who condenses preoedipal and primal-scene aggression ; f) fear of the homosexuality linked to the submission to the sadistic father and to a castrating phallic mother in this primal scene. Again, the fetish reassures against the unconscious fantasy of a feminine phallus as well as against castration.

LUSSIER, in short, points to the combination of oedipal and preoedipal conflicts, to ego splitting in relation to preoedipal conflicts, and to the unusual intensity of all the components of oedipal conflicts in these patients.

2. PERVERSION AND THE COUPLE IN LOVE

The second road that led me to the territory of perversion stems from the opposite end of the spectrum of psychopathology, namely, the important function of polymorphous perverse tendencies in normal love relations. Let me summarize briefly my main conclusions in this area.

I concluded in earlier work [7,8,10,11,12,13] that, for a couple to develop a normal, stable love relation both partners must have the capacity for, first, broadening and deepening the experience of sexual intercourse and orgasm with sexual eroticism derived from the integration of aggression and bisexuality (sublimatory homosexual identifications) ; for, second, an object relation in depth, which includes transmuting preoedipal strivings and conflicts in the form of tenderness, concern, and gratitude, and the capacity for genital identification with the partner, coupled with sublimatory identification with (and yet leaving behind) the parental figure of the same sex ; for, third, depersonification, abstraction, and individualization — that is, maturation — in the superego so that infantile morality has been transformed into adult ethical values and a sense of responsibility and moral commitment, which reinforces the couple's emotional commitment to each other.

In exploring jointly the functions of the couple's sexual behavior, object relations, and superego functions, I concluded that the gratification of sexual interactions derives its intensity from a freedom for experimentation that involves not only mechanical sexual activities but the expression, within the couple's love life, of unconscious fantasies reflecting both oedipal and preoedipal object relations. Practically speaking, this means an integration of sadistic and masochistic, exhibitionistic and voyeuristic aspects into the sexual relation, and the enactment of complex fantasies, all of which requires time. The enactment of homosexual fantasies as well as of aggressive derivatives of preoedipal relations are included here, in the couple's capacity to transitorily free sexual activity from a rigid relation to a total object relation so that the two participants can treat each other as "sexual objects." What is required here is a capacity for sexual play, contained by an implicit frame of an emotional relation that transcends that play.

This conception links maximum intensity of sexual excitement with the fantasy world of perversion and pornography. Sexual freedom of the couple in love expresses, at one point, polymorphous perverse fantasy that temporarily frees both participants from their specific object relation — although their total sexual involvement is still contained by that object relation. This last characteristic, naturally, makes of the couple's sexual play an erotic art as against the restricted, mechanical quality of pornography. However, I also use the term pornography to focus on one more dimension of that sexual freedom, namely, its opposition to socially sanctioned sexual behavior, which, for reasons I explored in earlier work [14], is usually directed against bisexual, aggressive, and generally pregenital components of sexuality. Socially sanctioned sexuality, the aspects of sexuality conventionally accepted to be part of the love life of the couple are typically shorn of intensity and excitement derived from their pregenital features. There is a surprising similarity of the role of aggression in perversion and the role of aggression in ordinary love relations. The question is, does perversion, with its important functions of "metabolizing" aggression, have a parallel role to other such "metabolizing" mechanisms in normal love relations?

Aggression is expressed at the level of sexual relations in the aggressive components of part object relations activated in sexual play and intercourse, in sadistic and masochistic fantasies and activities, in the use of the partner as an object, and in the excitement of being used in this way. At the level of object relations, aggression is expressed in the aggressive components of normal ambivalence of total object relations, and in the specific themes of oedipal competitiveness and rivalry and the activation of "reversed triangularization," which I have explored in earlier work [13]. Jealousy is a primary emotion expressing the condensation of love and hatred that derives from the oedipal situation and may be condensed with preoedipal jealousy and envy.

At the level of superego functions, aggression is involved in the superego-induced repression of pregenital components of infantile sexuality and of genital strivings themselves, insofar as they are too directly linked to the oedipal objects; aggression is also involved in superego-induced submission to conventional sexuality and in the submission to projected superego features directed against sexual wishes. At the same time, the integration of love and aggression at the superego level permits the combination of firm, stable value systems and internal morality with a sense of concern and responsibility that reflect love as well. This function protects the couple's relationship against excessive activation of aggression in the normal ambivalence of all intimate object relations, and particularly the aggressive components of reversed oedipal triangularization.

I am suggesting that, considered jointly, polymorphous perverse infantile sexuality serves a normal, important function in the total recruitment of aggression at the service of love that characterizes human sexuality. It is as if the early transformations of the experience of pain into sexual excitement, and of the experience of pleasure in aggressive behavior into pleasure with the expression of erotic hostility, provide a quality of elation to sexual arousal linked to the fantasy that sexual wishes as an expression of love and sexual wishes as an expression of aggression are no longer in contradiction. This resulting condensation provides a sense of power and freedom from conflict and, when contained by the security of a loving object relation, a reassurance against the feared consequences of the aggressive aspects of ambivalence at the level of object relations and superego functions. Here, I believe, lies an important function of the polymorphous perverse features of normal sexuality in cementing the relation of the couple and in limiting the effects of infantile superego collusions and related social conventionalities. But where are the boundaries between normal polymorphous perverse sexuality and the regressive aspect of aggression in perversion?

3. MALIGNANT NARCISSISM, PERVERSION, AND PERVERSITY

This question introduces the third road leading to my encounter with the problem of perversion. I am referring here to my recent work on the syndrome of malignant narcissism (see KERNBERG [15]). This syndrome presents in a group of patients with narcissistic personality (and, therefore, borderline personality organization as well) with particularly severe superego pathology and who clinically show, in addition to their typical narcissistic character structure, antisocial behavior, ego-syntonic sadism or characterologically anchored aggression, and a paranoid orientation.

The antisocial features may range from petty dishonesty to serious antisocial activities, and require the differential diagnosis with the antisocial personality proper. These patients also show ego-syntonic sadism or characterologically anchored aggression which may be expressed in ego-syntonic grandiosity, in a conscious "ideology" of aggressive self-affirmation, but also, strangely enough, in chronic, ego-syntonic suicidal tendencies. The underlying fantasy is that to be able to take one's life reflects superiority and a triumph over the ordinary human fear of pain and death. To commit suicide also permits the exercise of sadistic control over others.

The third characteristic of malignant narcissism, the paranoid orientation, reflects the projection onto others of sadistic superego precursors that have not been integrated ; it is manifested in an exaggerated experience of others as either idols, enemies, or fools.

Patients with malignant narcissism also may present the most severe types of perversions, namely, those with life-threatening ego-syntonic aggression and/or self-directed aggression. This is precisely why psychoanalytic exploration of this spectrum of psychopathology may shed new light on the question of the nature and functions of aggression in perversion.

The analytic exploration of patients with malignant narcissism led me to propose that these patients have a deep level of superego pathology characterized by 1) the absence of idealized superego precursors (idealized self and idealized object representations which would ordinarily constitute the primitive ego ideal) other than those integrated into the pathological grandiose self ; 2) the predominance of the earliest level of sadistic superego precursors which represent, because of their inordinate power, the only reliable internalized object representations available ; 3) the intrapsychic consolidation of a status quo, in fantasy, that permits survival under conditions when the only reliable object representations available would seem to be of sadistic enemies.

The unopposed predominance of non-neutralized sadistic superego precursors, expressing a condensation of preoedipal and oedipal aggression in unmitigated ways, constitutes a devastating pathological intrapsychic structure. The very frailty of the libidinally invested self-representations, together with the overriding and dominating aggressive superego precursors indicate the danger of destruction of whatever is not adjusted to or incorporated by the dominant intrapsychic sadism. This is, we might say, a version of what a normal person would experience in the nightmare world of ORWELL's *1984* [22]. The aggressive self-representations confirm, in the presence of the sadistic superego precursors, that all significant, reliable human interactions are of an aggressive nature. The pathological grandiose self of these patients crystallizes around the sadistic self- and object-representations and absorbs as well whatever idealized superego precursors are available.

The sexual fantasies of these patients are strikingly similar to those of patients with sadistic and masochistic sexual perversions. There is a consistent aggressivization of all sexual desires. Genital penetration becomes equivalent to destroying the genitals or to filling body cavities with excrement. The penis as a source of poison invading the body is the counterpart to teasingly unavailable breasts that can be incorporated only by cannibalistic destruction. The lack of differentiation of sexual aims, so that oral, anal, and genital fantasies are condensed and simultaneously express impulses and threats from all levels of sexual development, corresponds to a parallel dedifferentiation of the sexual characteristics of male and female, so that homosexual and heterosexual impulses mingle chaotically. These patients present what MELTZER

[21] has called "zonal confusions" and "perverse transference" features. Sexual promiscuity may defend them from a deep involvement with a sexual partner that would threaten them with the eruption of uncontrollable violence. These patients also typically present "analization," a type of object relations tending to deny sexual and generational differentiation, described by CHASSEGUET-SMIRGEL [3,4].

Some of the patients with malignant narcissism I have seen have not manifested sexual perversion. In other patients of this kind, the bizarre nature of severe suicidal tendencies would seem to approximate that of masochistic perversions, and in others still, masochistic self-mutilation with clearly sexual implications was present. Some patients with malignant narcissism present sadistic perversions with dangerous aggressive behavior, and others present bizarre perversions with direct expression of anal interests.

For example, one patient in his early 20's, with a narcissistic personality functioning on an overt borderline level (that is, with general lack of impulse control and anxiety tolerance, and lack of any sublimatory functioning) and with a typical syndrome of malignant narcissism, would masturbate on rooftops while throwing bricks at women on the street below. He obtained an intense sexual excitement at the moment of throwing a brick without knowing whether or not the brick would hit the woman who was passing by below, mixed with the excitement and fear over being caught in a criminal act. He would reach orgasm in masturbation at the moment when the brick crashed on the street or on his victim and with the first evidence of shock on the part of any passerby down below, and he would wait for such evidence of excitement below before proceeding to escape.

Another patient with malignant narcissism together with homosexual and heterosexual promiscuity presented a rigid pattern of sexual relations with women that represented the acting out of a perverse scenario : He would make it very clear to the woman that he was going to test her love for him by forcing her to submit to increasingly humiliating sexual experiences which culminated, after a number of preparatory encounters, in having to suck his penis and lick his ass in the presence of a male friend of his. He would only introduce this friend to the woman at that point ; he would engage in bets with this friend on how long it would take him to get the woman to perform for the two of them. He would then end his relationship with the woman without any further explanation. A central aspect of his relation to these women was that they had to be truly involved with him. A prostitute would not do, and he pretended, as part of his seductive efforts, to develop a deepening relationship with them. The chronic, profoundly paranoid fears that these women would come back to take revenge on him, and what amounted to almost frankly paranoid psychotic episodes in this context, illustrated both the depth and the frailty of his perverse organization.

The pretense of love at the service of aggression in this case leads us to the final dimension of malignant narcissism, the development of perversity as a

106

characteristic of the transference and of object relations in general. Perversity as the conscious or unconscious willful transformation of something good into something bad, love into hatred, meaning into meaninglessness, food into shit, mutuality into exploitation is a quality of object relations that has to be differentiated from perversion as the aberration or deviation from a normal sexual function into an idiosyncratic and bizarrely rigidified one. In my experience, only the most severe types of perversion, usually in patients with narcissistic personalities and aggressive infiltration of the pathological grandiose self (that is, malignant narcissism) may present these characteristics in their transference and in other object relations. Perversity, then, as I see it, reflects the conscious or unconscious recruitment of love and dependency, and/or sexuality in the ordinary sense, at the service of aggression.

Perversity reflects the effort to exercize sadistic control and the omnipotence of the pathological grandiose self in malignant narcissism, a "mad" (H. ROSENFELD [34,35]) grandiose self structure which causes the most severe negative therapeutic reactions. These patients relentlessly extract what is good in the analyst in order to empty him out and destroy him ; they do the same in all other close object relations.

In his analysis of symbiotic, commensal, and parasitic transference relationships, BION [1] described the essential function of what he called "parasitic" transference as a relation between two people geared to destroying a third, namely, anything new, what might be called "the analytic baby," that might develop in the course of treatment. In essence, he suggested, in parasitic relations there is a malignant effort to destroy truth and truthfulness, and he pointed to the relationship between the liar and the analyst as the prototype of such a malignant distortion in the transference.

There exists a literature on perversity that, from the plays of Harold PINTER [31,32,33] at one extreme, to the standard plot of perverse thrillers, on the other, centers on a similar structure : one person, sexually excited and falling in love with a second person, is exploited through this very sexual bond by the second person, who, struggling internally with the contradiction between the wish to respond with sexual love to the first person and the secret predetermined commitment to betray this person to a third one, finally gives in to betrayal of the unsuspecting. The drama and the fascination of this perverse triangle are significantly increased when the first person, knowing that he or she will be betrayed, willingly acquiesces in this destiny, thus internalizing the recruitment of love and sex at the service of aggression.

CHASSEGUET-SMIRGEL [3,4] in stressing the anal quality of the processes of devaluation characteristic of narcissistic transferences, pointed to the transformation of all object relations into undifferentiated, devalued "segments" unconsciously representing feces. The omnipotent denial of the differences of sex and of generations, the omnipotent equalization of homosexuality and heterosexuality in multiple, polymorphous perverse sexual activities reflect, in her view, a perverse destruction of object relations by analization of them. I have observed direct, conscious pleasure in some patients with malignant narcissism and these general perverse characteristics as they relentlessly try first to eagerly absorb everything from the analyst and then relentlessly dismantle it. Moreover, the patient's wishful fantasy to destroy everything good in the analyst or to transform it into feces even before a forceful extraction of it, may lead to a frenzied and triumphant aggressive orgy. Typically, this process culminates, when it cannot be resolved analytically, when the patient reaches a stage in the analysis where he feels that he has triumphantly absorbed everything from the analyst, that what he learned he partially knew all along or discovered it himself, and that partially it was worthless anyhow. Interrupting the analysis under such conditions protects him against the fears of aggressive retaliation from the analyst and reinforces, in his fantasy, a sense of omnipotence, defenses against feelings of guilt over his own aggression, and the lack of mourning over object loss. These patients typically induce a sense of chaos and futility in the analyst at such crucial stages of their treatment, reflecting the chaos and futility that also characterizes chronically their object world and even their physical environment. The malignant sense of grandiosity expressed in perversity may find direct expression, too, in actual sadistic perversions, as with the patient who lured women to participate in perverse rituals and then abandon them. That abandonment had, as a pre-dominant unconscious meaning, the function of "flushing the toilet," of ridding the patient of anally destroyed and potentially poisonous objects. The combination of a fantasied sense of absolute power and control on the part of the pathological grandiose self with which the patient is totally identified under these conditions, of power over the world and yet, of the induction of chaos as part of the anal destruction of the surrounding world leads us directly to the world of the novels of the Marquis de SADE [36] to the psychology of the madness and chaos in the middle of absolute power in ORWELL's *1984* [22], and their counterpart in reality : the historical cases of sadistic tyrants exerting absolute control and the simultaneous underlying total chaos in the societies thus governed.

Mad order and chaos, Saul FRIEDLANDER suggests in *Reflections of Nazism, an Essay on Kitsch and Death* [6], are, in their juxtaposition, the most frightening and yet strangely appealing qualities of certain regressive group processes. The fascination that Nazi Germany is exerting over a new generation of intellectuals trying to understand the appeal of totalitarian ideologies may relate to this fascination with total order and simultaneous destructive chaos. If the bottom layer of perversion is constituted by polymorphous perverse fantasies and activities that destroy the boundaries separating the sexes and the generations, and unconsciously equates not only all sexual activity but all object relations with fecal matter, and if the mad world of *120 Days of Sodom* (de SADE, [36]) — a fantasy, and Auschwitz — a reality — represent the rock bottom of the condensation of aggression and perversion, then "ordinary perversions" that maintain a rigid, obligatory sexual scenario in the context of preservating ordinary genital relations and the capacity for maintaining differentiated object relations represent, one might be tempted to say, a truly "innocent" side of perversion.

108

4. PERVERSION AND NEUROTIC PERSONALITY ORGANIZATION

This brings me back to the traditional view of perversion in psychoanalysis as the persistence or reemergence of a component part of sexuality, in which a permanent and obligatory change in the sexual aim and/or object is required in order to achieve orgasm. The traditional view is that a partial infantile sexual component serves as a defense against an underlying neurotic organization, against the unresolved oedipus complex with its related castration anxiety and prohibitions against incest. In fact, in contrast to the recent tendency of the psychoanalytic literature to describe all perversions as if they represented a double layer of conflicts with strong predominance of preoedipal issues, I think one finds patients with typical neurotic personality organization (stable identity formation, capacity for object relations in depth, and prevailing neurotic defensive mechanisms under the overall predominance of repression) who do present an organized perversion as part of their symptomatology. In short, perversion is not limited to patients with borderline personality organization.

A college professor in his early thirties consulted because of a shoe fetishism. The history of his childhood development revealed a benign but distant father and a large number of older female relatives, including sisters, aunts, and cousins, who created a constantly teasing atmosphere around him. He told of the severe punishment he received because he looked up into women's clothes from under the table, and how he gradually experienced a fascination with women's feet and shoes, which eventually led him to masturbate while holding and smelling the shoes of his older sisters, their friends, and eventually, women co-workers at the college where he was now teaching. His adolescence had been marked by intense voyeuristic concerns, and the shoe fetishism acquired the function of satisfying his sexual excitement, and provided him with a sense of independence from what he experienced as sadistically teasing and withholding women. This patient felt that masturbating with the shoes of his secretary provided him with as much gratification as if he went to bed with her. The secrecy with which he went about obtaining her shoes also provided him with a symbolic gratification of invading mother's privacy without being caught. This patient was married ; except for a sexual life that lacked the intensity of the gratification he found in masturbating with shoes surreptitiously obtained, he had a satisfactory relationship with his wife. There was a predominance of clearly oedipal issues in his transference development throughout five years of an analysis that ended with the resolution of the shoe fetishism and a marked increase in his capacity for sexual enjoyment with his wife. In fact, the treatment showed very little of the primitive ego defenses and object relations that have been highlighted in the recent contributions to perversion in general and to fetishism in particular. While primitive defensive mechanisms are prevalent in patients with perversions presenting borderline personality organization, their absence in patients presenting perversion with neurotic personality organization indicates that these mechanisms are related to the level of ego organization and the level of organization of object relations rather than to the perversion in a strict sense.

We have now completed the exploration of perversion from the various perspectives I have outlined : the unconscious dynamics of borderline personality organization, the normal love life of the couple, the relation of perversion to malignant narcissism and to perversity, and perversion in patients with neurotic personality organization. How do these perspectives relate to each other ?

5. DIAGNOSTIC AND PROGNOSTIC CONSIDERATIONS

The sum total of polymorphous perverse fantasies, activities, and capabilities of the human being emerge as an essential part of human sexuality at all levels of pathology and normality. In fact, the absence of polymorphous perverse fantasies, experiences, and behaviors in the sexual life of an individual may be considered a neurotic symptom. It is a relatively mild symptom in patients with neurotic personality organization, who have the capacity for heterosexual intercourse and orgasm with a stable heterosexual partner. In these cases, the inhibition of polymorphous perverse infantile sexuality may be considered a relatively mild form of sexual inhibition that usually responds well to psychoanalytic treatment, and in some cases, to minor psychotherapeutic interventions, sex therapy, and even culturally facilitating pressures or opportunities.

In contrast, the absence of polymorphous perverse sexual tendencies in patients with borderline personality organization, particularly in patients with narcissistic personality and malignant narcissism, may indicate a failure of earliest stimulation of erotogenic zones and extremely severe preoedipal conflicts in the mother-infant relation ; such cases have a guarded prognostic outlook. By the same token, the polymorphous perverse sexual fantasy and behavior of the ordinary patient with borderline personality organization is a prognostically favorable indicator and may lead, in the course of the resolution of borderline pathology, to a relatively easy integration of pregenital eroticism into full genital sexuality which includes and tolerates polymorphous perverse sexual strivings.

The consolidation of a specific perversion as an obligatory precondition for sexual gratification, to the detriment of ordinary freedom and flexibility of sexual gratification in a stable relation with a loved heterosexual object may indicate a severe or moderate degree of pathology according to the patient's predominant level of ego organization and object relations. Specific sexual perversions in the context of borderline personality organization have a more guarded prognosis and are more difficult to treat than sexual perversions in the context of neurotic personality organization. For example, the treatment of male homosexuality reflecting the unconscious submission to the oedipal father out of guilt because of oedipal longings

110

for mother and castration anxiety (in other words, a defensive structuralization of the negative oedipal complex within the context of a consolidated ego identity, total or integrated object relations, predominance of oedipal strivings, and of defensive mechanisms centering upon repression) has a much more favorable prognosis than that of male homosexuality based upon a predominance of the condensation of oedipal and preoedipal conflicts typical for borderline personality organization and referred to before.

The prognosis for treatment is even more guarded for patients with borderline personality organization and the consolidation of a narcissistic personality structure. This is particularly true for the case of malignant narcissism. Here, in contrast to the function of perverse tendencies under normal circumstances and even in many patients with borderline personality organization, sex and love are recruited at the service of aggression, sometimes leading to perversity of object relations and to actual violence.

So far, I have related perversion to the structural dimension of development, ranging from the most severe borderline cases to normality. Another crucial dimension that codetermines the severity of perversion is the developmental level and integration of superego functions. The pathology of the earliest level of superego precursors, namely, the sadistic superego precursors (that are normally integrated with the later level of idealized superego forerunners) represents the most severely pathological precondition that facilitates the ego-syntonic expression of primitive aggression. Aggression in the form of criminal activity of the psychopath, and aggression in the form of sadistic violence in malignant narcissism may also be expressed in a violent sadistic perversion, illustrating the structural preconditions under which normal primitive polymorphous perverse activity may be replaced by the most dramatic and severe types of sexual perversion.

Superego pathology is both less severe and less important in the case of the ordinary borderline patient with polymorphous perverse sexuality and the corresponding chaos in object relations typical of these patients. The level of superego integration may be of general prognostic value in these cases in the sense that the treatment of all patients with borderline personality organization has a more favorable prognosis in the absence of antisocial features, but the direct linkage between superego pathology and perversion is less apparent here than in psychopathy and malignant narcissism. In contrast, the relation between perversion and superego pathology in the case of neurotic personality organization is of great clinical importance. Here, the unconscious prohibitions against genital sexuality because of its unconscious oedipal meaning, of representing incest and evoking castration anxiety constitute a central feature that promotes and maintains the perverse structure as a defense against these underlying oedipal conflicts.

Finally, at a level of normal sexual functioning, the mature superego should tolerate the expression of polymorphous perverse infantile sexual trends as part of the sexual life of the couple. But, as we have seen, remnants of infantile prohibitions against adult sexuality are universal, and the couple has to struggle against the tendency to unconsciously submit, through the mutual activation of superego functions, to the conventional suppression of the perverse components of sexuality.

We have explored perversion from the perspective of levels of ego organization with their corresponding object relations and defensive operations, and from the perspective of superego integration. Let us now explore this field from the perspective of the integration of aggression into the sexual life. The direct expression of aggression as part of sexual behavior in psychotic patients is well documented in psychiatric literature ; there are patients with schizophrenic illness and chronic paranoid psychosis who commit sexual murders because of their delusions. Here, we might say, the direct expression of primitive aggression is facilitated by the absence of reality testing and by the confusion between self and nonself. Projective identification at a most primitive level reflects an attempt to establish distance from intolerable intrapsychic aggression by externalizing it onto an object that, by the same token, needs to be destroyed because differentiation from that object cannot be maintained.

The intensity of primitive aggression, whatever its origin, is a fundamental cause of the pathology of the earliest layer of sadistic superego precursors, which, in a condensation with the pathological grandiose self, determine the structure of malignant narcissism and psychopathy. One might speculate that, in contrast to the antisocial personality, in malignant narcissism there is at least the integration of some idealized superego precursors into the pathological grandiose self, so that a "self-righteous" ideology, so to speak, replaces the ideologically nonrationalized aggression of the psychopath. In any case, perversion under these circumstances may reach the severest levels of direct expression of aggression and, in fact, may reflect the perverse recruitment of sexual excitement at the service of aggression.

In the case of ordinary borderline personality organization, aggression is better defended against by generalized ego splitting and alternating object relations, which, in their multiplicity and chaos, protect the subject from total invasion and control by intolerable aggression. By the same token, the polymorphous perverse activities at this level have a less directly sadistic quality than in the case of malignant narcissism. Here, the effort to integrate aggression into sexual excitement as part of the recruitment of aggression in the service of love has its beginning.

At the level of neurotic personality organization, unconscious defenses against direct expression of aggression predominate, and aggression is significantly internalized as part of superego functions. Aggression is also expressed in characterological reaction formations, so that the manifest characteristics of perversions are usually remarkably free from violent aggressive behavior. Paradoxically, it is at a normal level of sexual involvement that the more conscious awareness of aggressive fantasies implied in sadistic, masochistic, voyeuristic, and exhibitionistic behavior may become an important aspect of sexual play and activities and a source of intense sexual excitement.

Summarizing these vicissitudes of aggression in the perversions, one might say that aggression is an essential component of all sexuality and that aggression, in expanding the repertoire of erotized bodily functions and aspects of object relations recruited into genital sexuality, actually enriches sexual experience and love in the form of polymorphous perverse components of human sexuality. Under normal circumstances, its recruitment at the service of sex and love enriches the love life. Under extremely pathological circumstances, however, aggression may recruit sex and love for destructive purposes, reflected in the transformation of perversion into perversity. At intermediary levels of pathology, aggression is fundamental in linking unconscious conflicts from the preoedipal and oedipal stages, and in determining the condensation of all of these conflicts. Throughout the entire spectrum of psychopathology, from normality to psychosis, perversion is strutured on the basis of the combined influence of the nature of object relations, the vicissitudes of superego development, the presence of pathological narcissism, and the intensity of aggression, as they jointly impinge on the matrix of polymorphous perverse sexuality.

RÉSUMÉ

STRUCTURE DE PERSONNALITÉ ET ORGANISATION PULSIONNELLE

La sexualité perverse polymorphe est à mon avis une composante normale de l'érotisme et des relations amoureuses, un processus qui mobilise l'agressivité au service de la sexualité et de l'amour. Cependant, une agressivité nettement prédominante peut remplacer ce processus par une mobilisation de l'érotisme et une détérioration des relations amoureuses au service de l'agressivité. Ce renversement constitue la perversité, et forme un contraste à la fois avec la sexualité perverse polymorphe normale et avec les perversions sexuelles au sens strict.

Dans l'organisation névrotique de la personnalité, les perversions manifestent la dynamique inconsciente classique du déni de l'angoisse de castration ainsi que l'actualisation de composantes sexuelles prégénitales comme défense contre les conflits génitaux-œdipiens. Dans l'organisation limite de la personnalité, la dynamique inconsciente reflète une condensation des conflits œdipiens et pré-œdipiens sous la primauté de l'agressivité pré-œdipienne. Ici les perversions, au sens strict, sont plus sévères que dans l'organisation névrotique de la personnalité, mais la sexualité perverse polymorphe peut comporter un élément favorable au plan du pronostic, en raison de la mobilisation de l'agressivité au service de l'amour. Dans les personnalités narcissiques où la perversion et la présence d'un soi grandiose pathologique coexistent, la perversion présente un pronostic réservé.

Dans le cas du narcissisme malin avec infiltration agressive du soi grandiose pathologique, l'expression directe de l'agressivité et de la violence syntones au moi reflète une pathologie sévère du surmoi qui, habituellement, va de pair avec une pathologie sévère des relations d'objet et une très forte prédominance de l'agressivité prégénitale.

Il s'agit là des facteurs qui peuvent transformer la perversion en perversité, ou des causes sous-jacentes à une mobilisation régressive de la sexualité au service de l'agressivité.

REFERENCES

1. BION, W.R. (1970) *Attention and Interpretation*, London, Heinemann.

2. CHASSEGUET-SMIRGEL, J. (1970) «Feminine Guilt and the Oedipus Complex», *Female Sexuality*, Ann Arbor, Michigan, The University of Michigan Press, p. 94-134.

3. CHASSEGUET-SMIRGEL, J. (1978) «Reflexions on the Connexions Between Perversion and Sadism», *International Journal Psycho-Analysis*, 59:27-35.

4. CHASSEGUET-SMIRGEL, J. (1983) «Perversion and the Universal Law», *International Rev. Psycho-Anal.*, 10:293-301.

5. CHASSEGUET-SMIRGEL, J. (in press) *Creativity and Perversion*, London, Free Association Books.

6. FRIEDLANDER, S. (1984) *Reflections of Nazism*, New York, Harper & Row.

7. KERNBERG, O.F. (1974a) «Barriers to Falling and Remaining in Love», *Journal of the American Pyschoanalytic Association*, 22:486-511.

8. KERNBERG, O.F. (1974b) «Mature Love: Prerequisites and Characteristics», *Journal of the American Psychoanalytic Association*, 22:743-768.

9. KERNBERG, O.F. (1975) *Borderline Conditions and Pathological Narcissism*, New York, Jason Aronson, Inc.

10. KERNBERG, O.F. (1977) «Boundaries and Structure in Love Relations», *Journal of the American Psychoanalytic Association*, 25:81-114.

11. KERNBERG, O.F. (1980a) «Adolescent Sexuality in the Light of Group Processes», *Psychoanalytic Quarterly*, 49(1):27-47.

12. KERNBERG, O.F. (1980b) «Love, the Couple and the Group: A Psychoanalytic Frame», *Psychoanalytic Quarterly*, 49(1):78-108.

13. KERNBERG, O.F. (1980c) «Dynamics of Love and Marriage», presented at the Simon Bolivar Lecture at the Annual Meeting of the American Psychiatric Association, San Francisco, California, May 5.

14. KERNBERG, O.F. (1980d) *Internal World and External Reality: Object Relations Theory Applied*, New York, Jason Aronson, Inc.

15. KERNBERG, O.F. (1984) *Severe Personality Disorders: Psychotherapeutic Strategies*, New Haven, Yale University Press.

16. KHAN, M.M.R. (1979) *Alienation in Perversions*, New York, International Universities Press, Inc.

17. LUSSIER, A. (1982) *Les déviations du désir. Étude sur le fétichisme*, Quarante-deuxième Congrès des psychanalystes de langue française.

18. McDOUGALL, J. (1970) «Homosexuality in Women», *Female Sexuality* (J. Chasseguet-Smirgel, Ed.), Ann Arbor, Michigan, The University of Michigan Press, p. 171-212.

19. McDOUGALL, J. (1980) *Plea for a Measure of Abnormality*, New York, International Universities Press.

20. McDOUGALL, J. (1982) *Théâtres du Je*, Paris, Éditions Gallimard.

21. MELTZER, D. (1977) *Sexual States of Mind*, Perthshire, Scotland, Clunie Press, p. 132-139.

22. ORWELL, G. (1949) *1984*, New York, Harcourt.

23. OVESEY, L. (1983) «The Cross-Dressing Phenomenon in Men», presented at the Twenty-Sixth Annual Sandor Rado Lecture delivered at the New York Academy of Medicine, New York.

24. OVESEY, L. & E. PERSON. (1973) «Gender Identity and Sexual Psychopathology in Men: A Psychodynamic Analysis of Homosexuality, Transsexualism, and Transvestism», *Journal of the American Academy of Psychoanalysis*, 1(1):53-72.

25. OVESEY, L. & E. PERSON. (1976) «Transvestism: A Disorder of The Sense of Self», *International Journal of Psychoanalytic Psychotherapy*, 5:219-236.

26. PERSON, E.S. & L. OVESEY. (1974a) «The Psychodynamics of Male Transsexualism», ***Sex Differences in Behavior*** (R.C. Friedman, R.M. Richart & R.L. Vande Wiele, Eds.), New York, John Wiley & Sons, Inc., p. 315-331.

27. PERSON, E.S. & L. OVESEY. (1974b) «The Transsexual Syndrome in Males. I. Primary Transsexualism», ***American Journal of Psychotherapy***, Vol. XXVIII, 1:4-20.

28. PERSON, E.S. & L. OVESEY. (1974c) «The Transsexual Syndrome in Males. II. Secondary Transsexualism», ***American Journal of Psychotherapy***, Vol. XXVIII, 1:174-193.

29. PERSON, E.S. & L. OVESEY. (1978) «Transvestism: New Perspectives», ***Journal of the American Academy of Psychoanalysis***, 6 (3): 301-323.

30. PERSON, E.S. & L. OVESEY. (1984) «Homosexual Cross-Dressers», ***Journal of the American Academy of Psychoanalysis***, 12(2):167-186.

31. PINTER, H. (1965) ***The Homecoming***, New York, Grove Press, Inc.

32. PINTER, H. (1973) «The Quiller Memorandum», ***Five Screenplays***, New York, Grove Press, Inc.

33. PINTER, H. (1978) ***Betrayal***, New York, Grove Press, Inc.

34. ROSENFELD, H. (1971) «A Clinical Approach to the Psychoanalytic Theory of the Life and Death Instincts: An Investigation into the Aggressive Aspects of Narcissism», ***International Journal Psycho-Analysis***, 52:169-178.

35. ROSENFELD, H. (1975) «Negative Therapeutic Reaction», ***Tactics and Techniques in Psychoanalytic Theory***, Vol. II: ***Countertransference*** (P.L. Giovacchini, Ed.), New York, Jason Aronson, p. 217-228.

36. SADE, D.F.A. de (1966) ***The Marquis de Sade: The 120 Days of Sodom and Other Writings***, compiled and translated by A. Wainhouse and R. Seaver, New York, Grove Press, Inc.

37. STOLLER, R. (1976) ***Perversion: The Erotic Form of Hatred***, Sussex, Hassocks.

38. STOLLER, R. (in press) ***Observing Erotic Imagination***, New Haven, Yale University Press.

116

PSYCHOSOMATIQUE
ET PSYCHANALYSE

Violence et somatisation

Christophe DEJOURS

I. INTRODUCTION

Dans le travail que je vais soumettre à votre critique, il y a trois références qui, avant de commencer, doivent être explicitées :

La première, c'est la *psychanalyse*. C'est dire que la perspective où je me situe est traversée par l'hypothèse fondamentale, qui acquiert aussitôt le statut d'une exigence, en vertu de laquelle un symptôme somatique, même s'il est associé à une lésion organique démontrée, peut légitimement faire l'objet d'une investigation focalisée sur l'Inconscient. Je suppose qu'en dehors des intoxications graves (comme on en voit dans les situations industrielles), les lésions organiques ainsi que leur survenue, leur point d'impact et leur évolution, ne relèvent pas que de la violence de l'environnement, mais impliquent une participation endogène qui trouve son origine dans l'Inconscient. Une telle position — est-il besoin de le rappeler ? — est loin de faire l'unanimité. Disons plutôt qu'elle reste difficile à défendre jusqu'au bout de ses implications face aux critiques qui surgissent de toutes parts, et qu'elle est le fait d'une petite minorité qui n'a pas même reçu l'assentiment de la communauté psychanalytique dans son ensemble.

La deuxième référence est représentée par *la théorie de l'École psychosomatique de Paris* [1]. À mon avis, il n'est plus possible de faire l'économie de cette conception, et toute hypothèse novatrice devrait partir de cette théorie, même si c'est pour la critiquer ou pour la rendre un jour caduque, ou pour la dépasser peut-être.

La troisième référence est la clinique et la *théorie psychanalytique des psychoses* [2,3,4,5]. En effet, dans leurs travaux psychosomatiques, MARTY et ses collaborateurs s'appuient principalement sur les distinctions spécifiques qui séparent le fonctionnement mental des patients qui somatisent du fonctionnement mental des patients qui fabriquent des symptômes névrotiques. Mais il n'y a pour ainsi dire

119

aucune recherche sur la différenciation somatisation - délire. Cette lacune tient à de nombreuses difficultés parmi lesquelles il faut faire une place importante à l'inachèvement de la théorie métapsychologique des psychoses.

On connaît la formule énoncée par M. De M'UZAN : «Le symptôme somatique est bête» [6]. Bien que l'auteur soit revenu sur cette affirmation (qui a, en son temps, ouvert un champ théorique fondamental), et que la plupart des psychosomaticiens l'aient suivi dans cette voie, il reste qu'on n'a jamais pu montrer concrètement en quoi le symptôme somatique pourrait être «intelligent». De sorte qu'on peut considérer que vingt (20) ans après [6], nous continuons de faire comme s'il était bête. À moins d'envisager que ce soient nous, les psychanalystes, qui soyons trop bêtes pour comprendre la signification inconsciente qui se cache dans la somatisation.

Les concepts de *pensée opératoire* [7], de *dépression essentielle* [8] et de *désorganisation progressive* [9] demeurent les références cliniques fondamentales. Cependant, nous rencontrons peu à peu des cas de somatisation qui semblent surgir en dehors de ces trois situations pourtant très fréquentes en psychosomatique, il faut le reconnaître.

Dans cette perspective d'évaluation de la conception psychosomatique de Paris, il est maintenant inévitable, avec le recul des années, de revenir sur une des pierres angulaires de l'édifice théorique, à savoir : l'*incompatibilité* devenue classique entre psychose et névrose d'une part, et somatisation d'autre part. Même si, pour résister aux contre-exemples, on ajoute au diagnostic de névrose ou de psychose, le qualificatif de «bien organisée», comme le fait MARTY, on ne résout pas complètement la difficulté : d'abord parce qu'il est indéniable que d'authentiques névrosés et psychotiques somatisent. À titre d'exemple, je citerai FREUD lui-même dont, je pense, personne ne contestera la qualité exceptionnelle du fonctionnement mental, FREUD qui a tout de même souffert pendant quinze (15) ans d'un cancer dont il est mort [10]. Ensuite, parce que si l'on peut préciser ce qu'est une névrose mentale bien organisée, on ne sait pas ce qu'est une psychose bien organisée. Et, à tenir cette position trop fermement, on se condamne peu à peu à ne plus jamais rencontrer de patients méritant stricto-sensu le diagnostic de névrose ou de psychose.

Corrélativement à cette conception sur les défauts du fonctionnement mental des malades qui somatisent, sur leur inaptitude à lier l'excitation, on accorde nécessairement une place très importante au *traumatisme*. Au-delà de la pertinence de cette référence théorique, on voit se profiler un autre danger qui consiste, devant toute somatisation, à invoquer le traumatisme et à le trouver coûte que coûte.

On sait, par ailleurs, l'intérêt du renversement épistémologique fondamental, opéré par l'École de Paris, sur la question de la signification de la somatisation. Là où de nombreux auteurs (LACAN, VALABREGA) affirmaient qu'il y a du sens, les psychosomaticiens répondaient que, précisément, il y a plutôt *manque de sens*.

Ce faisant, le point de vue dynamique, conflictuel, cède la place au point de vue *économique*. Puisqu'il n'y a pas de signification décelable dans le symptôme, il faut se contenter de repérer chez le patient les déplacements d'équilibre et les remaniements économiques. On sait aussi que cette conception a conduit à l'élaboration, en matière de thérapie, d'une technique spécifique qui présente des aménagements considérables par rapport à la technique de la cure classique.

Affirmer que le symptôme somatique incite plutôt à repérer un manque de sens qu'à chercher une interprétation du type de la conversion, par exemple, est une opinion qui se défend. Mais elle devrait aussitôt suggérer que, si le symptôme somatique ne se déchiffre pas comme un symptôme névrotique — ce à quoi je souscris intégralement —, cela n'implique pas que la somatisation n'ait à jamais aucun sens ; mais bien plutôt que ce sens, il faille le chercher ailleurs que dans la sexualité psychique, le conflit œdipien ou la culpabilité névrotique. Il faut le chercher dans un autre registre, en recourant à une autre méthode interprétative. Renoncer définitivement à chercher une signification dans la somatisation reviendrait sinon à abandonner l'interrogation sur le sujet de l'Inconscient et à déserter du même coup le champ de la psychanalyse en entrant dans celui de la psychosomatique.

La question de la signification de la somatisation est de ce fait indissociable de la question dite du «choix de l'organe». On ne peut répondre à la première question que par la réponse à la seconde. Si la somatisation n'est pas bête, son intelligence ne peut se manifester que dans la zone du corps (dans l'organe, dans la fonction, ou dans la régulation physiologique) qui est le point d'impact du processus de destruction. Cette question ne peut pas rester sans réponse, faute de quoi c'est à toute la théorie psychosomatique qu'il faudra renoncer. En effet, en sciences humaines, et en psychanalyse en particulier, le critère épistémologique ne peut être la reproductibilité expérimentale, comme c'est le cas dans les sciences physico-biologiques. Le critère de reproductibilité est remplacé ici par les critères heuristique et holistique. Or, actuellement, la question du choix de l'organe s'inscrit comme une aporie de la théorie psychosomatique de l'École de Paris.

Deux observations cliniques vont servir d'illustration à deux techniques qui s'opposent dans le champ de la psychosomatique : la première sera qualifiée de *technique du pare-excitation* ; la seconde sera qualifiée de *technique de l'affrontement*. C'est à partir des résultats obtenus en fonction de chaque technique que nous voudrions engager la discussion des questions théoriques que nous venons de formuler.

II. LA TECHNIQUE DU PARE-EXCITATION — LE CAS DE MONSIEUR CHEVAL

Monsieur Cheval est un homme de 45 ans qui m'est adressé par un neurologue, au terme d'explorations médicales qui concluent à l'existence d'un anévrysme veineux situé dans le lobe temporal gauche et inaccessible par traitement chirurgical. Aucun traitement médical n'a pu soulager ce malade de ses symptômes. Il fait des crises de migraine vraie, accompagnées de scotome scintillant, d'hémianopsie, et d'hémiparésie droite avec aphasie. La crise dure environ 24 heures, et il faut plusieurs jours au malade pour récupérer. Les circonstances déclenchantes sont si variées (effort musculaire, accroupissement, éblouissement au soleil, embouteillage sur la route, contrariété, ingestion de café ou de boisson alcoolisée, etc.) qu'il se voit peu à peu contraint à l'inactivité permanente. Il a dû cesser son travail depuis plusieurs années, il n'a plus de relation sexuelle avec son épouse, il ne sort plus et ne peut supporter ni les réunions de famille, ni les réceptions amicales. Le pronostic vital est engagé par le risque de rupture de l'anévrysme et d'hémorragie cérébrale. Le compte rendu neurologique mentionne un début de détérioration intellectuelle vérifiée par des tests.

Ce patient vient de province pour ses séances hebdomadaires de psycho-thérapie, qu'il ne différencie aucunement des autres consultations médicales. Et pourtant, il accepte de venir et ne manque aucune séance. Il ne parle que du trajet qu'il doit faire pour venir, des trains et des correspondances. Sinon, il parle de ses migraines, donne le détail de chaque symptôme, ou de ses traitements successifs. Il est pratiquement impossible de le faire parler de lui, de sa famille, de son enfance ou de ses parents. Après chaque séance, au début du traitement, il fait une crise car, comme il le dit, je lui fais faire précisément ce qu'il cherche à conjurer : depuis des mois, il s'exerce à rester calme et à ne plus penser à rien, à faire le vide dans sa tête. C'est alors seulement qu'il connaît quelque répit.

Je suis donc contraint à une extrême prudence, et nous parlons, moi presque autant que lui, de tous les menus détails concrets dont il veut bien m'entretenir. Aucune émotion ne transparaît dans son attitude, il est toujours très correctement vêtu et porte des lunettes fumées pour éviter les conséquences de toute luminosité excessive. La seule manifestation qui semble permise est son sourire. Il sourit en me voyant, semble content de me voir, mais ne le dit jamais, et grâce à ce seul fil qui me relie à ce qu'il y a de spontané en lui, j'arrive à éprouver de la sympathie pour monsieur Cheval.

La psychothérapie va durer en tout six (6) mois. Progressivement, il paraît plus détendu. Il accepte un nouveau travail dans une agence immobilière, une journée par semaine où, tant bien que mal, il parvient peu à peu à supporter la sonnerie du téléphone, à conduire les clients vers les propriétés à visiter, et même à remplir avec eux les formules nécessaires aux emprunts. Il dit aimer le contact avec la clientèle, comme dans son précédent travail. Un jour, il insiste sur tout ce qu'il doit savoir sur la vie des clients : leur âge, la composition de la famille, les goûts, les revenus, les moyens financiers dont ils disposent, et ajoute qu'il faut de l'habileté pour éviter aux clients d'aller à l'échec en s'engageant dans des dépenses qu'ils ne pourront pas couvrir. Je me rappelle alors qu'il s'est décrit comme un personnage très ambitieux qui a réussi dans ses projets d'ascension sociale, mais qu'il en a trop fait et que cela y est peut-être pour quelque chose dans sa maladie. Je prends le risque de lui dire que dans son nouveau travail il agit avec les clients comme je le fais moi-même avec mes patients. Il me sourit mais ne commente pas. C'est la seule interprétation que j'ai faite au cours de cette psychothérapie.

Progressivement, il commence à travailler plusieurs jours par semaine, sans incident ; il fait de moins en moins de crises, commence à venir aux séances en voiture, accompagne sa femme une fois par semaine pour faire les courses, fait du ménage — ce qu'il n'avait jamais fait auparavant —, il s'intéresse aux études de ses enfants, et en vient même à aider sa fille dans les problèmes de comptabilité qu'on lui propose au lycée. À l'arrivée de l'été, il renonce à ses lunettes teintées et ne porte plus de chapeau. Pendant les congés, il affronte sans encombre des conflits avec des entrepreneurs qui construisent son pavillon de vacances, il supporte l'échec de sa fille aux examens, ainsi qu'un accident de mobylette de son fils, et le vol de sa propre voiture qu'on trouve plus tard, détruite dans un bois. Il participe à une noce, boit le champagne et le café sans inconvénient, ce qui ne lui était plus possible depuis dix (10) ans. Il n'a plus aucune crise, et il a récupéré *ad integrum* toutes ses aptitudes intellectuelles et physiques. Sa vie conjugale n'a jamais été aussi heureuse et l'impuissance sexuelle installée depuis des années a disparu.

Un mois avant la fin de la psychothérapie, devant cette métamorphose impressionnante, je demande un nouvel examen tomodensitométrique qui conclut ainsi : *Le système ventriculaire est de taille normale et en place. Les scissures de Sylvius sont larges à droite comme à gauche. L'examen d'aujourd'hui n'objective aucune lésion dans la zone temporale gauche. Il s'agissait donc très probablement d'un artéfact.* (!) Digne réponse médicale à propos d'un anévrysme dont l'authenticité était pourtant attestée outre la clinique et le scanner, par trois gamma-encéphalo-graphies, montrant une zone d'hyperfixation d'origine veineuse, au même niveau.

J'ai volontairement choisi cette observation spectaculaire, parce que cet homme était condamné à mort, ou au moins à l'invalidité, et qu'il a guéri de sa maladie grâce à une approche psychothérapique que je vais précisément essayer de critiquer, même si cela paraît paradoxal.

Que puis-je dire de monsieur Cheval au terme du traitement ? Pratiquement rien. Je ne sais même pas précisément le nombre de ses frères et sœurs. Je sais de son père qu'il était maquignon de son état et qu'il avait tendance à boire plus que de raison. Je ne crois pas avoir réussi à le faire parler une seule fois de sa mère. Monsieur Cheval a quitté l'école à l'âge de 14 ans pour faire un apprentissage de boulangerie, puis de boucherie. Service militaire pendant trois (3) ans en Algérie sans incident. De retour dans le civil, il recommence à travailler en boucherie et n'a de cesse de s'installer à son compte, parce qu'il est animé, dit-il, d'une très grande ambition et de la volonté de ne pas ressembler à son père. Il parvient ainsi à acquérir deux boucheries qu'il met en gérance au moment où il commence sa psychothérapie. Le seul détail important, mais dont je n'ai rien pu faire, c'est qu'il s'agissait de boucheries chevalines.

Au cours de ce traitement, j'ai donc renoncé à interpréter, et même, ce qui est plus grave, à comprendre quoi que ce soit à l'histoire de monsieur Cheval. J'ai évité soigneusement de laisser s'engager une relation trop prégnante, ce dont d'ailleurs il ne voulait pas, j'ai évité de le questionner parce que cela déclenchait en lui des migraines, et j'ai essentiellement cherché à préserver un certain ton, une certaine atmosphère, de manière à être tolérant sans être trop gentil, et à créer une sorte de connivence tacite, de bonne humeur partagée. Ces conditions n'ont pas été fixées de façon délibérée ni calculée. C'est ce que je suis à même d'en dire, a posteriori. Pendant la psychothérapie j'ai réglé la distance, mes silences, ou au contraire ma participation à la conversation avec un seul et unique souci : ne pas laisser croître l'excitation ni surgir une angoisse dont le contenu m'était inconnu, mais dont les effets étaient si dangereux qu'au début, j'ai même craint de tuer le malade du seul fait de me mettre à l'écouter.

On peut qualifier cette attitude de position *pare-excitation*, grâce à laquelle le patient a pu se remettre à penser… en ma présence…, tandis que jusque-là tout était obturé par le déni. Si une pensée a resurgi de ces entretiens, elle est tout de même restée très étriquée.

La guérison de ce patient est indubitablement due à des remaniements économiques, même si pour l'essentiel ils sont demeurés obscurs : le changement de métier après des années d'inactivité, avec à la clef le renoncement à découper les chevaux, qui étaient l'objet même du travail de son père, et l'assouplissement de ses relations avec ses proches constituent à eux seuls des résultats comparables à ceux que l'on peut obtenir au terme des cures classiques les mieux réussies. C'est dire que, si la guérison résulte ici d'une technique très éloignée de la psychanalyse, elle n'est pas pour autant magique et s'inscrit bien dans des bouleversements profonds de l'économie du sujet.

Mais le point le plus fondamental reste que je n'ai rien compris à ce qui s'est passé. Rien n'a été élucidé des fantasmes qui organisent son fonctionnement mental, et je n'ai même pas pu repérer avec précision l'essence du traumatisme en cause dans la somatisation. Si j'ai pris cet exemple de guérison, c'est pour ne pas être injuste envers cette technique psychothérapique. Je dois tout de même ajouter que, par cette méthode, j'ai eu plusieurs fois l'occasion d'obtenir des résultats comparables dans des cas extrêmement graves. Si, après six (6) ans de recul, monsieur Cheval n'a fait aucune rechute, il n'en est pas de même pour d'autres patients, dans des conditions similaires, que j'avais pourtant crus guéris. Je reviendrai plus loin sur cette question, bien sûr fondamentale, de la qualité du résultat thérapeutique acquis par cette technique.

III. LA TECHNIQUE DE L'AFFRONTEMENT — LE CAS DE MONSIEUR VOITURE

Monsieur Voiture prend comme prétexte un changement de domicile pour courir aux urgences de l'hôpital consulter un psychiatre et demander qu'on s'occupe de lui, ici, parce qu'il ne pourrait plus faire les 25 kilomètres qui le séparent de Paris où il a entrepris récemment une psychothérapie. Il ne tient pas en place, il parle très fort, il se sent épuisé, lui qui est si sportif ; en même temps, il éprouve une sorte de crampe douloureuse dans toute sa musculature, il fait de l'aérophagie, son ventre se gonfle en quelques minutes et il ne peut contrôler alors des éructations incessantes et bruyantes, accompagnées d'insupportables douleurs épigastriques (il a d'ailleurs une gastrite diagnostiquée depuis plusieurs années) ; il a aussi des troubles respiratoires, le souffle court et haletant, il manque d'air, sent qu'il va perdre connaissance, ne peut plus monter dans une voiture, lui qui fait de la course automobile, et doit s'arrêter et sortir impérativement pour respirer ; il a aussi des poussées de paresthésie généralisée, accompagnées de crises de tétanie, il a des sueurs, une tachycardie à 120, lui qui est fier de sa fréquence cardiaque de repos à 50 / min, il ne peut plus dormir. Enfin, depuis quelque temps, il est devenu bègue. Tout cela est catastrophique car il est directeur commercial d'une grande entreprise. Il consomme depuis peu des doses impressionnantes de benzodiazépines et de neuroleptiques qui sont sans effet, et il veut que je le traite efficacement et rapidement. On n'a trouvé aucune cause somatique à ses troubles, si ce n'est une hyperexcitabilité neuromusculaire qualifiée de spasmophilie avec signe de Chvostek et Trousseau positif. Les médecins n'ont pas identifié non plus de cause psychique à ses troubles. Ceux-ci ont commencé à se manifester trois (3) mois plus tôt, alors qu'il était en vacances, sans souci, avec sa femme et sa fille avec lesquelles il n'a aucun conflit. Il ne comprend rien à ce qui lui arrive mais il faut que ça cesse.

Spontanément, aucune association ne le conduit à son passé, à sa famille, ni à son enfance. Je suis donc contraint de poser quelques questions qui m'apprennent qu'il est l'aîné d'une famille de quatre (4) enfants, famille ouvrière très pauvre, qu'il a quitté volontairement l'école à treize (13) ans parce qu'il voulait absolument travailler. Enfant déjà, il était très volontaire et actif. Il garde le souvenir de son enthousiasme frénétique et passionné, à l'âge de huit (8) ans, pour démolir, à la masse, une vieille masure avec son grand-père. Les jours où il n'y avait pas d'école, il bricolait sur un chantier, et avait trouvé des procédés pour accélérer son rendement et gagner plus d'argent. À treize (13) ans, il entre en apprentissage de cuisine, puis s'en lasse, entre comme ouvrier dans une entreprise, et monte progressivement tous les échelons jusqu'à devenir directeur d'une grande entreprise de construction de chantiers industriels. Il reste proche de ses ouvriers, mais n'hésite pas à tomber la veste et à se battre avec eux lors de la paye ou des grèves. Il a d'ailleurs fait du karaté et tâté de la compétition. Selon ses propos tout va pour le mieux, alors que se passe-t-il en lui ?…

Au terme de cet entretien, il apparaît que l'essentiel du problème posé par monsieur Voiture est dans le registre de l'urgence et de l'économique, qu'aucun conflit spécifique ne peut être mis à jour. Son hyperactivité et le déclenchement de la névrose d'angoisse, après quinze (15) jours de repos en vacances, en imposent pour une structure mal mentalisée qu'on qualifierait de «névrose de caractère ou de comportement», dans la terminologie de P. MARTY.

Toutefois, le bon contact avec ce patient, sa confiance dès le premier entretien, son aptitude à se critiquer et à faire montre d'une grande modestie malgré son succès et son statut social, et surtout la chaleur et l'émotion qu'il peut manifester lorsqu'il parle de ses ouvriers, de sa fille de quatre (4) ans ou de son épouse qu'il aime avec beaucoup de tendresse, l'évocation soudaine dans les séances suivantes de souvenirs de relations d'enfance très chaleureuses avec un parrain qui a joué un rôle important dans sa vie, conduisent à nuancer le diagnostic initial. Selon M. DE M'UZAN, on pourrait parler ici de «personnalité en archipel». Monsieur Voiture a, indéniablement, des possibilités affectives et fantasmatiques, même si dans l'immédiat elles semblent débordées par l'urgence de sa situation.

Le psychanalyste qu'il a consulté a parlé de névrose hystérophobique avec un peu de mythomanie. Pour ma part, après tous ces diagnostics, je considère comme cruciales une forte tendance au passage à l'acte et une ouverture sur les réactions paranoïaques, comme cela s'est confirmé par la suite. La *névrose actuelle*, qui domine le tableau au début, mérite que j'y revienne pour rappeler que la névrose d'angoisse, à la différence des autres névroses, n'est pas une structure, mais un état de décompensation aiguë, et qu'on ne peut pas toujours préjuger, à cette phase, de la structure sous-jacente. Mon hypothèse est la suivante :

> Lorsqu'il y a somatisation de l'angoisse ou névrose d'angoisse et qu'aucun conflit intrapsychique ne peut être mis à jour, c'est que le processus en cause ne part pas du désir, de la culpabilité, ni de la sexualité psychique. Il faut rechercher une réaction de *violence*, face à une épreuve de réalité qui a fait effraction à travers la barrière du déni. La violence, si elle n'est pas mise en acte, subit un destin particulier : la *répression (Unterdrückung)*. L'excitation en excès résulte d'une dégradation de la violence qui conduit en fin de compte à la somatisation. Cette répression doit être différenciée du refoulement (*Verdrängung*) qui ne peut intéresser que les pensées représentées et symbolisées.

Il s'agit donc dans ces cas d'aller à la recherche de la violence elle-même, là où elle est restée cachée à l'insu du moi, avant d'exploser à l'occasion de la décompensation.

Voici comment je procède : alors que le patient est en état d'excitation et d'angoisse actuelles, je ne cherche pas à le calmer, comme dans la technique du pare-excitation. Je cherche au contraire le chemin qui me permettra de trouver l'affrontement avec lui, jusqu'à ce que se manifeste la violence réprimée. La sédation viendra spontanément dans un deuxième temps, du fait que le patient n'est plus seul face à sa violence. Si cette dernière doit surgir, ce sera désormais de la faute de l'analyste. Ainsi peut-elle se jouer dans le cadre d'une relation où l'analyste est en position d'accusé, ce qui permettra peut-être d'en faire l'analyse et d'inaugurer un travail de perlaboration.

Partant de cette hypothèse, il apparaît rapidement que monsieur Voiture minimise certains traits de son comportement et garde le silence sur certaines de ses attitudes et certains de ses actes qu'il importe de réintroduire dans le travail psychothérapique. Se révèle ainsi une situation professionnelle et matérielle beaucoup plus grave qu'il n'y paraissait au début, que je peux élucider en cherchant qui a pu tirer mentalement plaisir à la décompensation de monsieur Voiture. Je mets ainsi à jour une relation pathologique du patient avec le PDG de l'entreprise, homme pervers qui sera d'ailleurs, par la suite, coincé par la Justice. Au cours de cette étape du traitement, l'explosion de violence contre le PDG, *en séance*, évite probablement la réalisation d'un projet de meurtre. En effet, M. Voiture décide de déposer contre cet homme une série de plaintes en justice, ce qui est tout de même moins grave.

Reste à savoir sur quelle zone de sensibilité a joué le PDG pour rendre fou monsieur Voiture et obtenir son départ de l'entreprise. L'enjeu était directement la relation du patient avec son épouse qu'il risquait de perdre, en perdant sa position sociale exceptionnelle. Un jour, il arrive à la séance avec un plâtre au poignet droit. Trois broches ont dû être fixées dans la main, à la suite d'un coup de poing qu'il a donné contre le mur de la maison, en présence de sa femme. Il présente l'incident en plaisantant, comme si ç'avait été l'occasion d'une décharge d'excitation, sans autre signification qu'une simple détente salvatrice. Mon attitude très ferme et sans complaisance me permet d'approcher ce qu'il cache de sa violence contre sa femme. Cette dernière envisage de plus en plus sérieusement de le quitter, en raison de son état mental, de son incapacité à travailler, à conduire, en bref de son effondrement. D'ailleurs, il n'est probablement pas possible de compter sur sa coopération, car la mésaventure de son mari semble s'inscrire pour elle dans une répétition de mauvais augure : son père était devenu malade, comme son mari, et avait fini par se suicider.

La semaine suivante, la séance commence par la description d'une majoration considérable de ses troubles. Il ne peut plus du tout monter en voiture. Son épouse étant en déplacement pour des raisons professionnelles, il se trouve seul un soir avec sa fille de quatre (4) ans. Alors qu'il est dans la cuisine, il aperçoit un grand couteau, comme on en voit dans les boucheries. Pris d'angoisse et de malaise, il éprouve le besoin impérieux de soustraire le couteau à sa vue en le plaçant dans le lave-vaisselle. Il me rapporte cela sans émotion extrême, mais avec une certaine inquiétude. Il ne comprend pas du tout ce qui lui arrive. Voilà qu'il a peur de tout maintenant. Il est complètement perdu, il ne sait plus où il en est. Son angoisse augmente pendant qu'il parle et il est de plus en plus mal, il commence une crise d'angoisse, devant moi. Sur un ton très ferme, en dépit du développement d'angoisse auquel j'assiste, je lui réponds :

C.D.   *Ce n'est pourtant pas bien difficile à comprendre !*

M.V.   *(Se ressaisissant d'un seul coup) Çà ! Je ne veux pourtant pas faire de mal à ma fille. C'est l'être auquel je tiens le plus au monde. Je ne ferais jamais rien de mal contre ma famille.*

C.D.   *Il y a en vous une grande violence.*

M.V.   *Oui, c'est vrai ce que vous dites. L'autre jour, je suis allé acheter un livre sur la relaxation du corps dans une librairie. Le vendeur se foutait de moi, visiblement, et mettait mauvaise grâce à me servir. Je l'ai attrapé par le vêtement et je lui ai dit : «T'as de la chance que j'aie le bras dans le plâtre, sinon je te démolirais.» Il est parti dans la réserve. J'ai l'impression qu'il y a une violence en moi et que je la comprimais. Maintenant elle a tendance à exploser. Mais je ne sais pas si c'est bon (sourire) que je casse la gueule aux gens.*

C.D.   *(À cause de ce sourire) Ah non ! Sûrement pas. Si vous ne pouvez supporter la psychothérapie qu'à condition de frapper les gens à l'extérieur, alors il faudra arrêter. (En effet, je lui ai refusé une cure de relaxation et l'attaque contre le vendeur est un acting out qu'il faut réintroduire dans le champ du transfert.)*

M.V.   *Oui mais, alors, je la rentre en moi… et… ça ne va plus… Je le sens bien.*

C.D.   *Oui, il y a quelque chose qui ne va pas là-dedans. Vous ne pouvez plus la garder en vous et c'est une bonne chose. Mais il n'est pas question de la mettre en acte dehors non plus. Il ne reste qu'une solution : en parler.*

M.V.   *(S'arrête un moment puis se remet à parler) J'ai toujours été nerveux. Même quand j'étais enfant. J'avais peur. Je faisais un rêve très souvent : un homme me poursuivait dans l'escalier et me donnait des coups de rasoir dans les mollets. (Je pense alors à la peur qu'il m'a racontée quelques séances plus tôt, lorsque, la nuit, il fallait aller aux toilettes sur le palier, dans le noir, ou quand, pour le punir, ses parents le laissaient dans l'escalier pendant des heures.) Je faisais aussi un autre rêve où j'étais sur le quai du métro, et j'étais attiré, irrésistiblement, j'avais envie de me jeter dessous. Et je me réveillais… Il y en avait un autre où je voulais donner des coups de poing à quelqu'un mais mes bras étaient mous. Dans le fond, je suis un faux dur, j'ai peur. J'aboie comme les chiens, mais je m'arrête là. Voilà, je suis comme un chien. Je suis attaché à mon maître et je ferais n'importe quoi pour lui.*

Hier, j'ai vu un type qui tirait un chien de traîneau, avec une laisse courte de cinq (5) centimètres. Il le frappait, il lui donnait des coups de pied. Je peux pas encaisser ça. (Pause) Je serais incapable de faire du mal à ma femme ou à ma fille. Je n'ai jamais frappé une femme. Mais je ne peux pas supporter d'être repoussé, il y a certains gestes que je ne supporte pas. Je suis très affectueux avec ma femme. Quand je passe près d'elle, je lui prends la main, je l'embrasse, ou je lui fais une caresse sur les cheveux. Je suis trop affectueux, elle me repousse. Comme ça, avec un geste du bras. Je ne peux absolument pas supporter ça. Le gars qui traitait son chien comme ça, je ne peux pas l'encaisser. J'ai failli lui casser la gueule. Il était vraiment trop petit, je l'aurais massacré. Je l'ai suivi pendant dix (10) mètres, et j'avais décidé que, s'il recommençait à toucher le chien, je lui flanquais mon pied au cul... (Il me regarde pour sonder ma réaction.) Enfin, ça n'aurait pas été très grave. Heureusement, il n'a pas recommencé. Je suis allergique à ces types qui se trimbalent avec des bergers allemands au pied. C'est trop facile. (Pause) Je suis trop sensible, je pleure avec les films ou avec les livres. Par exemple, avec le Vieux Fusil (il s'agit d'un film de vengeance contre les nazis). (Pause) Ma mère, quand j'étais enfant..., j'avais besoin d'affection. Mais elle était rude, comme ses parents qui étaient paysans. Alors! Un baiser d'accord, mais au deuxième, elle me repoussait du bras, comme ça.

On vivait tous dans une seule pièce ; la nuit mon père voulait ; alors elle le repoussait, elle lui refusait.

Avant de partir, il me demande des certificats afin d'être remboursé pour les frais de taxis qu'il doit prendre pour venir me voir, puisqu'il ne peut pas conduire. Comme je ne réponds pas, il parle d'une proposition pour un nouveau travail où il devra beaucoup voyager, et il ne peut tout de même pas payer plus de 200 F de taxi par jour. Ce à quoi je réponds que c'est le sacrifice à faire. Il y laissera une bonne part de son salaire, mais s'il n'est pas capable de faire autrement, eh bien ! qu'il paye. À la séance suivante, il ne bégaye plus, il n'a plus de crise d'angoisse et il est venu en voiture.

On voit donc que la «phobie» de la voiture nous conduit, à condition de faire face à l'angoisse automatique, jusqu'à son envie de tuer qui surgit lorsque sa femme est absente et qu'il remâche inconsciemment les gestes de rejet dont il est victime. Ce matériel donne accès à ses relations avec sa mère, aussitôt identifiée aux nazis contre lesquels le héros du *Vieux Fusil* déchaîne légitimement sa haine. Le traumatisme est situé dans les relations sexuelles de ses parents, auxquelles il a assisté et qui ont barré le chemin à la cristallisation d'un fantasme originaire structuré. D'où la série de rêves traumatiques pendant l'enfance qui échouent bien entendu dans leur rôle de gardiens du sommeil. La violence de monsieur Voiture est réponse à la violence structurale des parents qui a d'ailleurs été largement confirmée par la suite. La violence surgit à chaque fois qu'il est pris dans une situation réelle, capable de franchir la protection par le déni et d'atteindre la «zone de sensibilité de son inconscient» (pour reprendre ici le concept que M. Fain élabore à partir de Marty, [11]).

Si la phobie des voitures est momentanément levée, c'est parce que quelque chose a été représenté de sa violence archaïque contre sa mère, et que le contenu dynamique du traumatisme peut commencer à se dévoiler. Et ceci n'est possible qu'à condition de prendre le risque d'affronter la violence du patient, au lieu de calmer l'angoisse actuelle par une position pare-excitation qui conduirait à reléguer au loin les contenus de violence et à se mettre, de facto, au service du clivage du moi (Self).

Une fois que le patient a découvert le lien qui rattache la névrose d'angoisse à sa violence, on peut envisager de travailler directement sur cette zone dangereuse et retrouver une signification derrière le traumatisme et le débordement économique. On évitera ainsi les deux issues pathologiques que sont les *acting out* et la somatisation. Car ce qui caractérise ce patient, c'est le destin de cette violence à laquelle il répond par le passage à l'acte à l'abri du clivage, ou par la répression et la somatisation. C'est à ce moment que se découvre la structure du patient. Le psychotique, face à cette violence, use aussi parfois du passage à l'acte, mais au lieu de la répression, il oppose un rejet (*Verleugnung*) avec ses retours délirants et hallucinatoires. On voit donc combien le noyau des décompensations actuelles et somatiques est proche de ce qui se passe dans une psychose. Dans ces conditions, on ne s'étonnera pas d'assister parfois à une concurrence entre répression et rejet, et de voir alterner et parfois coexister des poussées psychotiques processuelles et des poussées aiguës d'une maladie somatique chronique.

Au passage, on peut noter que la «phobie» des voitures ne relève pas d'un retour du refoulé, mais d'une répression de son envie de tuer.

IV. DISCUSSION TECHNIQUE

La technique de l'affrontement repose sur l'hypothèse que le développement d'angoisse dont parle Freud dans *Inhibition, Symptôme et Angoisse* (1926), et qui est au cœur de la désorganisation à l'œuvre dans la névrose d'angoisse, relève de la répression de la violence comportementale archaïque (probablement portée par des programmes hérités génétiquement de la phylogenèse). Mais elle implique également que le patient soit considéré comme sujet de sa violence, quelle que soit l'origine traumatique infantile et psychogénétique qui a rendu impossible le contre-investissement de cette violence. La technique de l'affrontement s'oppose à la technique du pare-excitation en ce qu'*elle est exigence de vérité*.

C'est là que se situe la question fondamentale du choix de la technique à employer. En effet, pour s'attaquer à la violence, qui était jusque-là clivée, il a fallu au préalable que le patient accepte le projet de mettre en cause son clivage, et qu'il

130

choisisse de guérir en passant par sa vérité. Dans ce cas, on peut envisager un traitement analytique. En revanche, si le patient fixe résolument sa demande en termes économiques et refuse, malgré la position de l'analyste, de s'engager dans le travail sur le clivage, il faut renoncer à l'abord psychanalytique et se replier sur la position de pare-excitation. On se place alors dans une perspective strictement psychothérapique et non psychanalytique. La position à adopter ne conduit pas tant à prôner une des deux techniques qu'à dégager les différences fondamentales entre deux possibilités qui ne sont pas équivalentes au regard de l'analyse du transfert et de la résistance.

Si nous revenons au cas de monsieur Cheval, nous pouvons relever certaines analogies avec le cas de monsieur Voiture, analogies qui suggèrent une relecture du premier cas et des interrogations sur la violence non analysée par la technique du pare-excitation. En effet, où la violence de monsieur Cheval s'est-elle cachée ? Comme dans l'autre cas, monsieur Cheval ne peut pas monter en voiture. Lui aussi a toujours été hyperactif, lui aussi a quitté très tôt l'école pour faire un apprentissage, en boulangerie, quand l'autre choisissait la cuisine. Tous deux sont d'extraction très modeste, et tous deux déploient une énergie farouche pour réussir leur ascension sociale. Tous deux se disent très ambitieux et désireux de ne pas ressembler à leur père. Tous deux encore ont eu des pères violents. Tous deux se sont montrés capables de faire face à la violence réelle, sans déboire : monsieur Cheval a fait partie d'opérations militaires pendant trois (3) ans durant la guerre d'Algérie et monsieur Voiture a fait volontairement son service militaire dans les commandos parachutistes. Tous deux enfin ont le même goût pour ce type très particulier de relations sociales que leur offre leur choix professionnel dans le commerce.

Monsieur Cheval s'est toujours montré un homme gentil et dépourvu de toute violence. Et pourtant, toutes ces analogies biographiques et caractérielles entre ces deux patients ne suggèrent-elles pas que monsieur Cheval était en lutte, lui aussi, avec une violence instinctuelle mal contre-investie, qui n'a rien à envier à celle de monsieur Voiture ? Mais de n'avoir rien voulu en reconnaître, ce patient céphalalgique a bien failli succomber. Toute la psychothérapie, avec la technique du pare-excitation, est restée à l'abri de cette violence, et s'est déroulée au profit du réaménagement du clivage. C'est là que réside la différence fondamentale, car monsieur Voiture, lui, sortira de son analyse avec des réaménagements beaucoup plus profonds qui touchent cette fois la structure topique elle-même.

Si l'hypothèse de la violence archaïque réprimée ne sert qu'à rendre compte des somatisations, il n'est pas pensable qu'elle reste totalement invisible à l'investigation psychanalytique. La question qui se pose est désormais celle des formes spécifiques que prend la violence clivée et invisible chez un patient comme monsieur Cheval.

Je retiens, bien sûr, en premier lieu tout ce qui se joue dans l'hyperactivité et dans le comportement compulsif de ces patients. Mais cela est insuffisant. Et je voudrais souligner une forme qui, pour particulière qu'elle soit, n'en relève pas moins d'un exercice de la violence au quotidien. Pendant tout son traitement, monsieur Cheval n'a posé aucune question sur l'analyste, pas plus que sur le fonctionnement de la psychothérapie. Il n'a parlé que de lui. Et encore! Seulement de ce qu'il a bien voulu raconter. Pas une seule fois il ne s'est demandé si ce qu'il disait m'intéressait ou m'ennuyait, si j'étais bien ou mal, en forme ou fatigué, si je supportais son contact, si j'étais inquiet de ce qu'il me disait et ne me disait pas, si j'avais des opinions différentes des siennes sur la vie. En d'autres termes, pendant six (6) mois, monsieur Cheval est venu me voir sans jamais se soucier le moins du monde de l'analyste. De cette relation blanche, il s'est probablement arrangé en concluant que c'était là mon métier, et que j'étais payé pour ce travail comme un employé de bureau. Cette indifférence massive à l'égard de l'analyste passe pour relever d'une sorte d'inaptitude à l'empathie et à l'identification, qui serait du ressort de la carence même du fonctionnement mental.

Et si l'on posait différemment la question, si l'on considérait cette indifférence, cette insensibilité foncière et cet égocentrisme formidable précisément comme une brutalité extrême qui consisterait à utiliser l'analyste, comme on se sert d'un tournevis, en lui déniant une existence autre que celle d'un minéral? Ce que l'analyste peut supporter pendant une séance, pourrait-il l'endurer à longueur d'année? Si monsieur Cheval se comporte, ce qui est très probable, avec les siens comme avec l'analyste, quelles peuvent être les conséquences sur les objets dont il s'est entouré? Et si le but de monsieur Cheval était précisément d'organiser des relations en sorte que chacun de ceux qu'il a choisis soient réduits à l'état minéral? Faudrait-il y voir une inaptitude à élaborer des relations plus nuancées ou y déceler une volonté (ou une pulsion) d'emprise [12] s'apparentant alors surtout à une forme de sadisme? La question a une importance cruciale. Si le traitement de ces patients est si pénible et usant pour l'analyste, c'est que ce dernier est littéralement nié comme sujet. En cela, le patient qui somatise s'apparente à beaucoup de psychotiques et de pervers qui tiennent avec ferveur à leurs séances, bien qu'il ne s'y passe apparemment rien, et ce, pendant des années. Ce que viennent chercher ces malades, c'est précisément la vérification qu'ils peuvent, au long cours, en tenir un autre dans l'inexistence psychique. Et tant que l'on n'affronte pas les malades sur ce terrain, cela peut continuer ad vitam aeternam.

On devine ici l'importance du contre-transfert pris au sens propre comme défense de l'analyste contre ce que fait naître en lui le transfert du patient. Nombreux sont les analystes qui font preuve alors d'une très grande indulgence à l'égard de ces patients qui veulent les pétrifier, et on peut se demander s'il ne s'agit pas là d'une façon d'éviter l'affrontement. Affrontement redoutable, il est vrai, dès lors qu'on met la question sur la table. Ainsi certains patients utilisent-ils l'analyste qu'ils neutralisent de séance en séance, pour sauver leur clivage. Leur sadisme s'exerce à leur insu, grâce à la complicité parfois inconsciente de l'analyste qui se laisse «sadiser» au point, parfois, d'y laisser des plumes lui aussi. On ne s'étonnera pas que ces formes de psychothérapie puissent parfois s'éterniser sans changement apparent, au point qu'on se demande pourquoi continuer. Dans d'autres cas, cependant, la psychothérapie s'achève lorsque le patient, grâce à la restauration du clivage, parvient à reconstituer dans le cadre professionnel ou privé des relations qui vont maintenant prendre le relais de l'analyste.

Ainsi, pour monsieur Cheval, je serais bien incapable d'évaluer comment fonctionnent ses nouvelles relations idylliques avec son épouse ou avec ses clients. Et la question n'est pas sans importance, on s'en doute, car rien à ce sujet n'a été élaboré en séance. Monsieur Cheval est parti sans avoir rien su de sa violence ni de sa vérité. Au point que, pour donner un exemple typique de cette manipulation instrumentale de l'analyste, comme on ferait d'un hochet sans valeur, en fin de traitement, j'ai demandé à monsieur Cheval comment il comprenait sa guérison somatique. Après avoir réfléchi, il a conclu que les conseils de modération, dans son hyperactivité, que je lui avais donnés lui avaient bien servi, et qu'il pensait que sa guérison venait des médicaments. (Il prenait depuis quelques années un topique veineux dont l'action est à peu près équivalente à celle de l'eau distillée, et il savait pertinemment qu'aucun traitement médicamenteux ne le soulageait avant sa psychothérapie !)

Vers la fin du traitement, il a demandé, exactement comme monsieur Voiture, les certificats nécessaires pour être remboursé par la Sécurité sociale de ses frais de transport pour venir aux séances, alors même que le traitement était pris en charge à 100 % et qu'il n'avait donc pas déboursé un centime pour ses soins. Je n'ai pas su alors refuser cette demande, de peur de déclencher une telle surprise qu'une crise aurait pu suivre, bien que je fusse choqué de cette exigence de la part d'un homme vivant en rentier de façon plus qu'aisée, alors que l'usage de ces remboursements est réservé aux plus démunis.

Si j'ai cité cette anecdote, c'est pour montrer jusqu'où peut aller se nicher le déni de toute dette envers le psychanalyste «minéralisé», ou envers l'institution pour laquelle il travaille. Mais c'est aussi pour souligner un point d'une importance technique beaucoup plus significative. Je veux parler ici du paiement à l'acte sur les deniers propres du patient. À mon avis, on ne peut accepter de s'engager dans la technique de l'affrontement, et encourir les risques correspondants, qu'à condition d'assister à plusieurs séances par semaine, payées par le patient personnellement. Seule la contribution effective du patient est à même de dédommager l'analyste de ce qu'il risque dans une telle aventure, et de sceller son engagement en sorte qu'il ne s'en dégage pas lorsqu'il trouve parfois que l'entreprise est un peu trop difficile à assumer.

V. IMPLICATIONS THÉORIQUES

À insister, ainsi que je viens de le faire, sur la violence des patients qui somatisent, on pourrait les croire tellement antipathiques qu'on préférerait éviter de les prendre en traitement. Si j'ai volontairement souligné ce que cachent ces patients, c'est d'abord parce que, faute de cette démarche, tout restera occulte, et surtout parce que la pratique analytique est antagoniquement opposée à la démagogie. Au contraire, à condition de ne pas sous-estimer la violence, on pourra être légitimement touché par la lutte que mènent ces patients contre leur violence. Aussi convient-il, après ce détour pour identifier les points communs entre la somatisation et les psychoses [13,14], de signaler les différences entre somatisation, passage à l'acte et perversion.

Dans le passage à l'acte, la violence du psychopathe n'y va pas par quatre chemins et fait successivement de nombreuses victimes. Dans la perversion, la violence est par définition clivée, et permet au moi de rester en paix avec lui-même sous la protection de la jouissance. Il en est tout à fait différemment dans la somatisation, dont le surgissement même signe une lutte pathétique du moi pour ne pas lui céder. C'est ce qui confère aux patients somatisants leur côté touchant. Au demeurant, c'est parmi eux que l'on rencontre des personnalités exceptionnellement spontanées et sensibles.

La somatisation, en tant qu'elle résulte de la répression de la violence et de la destructivité, est donc une expression exemplaire de la pulsion de mort. Les névroses actuelles et notamment la névrose d'angoisse signent la désintrication de la pulsion de mort (la violence) d'avec la pulsion de vie qui se matérialise, elle, dans la sexualité psychique. C'est du moins ce que signifie l'angoisse actuelle lorsqu'elle surgit chez une structure névrotique où le jeu du corps érotique témoigne de l'intrication des pulsions fondées au départ sur l'étayage. Chez les autres structures, la décompensation «actuelle» signe plutôt la faillite du clivage, car l'intrication incomplète a cédé la place à deux modes de fonctionnement simultanés et à l'insu l'un de l'autre, à l'intérieur du moi. Le clivage est mis à mal par une épreuve de vérité qui fait effraction à travers le déni.

Au-delà de l'angoisse actuelle, il arrive que les patients conservent d'un côté du moi un fonctionnement préconscient, tandis que de l'autre ils recourent à un mode de pensée qui n'obéit pas à la dérive associative, mais s'organise par emprunt à l'extérieur d'un mode substitutif de pensée qui a été appris. On peut ainsi rencontrer des patients dont la pensée s'apparente à tel ou tel stade du développement cognitif, conformément aux descriptions formulées par les psychologues du développement (par exemple, J. PIAGET [15]).

On a alors une «pensée opératoire», qu'il ne faut pas confondre avec une simple description objective de la réalité. La pensée opératoire a aussi ses règles de fonctionnement, et il en est différents types dont la caractérisation ne relève pas, il est vrai, de la psychanalyse. La pensée opératoire s'inscrit dans cette perspective, comme protection contre l'épreuve de réalité et contre le fonctionnement associatif et préconscient d'où risqueraient de surgir des affects que le patient ne veut pas éprouver ni sentir non plus chez l'autre.

La dépression essentielle décrite par MARTY et De M'UZAN ne serait que la généralisation de l'inhibition à tout le fonctionnement mental, pour lutter contre l'émergence de la violence. Cette forme d'inhibition majeure serait l'aboutissement d'une répression massive de la poussée instinctuelle. On comprend aisément pourquoi, dans ces conditions, le rapport à la réalité ne peut plus être assuré que par un mode de pensée d'emprunt, et pourquoi les somatisations sont alors pour la plupart si graves (cancers notamment [16]).

Au-delà de cette relecture des concepts fondamentaux de la psychosoma-tique, il convient de signaler, sans que nous puissions en donner ici le développement nécessaire, que l'hypothèse de la violence réprimée comme processus central de la somatisation permet d'expliquer comment des somatisations peuvent survenir en dehors d'une dépression essentielle, et ce, dans n'importe quelle structure mentale, en réponse à l'activation de cette violence archaïque qu'assurément chacun porte en soi, et qui peut dans certaines conditions conduire soit à la désintrication pulsionnelle, soit à l'altération du clivage.

Quoi qu'il en soit, la référence à la violence dans le processus de somatisation, et le travail analytique et interprétatif qu'autorise la «technique de l'affronte-ment» dans le champ du traumatisme, ouvrent la voie au démantèlement du champ économique en séquences dynamiques.

Ce point est d'une importance cruciale, dans la mesure où il rend pensable une extension du champ de l'interprétation sur un terrain d'où elle semblait jusqu'à maintenant exclue. On comprendra, pour paradoxal que cela puisse paraître, que les somatisations, qui ne sont pas symboliques à la différence des conversions, soient pourtant susceptibles d'avoir un sens, ou mieux, d'ouvrir le chemin à un contenu significatif, ainsi que j'en avais d'ailleurs présenté l'hypothèse il y a quelques années, ici même, à Montréal, avec la notion de somatisation symbolisante [17].

Il nous faudra encore plusieurs années de travail avant de pouvoir proposer les réponses qu'autorise, dans la question fondamentale du choix de l'organe, la référence à la violence. La clinique de la violence [18] se différencie notablement de la clinique de l'agressivité qui, elle, s'inscrit dans la sexualité psychique par un retournement de l'amour. Il est probable qu'on puisse décrypter progressivement le contenu de la violence, en focalisant l'observation sur la cible objectable qu'elle vise spécifiquement à travers la zone du corps qu'elle détruit par l'intermédiaire du processus de somatisation.

Le psychosomaticien, c'est indiscutable, a maille à partir avec THANATOS [19]. Est-il absurde d'envisager qu'un jour la pulsion de mort se laisse conquérir par l'analyse et l'interprétation ?

Septembre 1984

SUMMARY

VIOLENCE AND SOMATIZATION

This communication, which is essentially concerned with the technical aspect of therapy, offers a re-reading, a re-evaluation, of the assertions made by *L'École Psychosomatique de Paris* regarding the perspective that assigns to instinctual violence a central place in the process of somatization. The dynamic problem of violence leaves ample room to analytical investigation, much more so than the economic problem of non mentalized excitation, while permitting articulation of both. Perhaps somatization would not blindly find its way in the body, and we might be able to go further than the much publicized saying : "the somatic symptom is stupid".

This new point of view comes to mind when somatization processes are paralleled with the various processes in psychoses and psychopathies. The hypothesis of violence finds arguments in two psychotherapeutical techniques which are opposed step by step : the technique of "protective shield" and the technique of "confrontation". Each technique is here illustrated by a clinical observation. The hypothesis of violence is then further examined with regards to the clinical central assertions of psychosomatic principles which are "operative thinking" (*pensée opératoire*, that means concrete, factual verbal material) and "essential depression". Though this approach gives ground to the search for a hidden signification in somatic reactions, it remains true that an interpretation cannot refer only to psychic sexuality, as is the case in conversions.

The theoretical consequences of this approach imply a discussion of the notions of traumatism, actual neurosis, suppression, (*Unterdrückung* in German, *répression* in French) and death instincts.

In a near futur, such an approach could mark out the road of psychoanalytical investigation of the until now unanswered question : the choice of an organ in the process of somatization.

BIBLIOGRAPHIE

1. MARTY, P. (1976) «Mouvements individuels de vie et de mort», *Essai sur l'économie psychosomatique*, Paris, Payot.

2. FROMM-REICHMANN, F. (1959) «Psycho-analysis and Psychotherapy», *Selected Papers*, Chicago Univ. Press.

3. SEARLES, H.F. (1979) *Le contre-transfert*, traduction française en 1981, Paris, Gallimard.

4. PANKOW, G. (1969) *L'Homme et sa psychose*, Paris, Aubier-Montaigne.

5. LACAN, J. (1932) *De la psychose paranoïaque dans ses rapports avec la personnalité*, Paris, Le François éditeur.

6. MARTY, P., M. DE M'UZAN, et C. DAVID. (1963) *L'investigation psychosomatique*, Paris, Presses univ. de France.

7. M'UZAN, M. DE et P. MARTY. (1963) «La pensée opératoire», *Revue française de psychanalyse*, n° 27 (n° spécial), p. 345-355.

8. MARTY, P. (1968) «La dépression essentielle», *Revue française de psychanalyse*, n° 32, p. 594-599.

9. MARTY, P. (1968) «A Major Process of Somatization : The Progressive Desorganization», *Int. J. Psy.*, 49 :246-249.

10. SCHUR, M. (1972) *FREUD : Living and Dying*, traduction française en 1975, Paris, Gallimard.

11. FAIN, M. (1981) «Vers une conception psychosomatique de l'Inconscient», *Revue française de psychanalyse*, n° 45, p. 281-292.

12. FREUD, S. (1920) «Au-delà du principe du plaisir», *Essais de psychanalyse*, traduction française en 1951, Paris, Payot.

13. WARNES, H. (1982) «The Dream Specimen in Psychosomatic Medecin in the Light of Clinical Observations», *Psychother. Psychosom.*, 38 : 154-164.

14. PANKOW, G. (1973) «Image du corps et médecine psychosomatique», *Évol. Psychiat.*, n° 38, p. 201-213.

15. PIAGET, J. (1970) *L'épistémiologie génétique*, Paris, P.U.F.

16. LE BEUF, J., G. DECROIX et D. LE BEUF. (1978) «Investigation psychosomatique. Dépression essentielle et diagnostic de néoplasie pulmonaire», Communication à l'APA, Atlanta, du 8 au 12 mai.

17. DEJOURS, C. (1983) «Symbolizing Somatizations», *Psychosomatic Medicine, Theoretical, Clinical and Transcultural Aspects* (A. KRAKOWSKI & C. KIMBALL, Eds.), Plenum Press, p. 439-446.

18. PANKOW, G. (1978) «Hystérie et violence», *L'évolution psychiatrique*, n° 43, p. 339-350.

19. DEJOURS, C. (1980) «La psychosomatique avec ou sans GRODDECK ?», *L'ARC*, n° 78, p. 57, 58.

Hystérie et
névroses actuelles

Jean IMBEAULT

I. L'HYSTÉRIE OUBLIÉE

On perd souvent de vue que la psychanalyse s'est, pour une part, inventée à même l'observation et la tentative de supprimer des symptômes somatiques qui étaient et qui sont encore impénétrables pour la rationalité médicale. On est aussi porté à oublier que l'hystérie de la fin du XIXᵉ siècle, l'hystérie à laquelle FREUD s'est intéressé, se manifestait essentiellement par des dérèglements corporels. Les causes de ces oublis sont multiples.

D'une part, comme on le sait, il est généralement admis que l'incidence de l'hystérie a considérablement diminué au cours des cinquante dernières années. D'ailleurs, cette constatation ne vaudrait pas seulement pour le cas particulier de l'hystérie, mais s'étendrait, quoiqu'à des degrés divers, au champ entier de la névrose, une faction importante de la psychanalyse contemporaine tenant en effet pour acquis que le «névrosé classique» constitue maintenant l'exception, voire le fantôme d'une clientèle qui se recruterait désormais dans des zones psychopathologiques à tendance plus archaïque, troubles dits «du caractère», personnalités narcissiques, états limites, etc.[1].

D'autre part, pour des raisons qui m'échappent en partie, le mot hystérie s'est vu progressivement doté, en psychiatrie et même en psychanalyse, d'une très

---

(1) À ce propos, il est intéressant de noter que le *Diagnostic and Statistic Manual of Mental Disorders* (*Third Edition*) de l'American Psychiatric Association, encore appelé DSM-III, a exclu la notion de névrose de sa nomenclature, mais a retenu, sous la rubrique des «Personality Disorders», les étiquettes de «Narcissistic Personality Disorder» et de «Borderline Personality Disorder», apparues toutes deux dans la littérature psychanalytique américaine de la dernière décennie. Coïncidant avec ce désintérêt presque général dans la psychanalyse contemporaine pour tout ce qui regarde la névrose, cela donne à penser que l'emmêlement des discours psychiatrique et psychanalytique est devenu inextricable. Reste toutefois à se demander s'il subsiste, dans cet emmêlement, quoi que ce soit de psychanalytique quand l'on songe que le processus névrotique est, de fait, le prototype du fonctionnement psychique, c'est-à-dire de l'inconscient.

étrange connotation où l'on perçoit à la fois une évocation de superficialité et, ce qui est paradoxal si l'on y songe, une grande sophistication sur le plan du «développement» psychologique : dès lors, l'hystérie est souvent présentée comme une sorte d'achèvement auquel, hélas, peu de sujets seraient susceptibles d'accéder, et il n'est pas rare de lire dans des comptes rendus cliniques que telle cure a conduit le patient vers une «névrotisation» ou une «hystérification», comme si l'hystérie constituait la lumière ultime au bout d'un infranchissable tunnel.

Par conséquent, un sujet qui, de nos jours, présenterait en début ou en cours d'analyse des symptômes corporels est peu susceptible d'être considéré sous le jour d'une quelconque dimension hystérique. À la rigueur, on consentira à invoquer à son propos la notion de conversion. Mais ce concept de conversion, jadis indissociable de l'hystérie, en a été peu à peu séparé, si bien qu'on parle plus volontiers aujourd'hui de conversion non hystérique, «prégénitale», etc. En outre, par un curieux renversement, il est vraisemblable de supposer que les symptômes somatiques de ce patient tomberont dans le champ analytique contemporain comme des «corps étrangers» dont on ne saura trop comment disposer, alors que des symptômes analogues furent, de fait, à l'origine du questionnement qui mena à la découverte de la psychanalyse.

Enfin, toujours à propos de ces oublis, il faut encore noter que les psychanalystes qui, après FREUD (lequel ne s'y était jamais directement aventuré), se sont intéressés à la maladie organique, ou encore à ce qu'on désigne sous le nom de «psychosomatique», ont pour la plupart conçu l'hystérie, sur le plan théorique, comme l'envers de la maladie organique. L'hystérie est alors devenue le prototype de ces manifestations où fleurissent l'élaboration psychique et le processus de symbolisation, par opposition aux maladies organiques qui se développeraient justement en l'absence d'une telle élaboration. Du même coup, l'hystérie s'est trouvée tout entière assimilée à un phénomène de pure «mentalisation» — pour citer un terme à la mode dans le jargon psychosomatique — et ses manifestations somatiques, interprétées comme la mise en scène corporelle d'un événement de nature exclusivement psychique.

II. LE NOYAU DANS LA THÉORIE

Il y a du vrai et du faux dans cette façon de concevoir l'hystérie. Supposons que j'endosse entièrement l'idée selon laquelle l'hystérie met en branle un processus de symbolisation (encore que la définition de ce terme demeure ici pour le moins problématique), et que c'est de l'explication, du «dépliement» de ce processus que sont issues les théories premières de la psychanalyse. La caractéristique fondamentale des symptômes somatiques dans l'hystérie consisterait justement en ce que le corps devienne partie intégrante de ce processus de symbolisation.

140

Pourtant, même dans les hystéries les plus «classiques», un petit quelque chose demeurera toujours en extériorité par rapport au processus de symbolisation. Ce petit quelque chose d'indéfinissable, c'est ce qui fait que le symptôme, bien qu'il ressortisse au symbolique, se trouvera néanmoins rabattu sur le corps dans son mode d'expression. Le problème ici n'est pas tant que tel ou tel organe devienne la scène de cette symbolisation, car le choix de l'organe qui servira de théâtre peut s'expliquer, du moins en partie, en termes symboliques. Ainsi l'on dira que l'œil est frappé de cécité parce qu'impliqué dans un conflit concernant un désir interdit de voir. La difficulté consiste plutôt à expliquer le retour du symptôme dans le corps ; c'est cette difficulté que FREUD avait désignée du terme imprécis mais évocateur de «complaisance somatique». Difficulté qu'on peut illustrer en proposant que, s'il est vrai que du point de vue symbolique le symptôme hystérique parle, du point de vue de la «complaisance somatique» il ne parle pas.

Ce petit quelque chose est le noyau enkysté, comme un corps étranger, au sein même de la théorie freudienne de l'hystérie, un noyau dur, insistant comme une douleur profonde, au cœur de tout événement psychique.

III. EN DEÇÀ DE L'HYSTÉRIE, LA STASE

Vers 1895, donc à l'époque des «Études sur l'hystérie», FREUD est amené à s'intéresser à une catégorie de malades qu'on regroupe alors sous l'étiquette de neurasthéniques. Du point de vue nosologique, il lui semble alors nécessaire de diviser ces malades en deux classes distinctes : les neurasthéniques proprement dits, et ceux qu'il réunira sous la dénomination de névrose d'angoisse [5]. Mais il perçoit bien vite — et c'est, je crois, ce qu'il lui importe le plus — que ces deux catégories nosologiques, quoique se manifestant elles aussi par des symptômes somatiques, se distinguent radicalement de l'hystérie.

La première de ces distinctions portera sur la nature même des symptômes : neurasthénie et névrose d'angoisse se caractérisent par la présence d'un symptôme général dominant tout le tableau (*fatigue* dans le cas de la neurasthénie ; *angoisse* flottante dans le cas de la névrose d'angoisse), associé à certains symptômes spécifiques à chaque système (céphalée, constipation, etc., pour la neurasthénie ; palpitations, hyperventilation, diarrhées, etc., pour la névrose d'angoisse). L'hystérie pour sa part, en plus de tout un cortège de symptômes «idéationnels», pour respecter le vocabulaire de l'époque, comporte des symptômes somatiques intéressant d'abord la sphère neurologique : troubles des organes sensoriels, anesthésie, paralysies, tics divers, etc. FREUD reconnaît toutefois aisément que cette distinction purement nosographique ne saurait être valable, car il y a le plus souvent chevauchement quant à la nature des symptômes, si bien qu'on peut trouver une présentation d'allure neurasthénique dans l'hystérie (par exemple chez DORA) et vice-versa.

Le deuxième élément de distinction, bien que pas encore entièrement satisfaisant aux yeux de FREUD, lui semblera néanmoins beaucoup plus fécond : cet élément portera sur ce qu'il appelle, à l'époque, l'étiologie. Il avait cru en effet observer que tous les malades souffrant de neurasthénie ou de névrose d'angoisse se trouvaient de fait limités et privés dans leurs activités ou leurs satisfactions sexuelles ; ces limitations découlaient soit des exigences de la morale, soit des nécessités de la contraception ; ainsi, neurasthénie et névrose d'angoisse auraient toujours été associées à des frustrations sexuelles du genre coït interrompu, masturbation, etc. Par opposition, il était alors convaincu que l'hystérie était associée, non pas à une limitation de l'activité sexuelle, mais à un événement passé, à une scène traumatique de séduction dont le symptôme constituait le contre-coup.

Ces deux observations peuvent sans doute être considérées, à juste titre, comme de grossières erreurs du point de vue médical. Par ailleurs, dans le champ psychanalytique qui, lui, ne s'intéresse nullement à l'étiologie des maladies physiques, mais s'emploie exclusivement à formuler une théorie du fonctionnement psychique, elles allaient ouvrir la voie à des conceptions qui, aujourd'hui encore, n'ont pas entièrement perdu leur pertinence. En effet, la supposée insatisfaction sexuelle des neurasthéniques et des angoissés allait conduire FREUD à concevoir la notion d'«accumulation» de la libido ou de l'énergie psychique, ce que les Anglo-Saxons appellent, dans une dénomination plus descriptive, le «damming up» de la libido ; plus tard, ce phénomène prendra le nom de *stase* libidinale. Accumulation, stase, due à un défaut d'écoulement ; par conséquent, les symptômes somatiques de la neurasthénie et de la névrose d'angoisse seraient à concevoir comme les effets directs de cette stase, sans que n'intervienne aucun intermédiaire. Au contraire, dans l'hystérie, le symptôme somatique ne serait pas la conséquence directe d'une accumulation de libido due à l'insatisfaction sexuelle, mais la transposition, après coup, d'une scène traumatique originaire, transposition qui nécessite qu'entre temps, entre le temps de la scène et celui du symptôme, se soit déroulée une «élaboration».

Voilà donc les deux concepts fondamentaux qui permettent de distinguer l'hystérie de la névrose d'angoisse et de la neurasthénie : ces deux dernières consisteraient essentiellement en un processus de *stase*, alors que l'hystérie se construirait dans un processus d'*élaboration*.

IV. DE PART ET D'AUTRE DU REFOULEMENT

Pour mieux comprendre la différence entre les processus de stase et d'élaboration, il nous faut toutefois en venir au troisième niveau de distinction que FREUD établit entre névrose d'angoisse et neurasthénie d'une part, et hystérie d'autre part. Cette distinction est d'ordre proprement métapsychologique. En 1894, il fait paraître un texte intitulé : «Les psychonévroses de défense» [2], dénomination sous laquelle il regroupe l'hystérie avec la névrose phobique et la névrose obsessionnelle.

Ces névroses ont de fondamentalement commun d'être, chacune, déterminées par un mécanisme psychique qui prendra le nom de refoulement. Ce refoulement consiste en ce que certains souvenirs de scènes traumatiques susceptibles d'engendrer un grand déplaisir sont maintenus, sont refoulés (en deux temps se faisant écho) hors de la conscience, pour éviter précisément à la conscience le fardeau de ce déplaisir. Ces souvenirs, il faut y insister, ne seront pas effacés, mais simplement maintenus hors de la scène consciente, venant de ce fait constituer une scène inconsciente ; dans les meilleurs des cas, ils devraient demeurer en ce lieu, de telle sorte que la conscience n'en soit jamais embarrassée : ainsi on parlerait de refoulement réussi.

Les psychonévroses apparaissent lorsque le refoulement échoue. Cet échec consiste essentiellement en ce que des événements fortuits vont raviver les souvenirs refoulés. Ravivés, ces souvenirs engendreront pour la conscience, mais cette fois depuis l'«intérieur»(2), le déplaisir qui aurait été naguère provoqué de l'extérieur, lors de la scène traumatique, n'eût été du refoulement. Cette reviviscence des souvenirs constitue le deuxième temps du refoulement, le retour du refoulé, l'écho du dedans par lequel le premier temps se donne à entendre. Pour se défendre contre le déplaisir produit par le retour du refoulé, ce que FREUD appelle alors la conscience — ou, d'une façon encore fort imprécise, le «moi» — procédera à un jeu de substitution : aux représentations-clés des souvenirs inconscients, elle substituera d'autres représentations qui lui seront tolérables ; de cette façon, le refoulement des souvenir inconscients pourra être préservé. Toutefois le déplaisir se trouvera dès lors associé aux représentations substitutives, et c'est de là que résultera le symptôme qui est de fait une «fausse connexion», un court-circuit dans la pensée, qui relie par erreur un affect de déplaisir à une représentation inadéquate, mais grâce auquel le refoulement est préservé. FREUD, à l'époque, se croit autorisé à postuler qu'il suffira de rétablir les circuits adéquats pour que le symptôme se résolve.

Il pourra sembler exagéré que je m'attarde si longuement sur ces conceptions freudiennes élémentaires dont je ne méconnais d'ailleurs pas l'aspect très primitif. Toutefois, comme il s'agit de donner ici un début d'explication à la notion d'élaboration psychique, je ne crois pas que j'aurais pu me dispenser de ce détour. Car une forme d'élaboration psychique se trouve déjà évoquée dans cette description des processus mis en œuvre dans les psychonévroses de défense. Ce type d'élaboration psychique présuppose en effet le refoulement, par lequel se constitue une scène inconsciente. D'où s'engendre un processus d'intériorisation, ce qui désigne moins la vague notion d'un «intérieur» (ou d'un «dedans») que le fait que la sexualité, au sens où la conçoit la psychanalyse, surgira de la reviviscence de représentations, de souvenirs qui ont été «frappés» par le refoulement et qui produisent, lorsqu'ils sont ravivés, des excitations sur l'appareil psychique, lesquelles proviennent, non pas de l'extérieur, c'est-à-dire de la perception, mais de l'«intérieur»,

---

(2) Nous reviendrons plus loin sur le sens qu'il faut donner au terme «intérieur».

c'est-à-dire du souvenir. L'élaboration psychique suppose enfin un jeu de substitution, par lequel des représentations sont précisément substituées à d'autres représentations (et c'est, en fait, la première définition que FREUD donne au mot symbolisation, telle qu'on peut la retrouver dans l'*Esquisse* [4]). Même quand la théorie de la séduction aura été relativisée par la reconnaissance de la fonction du fantasme, ces données de base resteront les mêmes.

Ne manquons pas toutefois de souligner dès maintenant que ce type d'élaboration aboutit en dernière analyse à un échec, à un court-circuit conduisant au symptôme, ou encore au rêve. Une élaboration complète serait celle qui maîtriserait les excitations d'une façon telle que le symptôme puisse être évité. C'est pourquoi dans les *Études sur l'hystérie* [3], FREUD établit dès le départ que le symptôme, quoique étant le produit d'une certaine élaboration, découle, simultanément, d'un défaut d'élaboration.

Néanmoins, nous retiendrons pour l'instant que cette élaboration ratée, «psychonévrotique», inscrit le sujet dans une histoire, dans une mémoire inconsciente. Comme la suite de la psychanalyse tendra à le démontrer, cette histoire ne se constitue pas seulement, et peut-être pas d'abord, de souvenirs d'événements réels, mais aussi et surtout de souvenirs retravaillés par le fantasme, comme dans les théories sexuelles infantiles où l'intolérable et l'incompréhensible sont expliqués au moyen d'histoires construites à même des mécanismes comme le clivage ou la «toute-puissance» de la pensée ; ou comme dans les souvenirs-écrans, où quelque passé inassimilable par la conscience est fantasmatiquement transposé en donnée historique à la lumière du présent, par une curieuse inversion du cours du temps. Le sujet se trouve de ce fait inscrit dans une temporalité bien spéciale, une temporalité de l'histoire inconsciente qui ne respecte pas les lois de la temporalité physique et consciente. C'est cette histoire que la cure psychanalytique s'efforce, pas toujours avec succès d'ailleurs, de retrouver et de réécrire.

Or, il ne se passe rien de tel dans la neurasthénie et la névrose d'angoisse. Lorsque FREUD considère les symptômes présents dans ces deux névroses, il se trouve totalement incapable de les expliquer par les mécanismes découverts dans les psychonévroses. Ces symptômes, en effet, ne s'appuient pas sur le refoulement, du moins pas sur le même type de refoulement que celui à l'oeuvre dans les psychonévroses, et il n'est jamais possible de raccorder ces symptômes à un souvenir qui serait maintenu hors de la vie consciente. De plus, il constate que ces symptômes ne sont jamais le résultat d'un processus de substitution : en deçà des représentations qui les épinglent, il n'y a rien, comme s'ils s'étaient constitués en extériorité par rapport au processus symbolique. Enfin, il semble totalement impossible de mettre en évidence dans ces névroses un phénomène d'«intériorisation» : on n'y décèle apparemment jamais d'impulsions sexuelles provenant de souvenirs ravivés au-dedans ; au contraire, la sexualité à laquelle on a affaire est une sexualité externe, réelle, purement physiologique, qui ne semble raccordée à aucun souvenir ni aucune représentation. D'où l'on peut lire, à la fin du texte sur la «Névrose d'angoisse» [5] :

144

« ... la psyché tombe dans l'affect d'angoisse lorsqu'elle se sent incapable de liquider par la réaction correspondante une tâche *provenant de l'extérieur* (danger) ; elle tombe dans la névrose d'angoisse lorsqu'elle se voit incapable de régler l'excitation d'origine endogène (sexuelle). *Elle se comporte donc comme si elle projetait cette excitation vers l'extérieur.* »

Il s'agirait donc d'imaginer un mécanisme qui abolisse l'«intériorité», à la différence du refoulement psychonévrotique qui la fonde et la maintient. Sous l'empire de ce mécanisme, la représentation n'est pas distinguable de la perception : tout événement psychique est traité comme provenant du dehors et advenant dans un perpétuel présent. C'est peut-être cette perpétuité du présent dans la neurasthénie et la névrose d'angoisse qui a amené FREUD à leur donner le nom de *névroses actuelles*[3].

Au point où nous en sommes dans l'examen de ces notions freudiennes, nous pourrions tenter de les résumer en disant que les névroses actuelles sont fondamentalement des névroses de stase, alors que les psychonévroses découleraient d'un certain type d'élaboration. Ou encore, ce qui serait sans doute plus juste, que les psychonévroses sont des névroses d'histoire, de mémoire inconsciente, alors que dans les névroses actuelles une dimension essentielle, qu'il faudrait peut-être appeler la dimension subjective, se trouve projetée hors de la scène intérieure inconsciente, et stagne dans un perpétuel présent. Ainsi on pourra croire que les psychonévroses se trouvent définitivement séparées des névroses actuelles, et que la psychanalyse continuera son chemin en s'employant à expliquer et à traiter les psychonévroses et en s'éloignant de plus en plus des névroses actuelles qui seraient abandonnées, parce qu'inabordables par la démarche psychanalytique. Et d'une certaine façon on n'aura pas tort, car il est vrai que la psychanalyse, du moins la freudienne, s'est développée en s'appuyant sur une sorte de refoulement des névroses actuelles, les repoussant progressivement de plus en plus loin de son champ. Chaque fois que FREUD s'est par la suite rapproché de cette question, ce fut avec d'énormes précautions, comme en témoigne cette phrase extraite du «Trouble psychogène de la vision...» [6] :

« La psychanalyse n'oublie jamais que le psychique repose sur l'organique, bien que son travail ne puisse poursuivre le psychique que jusqu'à ce fondement et pas au-delà »,

ou encore cette autre, tirée de «Pour introduire le narcissisme» [7] :

---

(3) Cette perpétuité du présent n'est pas sans évoquer le type de temporalité marquant la «pensée opératoire» propre aux malades psychosomatiques selon les conceptions de MARTY, DE M'UZAN et DAVID [14], ou encore cette série de phénomènes pathologiques que JOYCE MCDOUGALL [15] a regroupé sous le terme générique d'«actes-symptômes», et dont les manifestations somatiques constituent un item important.

« En poursuivant notre réflexion dans cette voie, nous remarquons que [...] nous rencontrons [...] le problème des névroses actuelles : neurasthénie et névrose d'angoisse. C'est pourquoi nous nous arrêterons à ce point. Il n'est pas dans l'intention d'une investigation purement psychologique de transgresser si avant les frontières de la recherche physiologique .»

V. LE NOYAU HYPOCONDRIAQUE

Pourtant cette prudence de FREUD devant les dangers d'une possible transgression des frontières de l'organique n'empêchera pas les névroses actuelles de faire retour en des points précis de son oeuvre. Jacques LEBOEUF, dans une intervention récente [10] notait que FREUD revient sur le thème des névroses actuelles chaque fois qu'il procède à un remaniement théorique d'importance, et en particulier chaque fois qu'il redéfinit sa théorie des pulsions. Par exemple, dans «Le trouble psychogène de la vision...», FREUD introduit son premier dualisme : pulsions du moi - pulsions sexuelles. Il y présente la cécité psychogène comme un trouble hystérique résultant d'un conflit entre ces deux classes de pulsions, et propose que ce symptôme est l'effet d'une élaboration d'un tel conflit. Mais que faire de ce petit quelque chose qu'il a déjà désigné du nom de «complaisance somatique»... ce noyau qui insiste, en extériorité, comme un corps étranger et qui sous-tend l'énigme du rabattement sur le corps du symptôme hystérique ?

Il doit alors revenir à cette idée qu'il avait déjà proposée dans le texte sur la «Névrose d'angoisse...», selon laquelle toute hystérie se construirait sur un noyau de névrose actuelle. FREUD pressent que ce noyau de névrose actuelle pourrait se relier d'une certaine façon à une propriété générale de tous les organes, propriété à laquelle il donnera quatre ans plus tard le nom d'*érogénéité* et qu'il définira comme «la capacité qu'a un organe d'envoyer dans l'appareil psychique des excitations qui l'excitent sexuellement». L'érogénéité risquerait de déborder du côté de l'actuel lorsqu'il se produit un débalancement dans un organe au profit excessif des pulsions sexuelles, et au détriment des pulsions de conservation [6] :

> « Si un organe qui sert les deux pulsions intensifie son rôle érogène, on peut s'attendre d'une manière tout à fait générale que cela ne se passera pas sans que son excitabilité et son innervation subissent des modifications qui se manifesteront par des troubles de la fonction d'organe qui est au service du moi. Et si nous voyons un organe qui sert normalement à la perception sensorielle se conduire carrément comme un organe génital par suite d'une élévation de son rôle érogène, nous ne tiendrons pas non plus comme invraisemblable l'existence en lui de modifications toxiques. »

La toxicité évoquée ici nous ramène évidemment à la notion de stase libidinale, mais voilà que la stase est évoquée maintenant à propos d'un symptôme hystérique. Il y aurait donc aussi une quelconque stase dans l'hystérie, mais FREUD, dans ce texte, ne poussera pas son explication plus loin. Cette stase toxique ne saurait

146

d'ailleurs rendre compte que d'un aspect de la complaisance somatique, l'autre versant du même problème se trouvant renvoyé du côté des mystérieuses «dispositions constitutionnelles». En ce point, on ne saurait donc soutenir que la question ait été définitivement éclaircie.

FREUD franchira toutefois un pas de plus dans «Pour introduire le narcissisme» [7]. On sait qu'il y remanie sa conception des pulsions pour introduire le nouveau dualisme libido d'objet - libido narcissique. Mais c'est également dans ce texte qu'il décrit une nouvelle névrose actuelle, l'hypocondrie, qui vient s'ajouter à la névrose d'angoisse et à la neurasthénie. Pour expliquer le mécanisme de l'hypocondrie, il passe par l'exemple de la maladie organique. Un sujet affligé de douleurs organiques abandonne son intérêt pour ses objets d'amour afin de concentrer toute son attention au lieu de sa souffrance : autrement dit, il transforme sa libido d'objet en libido narcissique. Or, dans l'hypocondrie, il se produira exactement le même type de phénomène, à la différence que l'hypocondrie se portera non pas sur des organes malades au sens médical du terme, mais sur des organes marqués d'une trop grande érogénéité.

L'érogénéité, FREUD le rappelle, est une propriété commune à tous les organes : la peau, les organes des sens et mêmes les organes internes sont susceptibles, au même titre que les zones érogènes classiquement associées aux stades du développement libidinal, d'«envoyer dans la psyché des excitations qui l'excitent sexuellement». L'hypocondrie consistera justement en ce que ces organes seront traités non plus comme des organes érogènes, mais comme des organes malades, non plus comme des sources d'excitations endogènes, «intériorisées», mais comme des sources de douleur corporelle (douleur, c'est-à-dire des «quantités excessives» faisant effraction du dehors). Cela est rendu possible, poursuit FREUD, parce que la libido d'objet se transforme en libido narcissique, ou encore parce que «l'investissement est retiré aux objets représentés dans le fantasme» pour être reporté sur le moi. Or ce double mouvement de retrait et de report est corrélatif au mécanisme décrit plus haut, dont la fonction est d'abolir «l'intériorité» ou encore ce qu'on appellera pour l'instant, faute de mieux, le statut de la représentation. La représentation n'est plus traitée comme représentation, mais tenue pour chose. L'organe hypocondriaque, organe actuel, s'enkyste et stagne dans la trame psychique comme chose : cet organe «irreprésenté» est l'aspect le plus sensible sous lequel peut se concevoir ce noyau qui stagne au cœur de la théorie freudienne du psychisme. Il est encore vrai de dire que le refoulement psychonévrotique préside à la fondation et au maintien d'un «intérieur», mais il faut désormais concevoir que ce dedans se construit autour d'un noyau irréductible qui lui est hétérogène et qui est de l'ordre du dehors.

L'examen du narcissisme aura donc amené un élément supplémentaire et essentiel à l'étude des manifestations somatiques et des rapports entre hystérie et névrose actuelle. Si bien que je ne crois pas qu'il soit possible de mener une réflexion psychanalytique sur les troubles somatiques sans passer par la dimension du narcissisme qui se dégage de cette interprétation de l'hypocondrie. Cette opinion rejoindrait sans doute d'une certaine manière les thèses de Paul LEFEBVRE qui, dans un article récent [11], écrivait que «le patient qui somatise semble se trouver, au moment de sa somatisation, dans une impasse narcissique».

VI. CONTINU - DISCONTINU

À ce stade, il importe de se dégager d'une conception trop clinique ou trop symptomatique de l'hypocondrie pour l'aborder selon un angle plus fondamental, plus métapsychologique. La considérant de ce point de vue, FREUD n'hésite pas à faire de l'hypocondrie le prototype, dans l'axe narcissique, de toutes les névroses actuelles. Bien plus, de la même façon qu'il avait affirmé que l'hystérie s'appuie sur un noyau de névrose actuelle, il proposera maintenant que toute psychonévrose, et pas seulement l'hystérie, comporterait un noyau d'hypocondrie. Du même coup se trouve considérablement relativisée la distinction que nous avions d'abord imaginée si nette entre psychonévroses de défense et névroses actuelles.

Mais si l'on permettait que je me prête moi-même à une fantaisie nosographique, il me semblerait possible d'ordonner les «pathologies» dont il a été question dans ce texte, selon un continuum qui partirait des psychonévroses proprement dites et se poursuivrait par l'hystérie somatique, mieux désignée sous le terme d'hystérie de conversion — laquelle se trouverait «noyautée» d'un élément ressortissant au champ de l'actuel («complaisance somatique») ; quant aux névroses actuelles, elles seraient ce mince indice qui nous autoriserait peut-être à spéculer, d'un point de vue psychanalytique, sur les processus, ou plutôt sur le défaut des processus psychiques à la base de la maladie organique qui constituerait, en bout de ligne, l'autre extrémité du continuum. La conversion hystérique serait en quelque sorte ce phénomène limite, intermédiaire entre la scène inconsciente et le champ de l'actuel, la voie par laquelle l'inconscient pourrait se manifester sur la scène corporelle, ou encore, selon les termes de Ghislain LÉVY, ce «mouvement de version, de renversement qui aboutit à exhiber au regard la doublure, la surface intime, le revêtement invaginé du dedans» [12]. (En un sens, chez FREUD, le passage de la médecine à la psychanalyse fut de l'ordre, précisément, d'une conversion.) De la même manière, la névrose actuelle constituerait elle aussi une limite par laquelle le noyau dur au sein du psychique s'évoquerait, en quelque façon, au regard du dedans.

VII. CORPS MÉMORÉ ET CORPS ACTUEL

Considérant maintenant la question du corps érogène, je crois qu'il ne serait pas illégitime de dégager de tout ce qui a été recensé des conceptions freudiennes, deux modalités de cette érogénéité. Nous avons vu que, dans la psychonévrose, l'érogénéité est orientée vers le dedans, et de ce fait le corps qui lui sert d'assise se trouve lui-même partie intégrante des processus de refoulement et de représentation et, en quelque sorte, intégré à l'histoire inconsciente. Par ailleurs, dans la névrose actuelle, l'érogénéité se voit refuser cette intériorisation, le corps qui lui sert d'assise stagnant lui-même perpétuellement, comme un corps étranger, dans un statut d'extériorité au sein de la scène inconsciente. Par conséquent, il nous semblerait possible de repérer, dans la conception psychanalytique, deux statuts du corps : à un *corps mémoré* s'opposerait un *corps actuel* (j'emprunte ces deux dénominations à Isi BELLER [1]). Le corps mémoré s'est intégré à l'histoire du sujet en tant que partie intégrante de tous les scénarios qui constituent la trame de la scène inconsciente. Par ailleurs, doté d'un autre statut, gît le corps actuel. C'est cette dimension du corps perpétuellement en extériorité par rapport à l'ordre symbolique. Bien que ce corps soit silencieux sur la scène psychique, rien n'exclut qu'il ait son langage propre, indéchiffrable dans l'ordre symbolique[4].

*

*   *

Reste à se demander si le recensement de ces notions peut avoir quelque retentissement du côté du traitement psychanalytique. Ce texte n'aura finalement mené le lecteur qu'au seuil de cette question. FREUD, nous l'avons dit, n'a pour sa part jamais cessé de réaffirmer que la névrose actuelle devrait être tenue pour une limite au-delà de laquelle la psychanalyse ne saurait s'engager : il avait d'ailleurs, de la même façon, balisé sa trajectoire d'une série de bornes à ne pas franchir,

---

(4) FREUD a semblé s'approcher de ces notions dans sa conférence sur l'angoisse, qui fait partie des *Nouvelles conférences sur la psychanalyse* [9]. Reprenant un thème déjà élaboré dans *Inhibition, symptôme et angoisse* [8], il y reconduit la distinction entre les deux types d'angoisse : l'angoisse *automatique*, dont le prototype est la réaction déclenchée par le traumatisme de la naissance, se manifestant donc face à un danger externe, autrement dit face à une sur-stimulation (autant dire une douleur) en provenance du dehors, qui ferait effraction dans cette barrière protectrice qu'il avait désignée du terme de «pare-excitation» ; et l'angoisse *signal*, qui se trouverait provoquée par la menace d'un danger interne, intériorisé, transposé sur la scène psychique.

FREUD suggère alors que ce qu'il a appelé les névroses actuelles renvoie à l'angoisse *automatique*, et de ce fait au refoulement originaire, ou encore, pour l'exprimer en des termes différents, à ce type de mécanisme à l'œuvre dans le jugement d'attribution, où ce qui est source de déplaisir est automatiquement projeté au dehors, en extériorité, sous l'empire d'une force qu'il relie à la pulsion de mort. L'angoisse *signal*, pour sa part, serait à mettre en relation avec les psychonévroses, et avec le refoulement proprement dit qui se constituerait, comme on l'a vu, d'un jeu de substitution des représentations devant la menace d'un danger intériorisé par la reviviscence de souvenirs. Nous inspirant maintenant des idées dégagées de l'étude de l'hypocondrie, nous pourrions proposer que le corps actuel est toujours apparenté, en termes métapsychologiques, à la douleur physique (c'est-à-dire provenant d'un dehors) qui apparaît au lieu d'effraction du pare-excitation constitué par la surface entre l'intérieur et l'extérieur : à la façon de l'organe hypocondriaque, il se constitue comme un «corps étranger» au sein du corps mémoré, comme un lieu érogène détaché de lui, mais enkysté à l'intérieur et investi narcissiquement, selon ce procédé que René MAJOR a rebaptisé du terme d'*inclusion externe* [13]. Le corps actuel ne pourrait donc se manifester que par un langage d'organe, à la différence du corps mémoré qui s'exprime dans le langage de fantasme et le langage de rêve propres à la psychonévrose.

lesquelles, faut-il le rappeler, ont presque toutes à voir avec le «mystère» de l'organique ou le «roc» du biologique. Force est maintenant de constater que la majeure partie des réflexions psychanalytiques contemporaines porte précisément sur ces bornes et même au-delà, que la question soit abordée sous l'angle plus immédiatement clinique (états limites, psychoses, troubles psychosomatiques, etc.) ou dans une perspective proprement théorique. C'est en ce sens qu'un tel retour sur le couple hystérie - névroses actuelles nous a semblé indispensable, et propre à intéresser non seulement le champ exclusif de la psychosomatique, mais tous ceux qui sont concernés par le devenir de la psychanalyse.

SUMMARY

HYSTERIA AND ACTUAL NEUROSIS

Considering the relations that seem to exist between the beginnings of psychoanalysis and the observation of somatic symptoms, the present communication examines anew the links established by FREUD between hysteria and actual neuroses (neurasthenia and anxiety neurosis).

Hysteria is considered essentially as a psychoneurosis based on a psychic elaboration, while actual neuroses would be neuroses that are dammed up or restricted resulting from an absence of elaboration.

However this difference is but a relative one due to the fact that any hysteria would develop on a nucleus of actual neurosis. Notions of "somatic compliance", of erogenicity, are then introduced. Finally hypocondria is studied as a third actual neurosis shedding a new light on the field of actual neuroses and regarding its relations with hysteria and psychoneuroses.

The communication then attempts to draw some theoretical lessons applying to the psychoanalytical preoccupations of the present days.

BIBLIOGRAPHIE

1. BELLER, I. (1978) «Le corps égaré», *L'inanalysé*, documents Confrontation, journées de mai 78.
2. FREUD, S. (1894) «Les psychonévroses de défense», *Névrose, Perversion, Psychose*, Paris, P.U.F.
3. FREUD, S. (1895) *Études sur l'hystérie*, Paris, P.U.F.
4. FREUD, S. (1895) «L'esquisse d'une psychologie scientifique», *La naissance de la psychanalyse*, Paris, P.U.F.
5. FREUD, S. (1895) «Qu'il est justifié de séparer de la neurasthénie un certain complexe symptomatique sous le nom de névrose d'angoisse», *Névrose, Perversion, Psychose*, Paris, P.U.F.
6. FREUD, S. (1910) «Le trouble psychogène de la vision dans la conception psychanalytique», *Névrose, Perversion, Psychose*, Paris, P.U.F.
7. FREUD, S. (1914) «Pour introduire le narcissisme», *La vie sexuelle*, Paris, P.U.F.
8. FREUD, S. (1924) *Inhibition, symptôme et angoisse*, Paris, P.U.F.
9. FREUD, S. (1932) «L'angoisse», *Nouvelles conférences sur la psychanalyse*, Paris, Gallimard.
10. LEBOEUF, J. (1978) «Corps et langage en psychanalyse», *Actes du Colloque des Arcs*, Presses Universitaires de Lyon.
11. LEFEBVRE, P. (1980) «The Narcissistic Impass as a Determinant of Psychosomatic Disorder», *Psychiatric Journal*, Ottawa, University of Ottawa.
12. LÉVY, G. (1983) «La conversion et la métamorphose», *Cahier Confrontation*, n° 9, Aubier.
13. MAJOR, R. (1977) *Rêver l'autre*, Aubier.
14. MARTY, P. et M. DE M'UZAN. (1963) «La pensée opératoire», *Revue française de psychanalyse*, vol. 27.
15. MCDOUGALL, J. (1982) *Théâtres du Je*, Paris, Gallimard.

PSYCHIATRIE DU NOURRISSON ET PSYCHANALYSE

Modèles psychanalytiques, modèles interactifs: recoupements possibles?

Bertrand Cramer

Le domaine de l'étude du nourrisson est séduisant pour le psychiatre d'orientation psychanalytique : en effet, il contient potentiellement des possibilités de saisie des fondements du développement psychique.

Mais cet espoir est grevé d'une difficulté conceptuelle : dans quelle mesure des données émanant de l'observation directe vont-elles pouvoir rendre compte des mouvements intrapsychiques? L'observation et la reconstruction obéissent à des impératifs épistémologiques différents [2]. Il sera question ici de s'interroger sur quelques points de rencontre possibles entre les données émanant des études du nourrisson et celles basées sur la pratique et la théorie psychanalytiques.

I. LES ÉTUDES SUR L'INTERACTION

Je tiendrai pour acquis que les modèles psychanalytiques du bébé sont bien connus. Par contre, le ou les modèles proposés par les études récentes sur l'interaction mère-enfant sont peut-être moins bien connus généralement, et c'est sur eux que je vais étendre mon propos. Je ne vais pas faire une revue systématique des données récentes sur le bébé : elles ont été bien introduites dans la littérature, et d'ailleurs les conférenciers Yvon Gauthier et Daniel Stern seront mieux à même de les présenter. Par contre, je vais essayer de mettre en évidence les postulats de base qui sous-tendent les études de l'interaction.

155

Je commencerai par donner une définition générale des études sur l'interaction : il s'agit là d'*observations* faites lors des premiers mois de la vie, en tous cas avant la fin de la première année de la vie, entre le bébé et sa mère essentiellement. Il existe quelques données sur les interactions entre le bébé et son père qui pourront également servir de points de référence. Ces études cherchent à mettre en évidence les modalités employées pour l'interaction et la communication, ainsi que les règles éventuelles qui s'en dégagent. J'essaierai également de déceler les facteurs qui permettent, facilitent et maintiennent l'interaction ainsi que ses aberrations et déraillements.

Dans le terme interaction, le préfixe «inter» signifie qu'il s'agit bien d'étudier ce qui se passe *entre* les deux partenaires et de considérer que cet échange est plus que la somme des comportements émis par chacun des deux partenaires. Il y a là un système qu'il importe d'interroger comme tel. Le mot action, lui, révèle que c'est à partir de comportements, et de comportements manifestes, que l'on va interroger la nature de cet échange. C'est donc sur les modalités perceptuelles et motrices que va s'étayer l'échange, qui est bi-directionnel : selon certains autant la mère a une action sur le bébé, autant le bébé a une action sur la mère.

Les pionniers dans le développement des études sur l'interaction sont des auteurs tels que Lou SANDER, Berry BRAZELTON, Bob EMDE, Daniel STERN, Jerry BRUNER, et bien d'autres depuis. Il est intéressant de noter qu'une majorité de chercheurs dans le domaine de l'interaction est formée de cliniciens ; ils se sont intéressés à ce problème du fait de son importance dans la détermination du style des relations mère-enfant, problème central dans le domaine de la clinique. Par contre, les auteurs qui ont contribué le plus à étudier les compétences perceptuelles, motrices et cognitives du très jeune enfant ont une orientation expérimentale : il s'agit surtout de psychologues de recherche.

II. UNE BIOLOGIE DU COMPORTEMENT

Un postulat de base peut être dégagé de la totalité des études concernant le nourrisson, ses compétences et ses capacités interactives. Les recherches sur les compétences perceptuelles surtout, mais également sur le contrôle des états de vigilance, ont mis en évidence depuis un certain temps déjà que le nouveau-né vient au monde avec un bagage inné de compétences diverses, dans le domaine de la discrimination surtout, de la reconnaissance de patterns et de l'auto-régulation, notamment en ce qui concerne l'«habituation» et le réglage des états de conscience. Le bébé serait préadapté à l'appréhension du monde environnant et à l'interaction sociale d'une manière très précise. Une métaphore qui ressort souvent dans ces études est celle de pré-programme, du terme anglais *prewired* ; on reconnaît par là que le bébé arrive au monde avec des prédilections, notamment pour le visage humain, et avec des capacités discriminatoires par lesquelles il organise d'emblée son monde et opère des sélections qui, on le verra par la suite, s'articulent au problème de l'attachement.

L'innéité comme concept revient donc en force et propose l'image d'un bébé pré-conditionné à son adaptation dans le monde, idée qui, de prime abord, semble mal s'accorder avec la notion de *helplessness* du bébé. On verra par la suite que l'accent est mis sur les performances visibles, motrices, cognitives, perceptuelles et sociales, et que ce postulat ne s'adresse jamais aux problèmes typiquement psychanalytiques des pulsions qui, elles, mettent en évidence la notion de *helplessness*. Nous reviendrons sur ce problème plus tard.

Les notions d'innéité et de bagage congénital (c'est-à-dire conditionné également par l'environnement utérin) se retrouvent dans de nombreuses études sur le bébé. Pour appuyer cette affirmation, quelques exemples suffiront. On a depuis longtemps étudié, surtout aux États-Unis, la notion de tempérament : il s'agit d'une série de facteurs concernant la réactivité, le style moteur et perceptuel, et d'autres données encore qui permettent d'identifier les prédispositions de base chez le nouveau-né. Cette notion de tempérament peut être largement critiquée, mais l'on doit reconnaître — et c'est là qu'intervient l'expérience des chercheurs qui travaillent directement avec les nouveau-nés — que chaque nouveau-né est très différent et a des possibilités de réactivité et d'organisation qui font de lui un être unique doté d'un équipement de base distinct. Un certain nombre d'études portant sur les différences individuelles du bébé (KORNER) ont démontré que les bébés peuvent être différenciés par la régulation de leurs états, par leurs capacités d'être calmés par exemple, mais également par leur réactivité autonomique. On voit facilement à quel point des prédispositions marquées sur le plan des différences individuelles vont influencer l'interaction très précocement ; par exemple, lorsqu'on examine un bébé selon la technique de BRAZELTON, on se comportera d'une manière différente avec un enfant «endormi» et avec un enfant qui reste très longtemps dans l'état d'inactivité alerte.

La théorie de l'innéité est également renforcée par la référence qui est faite, dans de nombreuses études, à certains concepts énoncés ci-dessous.

L'éthologie

C'est surtout par le concept d'attachement que l'éthologie a laissé sa marque dans les études sur le nourrisson. On en retrouve certaines influences notamment dans l'étude de l'interaction dite naturaliste, qui s'applique à mettre en évidence les détails du comportement dans le milieu naturel. Par ailleurs, on a aussi cherché à mettre en évidence les mécanismes innés qui favorisent l'attachement, tels le cri, le sourire, etc. Il faut toutefois reconnaître que l'approche éthologique a été assez largement critiquée, notamment dans le recours chez les êtres humains au concept d'une phase critique, point de vue qui a été abandonné.

La théorie évolutive

La pensée darwinienne revient en plusieurs points des études sur le nourrisson. Par exemple, le cri de l'enfant est étudié de façon très systématique — toujours dans le but de découvrir dans quelle mesure il peut réussir ou non à attirer la protection maternelle — comme favorisant l'adaptation et même la survie. Mais c'est surtout dans le domaine du développement des affects de base et de leurs manifestations sur le visage que l'héritage darwinien se révèle le plus clairement. En effet, on a pu mettre en évidence que le bébé a un vocabulaire inné d'expressions affectives, surtout des mimiques, correspondant aux différentes catégories d'affects (rage, détresse, surprise, plaisir, etc.). Ces mimiques sont perçues de façon universelle par les adultes, ce qui laisserait entrevoir qu'il existe une possibilité de lecture innée des affects de l'enfant par les adultes qui s'en occupent. Par ailleurs, on peut considérer que ces affects de base servent d'amplificateur à des états intérieurs, permettant à l'enfant de communiquer ses besoins à la personne qui en prend soin. En résumé, l'humain serait doté d'une préadaptation innée pour l'expression et la reconnaissance d'expressions affectives.

L'héritage darwinien se manifeste clairement dans la question suivante : quels sont les mécanismes que possède le bébé et qui facilitent son adaptation dans le cadre de la relation avec la personne qui s'en occupe ?

Le rôle de la maturation

Ces études du bébé sont essentiellement de nature développementale : elles décrivent les comportements du bébé par rapport à des niveaux de développement et, en particulier, à des niveaux de maturation du système nerveux central. Le contrôle de l'état de vigilance, le développement des affects, le développement des compétences interactionnelles et de la communication sont analysés dans leurs corrélations à la maturation du système nerveux sous-jacent.

D'une façon générale, les études concernant le bébé, ses compétences et ses interactions font constamment référence à la dimension biologique. On considère toutes les facultés du bébé selon leur soubassement biologique et leur valeur d'adaptation. Il est bien entendu qu'ainsi on remet en question toute la notion de l'inné et de l'acquis, et cela est d'autant plus important que certaines études ont pu mettre en évidence comment certains patterns biologiques de base, comme des rythmes par exemple, servent d'étayage au développement de l'interaction.

Prenons un exemple. On a pu démontrer chez le bébé humain que le suçotement, lors de la prise du biberon ou du sein, suit un pattern assez particulier : une salve de suçotements est suivie par une période d'arrêt ou de repos, puis le suçotement reprend au bout d'un certain temps. On peut mettre en évidence un certain cycle dans ces alternances entre suçotement et pause. Ce cycle, d'abord déterminé par un programme interne, s'intègre progressivement dans l'interaction avec la mère : cette dernière perçoit les cycles de l'enfant et lui transmet alors une stimulation pour lui faire reprendre le suçotement en temps voulu. Il se développe ainsi un rythme à l'intérieur de l'interaction, déterminant l'interaction et déterminé par elle secondairement [7]. On peut voir comment l'attitude de la mère par rapport à la prise du sein ou de la nourriture va s'inscrire d'emblée dans la façon avec laquelle elle va interpréter le rythme de l'enfant et susciter une altération progressive de ce rythme suivant sa propre initiative, ce qui entraînera, dans chaque couple mère-enfant, une personnalisation de cette rythmicité à deux et une forme particulière de prise de rôles alternatifs.

On découvre ainsi que toute une série de programmes innés prennent d'emblée une coloration interactive : ils vont susciter l'interaction et, en retour, la personne qui s'occupe de l'enfant va donner une signification à ces patterns de base, les entraînant dans le monde social et même dans le monde symbolique. C'est ainsi que toute une série de performances isolées sont socialisées et sémantisées depuis la naissance. Prenons ici l'exemple de la réaction aux stimuli gustatifs : lorsqu'on expose un bébé à différents stimuli, qu'ils soient acides, amers, doux ou salés, le bébé va réagir d'une façon tout à fait spécifique au niveau facial, selon un réflexe appelé gustativo-facial. Il y aura donc une expression faciale correspondant à chacun de ces goûts, et très vite on s'aperçoit que la personne qui s'occupe de l'enfant va donner un nom à ces différentes expressions et les interpréter, disant par exemple : «il aime», ou «il n'aime pas», suivant l'expression faciale de l'enfant. On peut donc constater qu'un réflexe d'origine biologique devient un instrument de communication au sein de l'interaction et que, secondairement, c'est la mère ou la personne qui s'occupe de l'enfant qui va donner une signification chargée de tout son bagage culturel à elle, à l'expression faciale produite par l'enfant.

Ces exemples démontrent bien que la discussion entre l'inné et l'acquis est toujours aussi difficile qu'autrefois. Mais on est invité, en étudiant ces problèmes, à considérer que, s'il existe indubitablement un bagage inné, il est d'emblée intégré dans le cadre d'une relation et socialisé, de telle sorte que l'inné et l'acquis sont difficiles à discriminer et qu'en fait le biologique et le psychologique deviennent en quelque sorte indistinguables ; par conséquent, il est avantageux qu'on analyse globalement cette interpénétration de ces deux niveaux, évitant par le fait même de retomber dans les polémiques et dichotomies auxquelles on était habitué il n'y a pas encore si longtemps.

On s'aperçoit également que de parler de précurseurs d'une vie psychologique devient extrêmement difficile. Il y a encore dans la littérature, et notamment dans une certaine littérature psychanalytique, une référence à une première phase du développement qui serait uniquement biologique. On le constate par exemple dans des travaux dont les auteurs considèrent que le bébé ne répondrait qu'à une organisation réflexe purement biologique avant l'avènement de la parole. Cette théorie devient insoutenable puisque d'emblée le bagage dit inné de l'enfant est repris dans l'interaction, et qu'un sens lui est donné par le langage et le comportement maternels. Il devient dès lors de plus en plus difficile de parler d'une période pré-psychologique et, à notre avis, il devient tout à fait aberrant de supposer que se produit l'avènement soudain d'une phase psychique après un prologue d'ordre purement biologique.

Il est intéressant de faire un rapprochement ici avec certaines hypothèses psychanalytiques. On se rappellera que FREUD [6] avait déjà proposé l'existence de racines innées du moi à la fin de son oeuvre. Cette proposition avait été largement endossée par différents auteurs. Par exemple, HARTMANN avait proposé qu'il existe chez l'enfant des fonctions du moi qui sont d'autonomie dite primaire, c'est-à-dire qui n'ont pas été créées à partir de conflits mais qui ont une origine héréditaire et biologique ; ces données de base ou fonctions primaires interviendraient comme une variable indépendante dans le développement du moi et dans la résolution des conflits. On peut considérer que de nombreuses données concernant les performances et les compétences du bébé confirment d'une certaine manière l'hypothèse hartmannienne.

III. LE BÉBÉ COMPÉTENT AU NIVEAU SOCIAL

C'est là peut-être la découverte la plus étonnante concernant le bébé : il n'est pas simplement le récipient d'une relation ou une cire vierge sur laquelle s'imprime le style parental, mais il est un partenaire actif dans l'interaction et il a une influence sur son partenaire social. Tout d'abord, on s'est aperçu que le bébé est capable d'une attention sélective et donc discriminante envers son partenaire humain. Des études sur l'attention visuelle et sur les préférences parmi les stimuli gustatifs, olfactifs et auditifs ont en effet démontré que, très tôt, l'enfant «reconnaît» les attributs qui sont attachés à l'image de la mère et donc que, très vite, il montre pour elle une forme de préférence qui facilite l'attachement puisque celle-ci, en réponse, se sent élue et choisie par son enfant. Ces préférences, ces capacités de discrimination, qui elles aussi sont innées, constituent évidemment un argument de poids favorisant le point de vue selon lequel une série de facteurs existent qui permettent l'adaptation au partenaire humain et qui font de l'enfant un être capable de provoquer la réponse parentale. Des données d'ordre cognitif ont pu démontrer de façon expérimentale que l'enfant arrive très tôt à créer des schémas intégratifs entre différents aspects de la mère, par exemple entre sa voix et son visage, de telle sorte que la construction d'une image complète ou totale de la mère se fait très précocement.

Lorsqu'on pratique un examen du nouveau-né, on s'aperçoit aussi que l'attention de l'enfant est particulièrement soutenue par le partenaire humain, surtout si ce dernier sait comment doser les stimuli qu'il envoie à l'enfant de manière optimale pour maintenir le contact. Par ailleurs, les études de BRAZELTON sur la rythmicité des périodes d'engagement et de dégagement dans l'interaction précoce, effectuées durant les toutes premières semaines après la naissance entre la mère et l'enfant, démontrent que l'enfant est capable de régler la quantité d'interactions qu'il peut intégrer dans sa relation avec sa mère. Le bébé n'est donc pas simplement un récipient passif des sollicitations maternelles : en employant ses niveaux de conscience d'une part, et l'engagement et le dégagement du regard le liant à sa mère d'autre part, il imprime à l'interaction avec sa mère des périodes de contact et de retrait qui lui permettent d'obtenir un échange optimal.

On a pu vérifier l'importance du bagage inné favorisant l'adaptation dans l'interaction, notamment au cours d'expériences menées sur des enfants nés avec certaines déficiences dans leur équipement de base (enfant prématuré, enfant ayant des perturbations du système nerveux central ou encore des déficits sensoriels). On a constaté que si l'enfant n'envoie pas à la mère certains signaux de base et ne permet pas l'établissement de règles interactionnelles, il se crée des perturbations souvent graves de l'interaction. C'est notamment le cas de certains bébés hypo-réactifs ou ayant des réactions carrément déviantes, ce qui peut entraîner des réactions négatives chez la mère, pouvant aller jusqu'à provoquer le syndrome de l'enfant battu. On peut donc proposer, par analogie avec la fameuse phrase de WINNICOTT, qu' «une mère seule ça n'existe pas »: par là, il faut entendre que la préoccupation maternelle primaire ne peut se développer et se maintenir que si le nourrisson est un partenaire compétent.

La notion d'un bébé engagé d'emblée dans l'interaction, capable de la solliciter, capable d'y contribuer en la réglant et en participant à des règles émises par le système, cette image-là du bébé entre certainement en contradiction avec certaines images traditionnelles que nous en avons. Tout d'abord il est bien évident qu'il ne s'agit pas là d'un bébé marqué par la passivité et par l'impuissance (helplessness). On avait toujours considéré sur le plan psychanalytique que le bébé était essentiellement voué à un chaos interne et à un sentiment de détresse fondamentale du fait de l'irruption pulsionnelle. Il devenait dès lors extraordinairement dépendant de la mère, sans qui il ne pouvait faire que l'expérience de la frustration et de la désorganisation. C'était elle qui, par son empathie et par ses sollicitations, le sortait progressivement de son chaos interne et le protégeait contre l'inondation pulsionnelle.

Il est bien évident que cette image-là est basée sur la focalisation psychanalytique concernant le primat de la vie pulsionnelle. Mais il faut reconnaître également que certains psychanalystes, notamment ceux du groupe anglais (BALINT, GUNTHRIP, etc.), avaient déjà proposé que, simultanément à la problématique pulsionnelle, s'inscrivait une relation d'objet primordiale aussi déterminante pour le développement que les vicissitudes pulsionnelles. Bien que la relation d'objet primaire fasse référence à l'investissement de *représentations mentales* de la mère par le bébé, il est clair qu'on peut trouver un parallèle saisissant entre la relation primaire sur le plan psychanalytique d'une part, et l'immersion simultanée du bébé dans l'interaction sociale d'autre part, suivant les nouvelles études concernant le bébé. L'idée d'un bébé totalement dépendant, passif et impuissant est mitigée dès que l'on s'adresse au problème de l'interaction et des relations d'objet précoces. Le bébé n'est plus vu uniquement comme subissant l'empreinte parentale, mais comme étant capable d'imprimer lui-même le sceau de son individualité sur le devenir de l'interaction.

Une autre notion sérieusement remise en question à la lueur de ces nouvelles données est celle du bébé soit confus, soit autistique. On retrouve la notion de confusion dans de nombreuses théorisations psychanalytiques ; elle est basée sur l'hypothèse que le bébé n'a pas une maturation suffisante pour établir des différences entre lui et sa mère, ou bien que le désir fusionnel l'emporte de loin sur les possibilités de discrimination. L'étude de l'interaction démontre au contraire un bébé extrêmement sensible aux messages émanant de sa mère, capable de la discriminer par rapport à lui-même et de s'accorder d'une façon très raffinée à ses demandes et sollicitations. Qui plus est, il est capable d'organiser des schémas cognitifs d'une image de sa mère, intégrant des données de différents canaux sensoriels. De plus, des travaux récents, notamment ceux de Daniel STERN [10], tendent à démontrer que le bébé est également capable d'organiser une vision cohérente de son identité en tant qu'être agissant et percevant. Ces données, bien entendu, vont à l'encontre d'une prédominance de confusion dans la relation mère-enfant précoce. Cela dit, il faut d'emblée spécifier que l'image de la confusion est établie à partir de reconstructions, et surtout à partir de fantasmes fusionnels où prédominent les projections et les introjections, alors que le test de la réalité des différences est aboli. D'autre part, l'image du bébé compétent et capable d'interagir, de percevoir des messages maternels et de les différencier de ceux qui émanent de lui-même, se base essentiellement sur des faits de perception et de cognition ne faisant aucune référence à la dimension fantasmatique.

En ce qui concerne la notion d'autisme primaire, proposée par MAHLER, elle a été créée par extrapolation à partir d'états pathologiques vus chez des enfants plus âgés. Cette notion est largement combattue maintenant par les études sur le bébé qui démontrent non seulement qu'il est capable de faire des discriminations, mais qu'il est en fait fasciné par tout ce qui émane du partenaire humain. Le bébé montre certainement un attachement pour le partenaire humain, et il possède un processus de sélection qui lui fait préférer le partenaire humain à toute autre chose. Il est bien entendu qu'il ne s'agit pas encore d'une définition d'un investissement selon la terminologie psychanalytique, c'est-à-dire d'un investissement au niveau d'une représentation mentale, mais il est bien difficile désormais de discriminer fondamentalement la fascination qu'exerce le partenaire humain sur l'enfant et un processus d'investissement du partenaire humain par le bébé. La fameuse notion selon laquelle l'objet est investi avant même que d'être perçu devient très difficile à soutenir dans l'état actuel de nos connaissances puisque, au niveau de la perception et de l'attention, il est certain que la mère est perçue par l'enfant, et très tôt. Il est difficile d'imaginer que cette perception et cette attention, qui sont toutes deux soutenues, ne soient pas en corrélation avec un investissement au niveau intra-psychique. Il est en tous cas certain qu'un stade autistique, ou narcissique primaire absolu, devient extrêmement difficile à maintenir à partir de ce que l'on perçoit du bébé, et il faudra probablement, si l'on tient à maintenir la notion d'un narcissisme primaire, la considérer sur un plan rétrospectif comme un moment correspondant à un désinvestissement plutôt que comme une phase du développement normal. Il en va de même pour la notion d'une phase autistique, qu'on ne peut plus maintenir à l'heure actuelle.

Un corollaire intéressant de ces nouvelles notions est la notion de la barrière contre les stimuli. Il est certain qu'on ne peut plus employer cette métaphore si l'on entend par là que le bébé est fermé de façon permanente à l'influence de stimuli extérieurs. Au contraire, on s'aperçoit que le bébé a dès la naissance une soif de stimuli tout à fait étonnante, ce qu'on peut mettre en évidence lors de l'examen de la poursuite visuelle et auditive par exemple. Par contre, lorsqu'on étudie notamment l'effet d'habituation, on peut constater que le bébé a la capacité de régler ses niveaux de vigilance pour exclure les stimuli qui peuvent être ressentis comme excessifs. La barrière contre les stimuli ne serait donc certainement pas un phénomène passif, mais un phénomène actif et sélectif qui permet à l'enfant de doser et de titrer les stimulations qui lui parviennent.

D'une façon générale, la métaphore du bébé qui serait comme un poussin entouré de sa coquille, c'est-à-dire sans interaction avec le milieu ambiant et protégé contre les stimuli extérieurs de façon stable et permanente, ne peut absolument plus être maintenue à l'heure actuelle. Il faut remarquer également que dans la théorie psychanalytique la notion d'un narcissisme primaire pur, absolu, correspondant aux stades les plus précoces du développement, n'a jamais été acceptée sans réserve ; en outre, de nombreuses théories ont essayé de raffiner l'emploi de ce terme et d'y introduire la dimension d'une relation d'objet primaire, que ce soit comme le propose BALINT, ou bien, sur un tout autre mode, comme le propose M. KLEIN lorsqu'elle souligne qu'il y a d'emblée une relation et un investissement de l'objet sous quelque forme qu'il soit (objet partiel).

IV. LA NATURE DES INTERACTIONS OBSERVÉES

C'est lorsqu'on étudie de près la méthodologie et l'objet des études sur l'interaction qu'on se rend compte le plus précisément des hétérogénéités et même des discordances entre les dimensions fondamentales de l'interaction observée et de la relation d'objet au niveau psychanalytique. Les premiers auteurs psychanalytiques qui se sont intéressés à l'interaction observable entre la mère et le bébé, tout naturellement, se sont penchés sur l'interaction autour de la prise de nourriture, à cause de l'influence considérable qui était attribuée à l'oralité dans la théorie psychanalytique des premiers stades du développement. Les études psychanalytiques dans leur ensemble portaient sur la relation d'objet considérée comme basée sur des besoins et des désirs de la série orale (modèle anaclitique).

Le mot «étayage», développé par les psychanalystes français surtout, décrit cette évolution du fonctionnement psychique sur la base de besoins corporels. On soulignait par là comment un besoin, au niveau somatique, évolue pour devenir un désir au niveau psychique. Il faut bien rappeler cette notion d'étayage et ce modèle anaclitique puisque, dans la théorie psychanalytique classique, toute l'évolution du psychisme est basée sur une hypothèse économique, à savoir l'élaboration du psychisme sur la base de la réduction de tensions.

C'est aussi sur cette hypothèse qu'est basée une bonne partie de la théorie de la relation d'objet, la mère étant investie en fonction des expériences de gratification ou de déplaisir. La relation d'objet serait donc fondamentalement chevillée à l'expérience de réduction de tensions ; c'est par ce biais que se fait la jonction entre la théorie pulsionnelle et la théorie de la relation d'objet. Cet étayage est décrit dans la récente littérature sur l'interaction comme étant une théorie de pulsion secondaire (*secondary drive theory*) : on indique par là que la relation de l'enfant avec la mère est secondaire à la gratification d'une pulsion.

En fait, c'est à ce point de vue que les théories interactionnelles divergent le plus clairement des théories psychanalytiques. L'introduction, par BOWLBY, de l'éthologie a battu en brèche l'hégémonie de cette théorie secondaire. BOWLBY a en effet postulé qu'il existe des besoins primaires d'attachement qui ne dépendent absolument pas de besoins oraux. Selon la théorie dite de l'attachement, il existe un attachement primaire à la mère, et c'est ce modèle-là qui a le plus profondément influencé les études de l'interaction. On a donc vu apparaître, depuis les années 1960, une série d'études concernant l'interaction précoce, en dehors de situations de pression par les pulsions. Il s'agissait d'étudier l'interaction à des moments privilégiés où l'enfant n'est précisément pas en butte aux pressions pulsionnelles, mais où il est dans cet état d'inactivité alerte qui est la plus favorable à l'attention aux stimuli externes. Du même coup on s'est intéressé, non pas tant aux variations de besoins internes, mais plutôt à la recherche de stimuli et, particulièrement, selon une modalité distale : l'échange du regard et de vocalisations.

En fait, il s'agit là d'un virage très important des études sur l'interaction précoce : on s'éloigne définitivement des situations de pression des besoins corporels, et on s'intéresse aux aspects les plus socialisés et les plus communicatifs de l'interaction entre la mère et l'enfant. Il s'agit d'une étude de la proto-conversation plutôt que de l'impact des besoins corporels sur le développement de la relation. De ce fait, l'objet d'étude et toute la méthodologie de la recherche dans ce domaine s'en trouvent transformés. On cherche à étudier des interactions chez un enfant et sa mère considérés comme *normaux* et non pathologiques, et ce, lors de moments privilégiés qui favorisent au maximum l'interaction sociale : ce sont les «intervalles libres» déjà décrits par WINNICOTT, caractérisés par une atmosphère de jeu et d'échange. Cette étude se fait par l'intermédiaire de modalités visibles telles que l'échange du regard, de tonus musculaire, d'émissions sonores, et l'on cherche à mettre en évidence l'interaction en étudiant de façon micro-analytique les formes du comportement de la mère et de l'enfant dans ce qu'on a appelé la synchronie ou la mutualité précoce.

Il est bien entendu qu'en suivant ce modèle et en prenant l'interaction elle-même comme objet direct de la recherche, on élimine toute attention aux phénomènes inconscients et toute référence immédiate à la vie fantasmatique. Ce changement de cadre épistémologique comporte des conséquences considérables. Tout d'abord, on s'intéresse de façon extrêmement détaillée à chaque instant et à chaque forme du comportement ; un changement dans l'orientation du regard d'une à deux secondes prend dès lors une importance considérable, surtout lorsqu'on sait que l'enfant emploie le détournement du regard pour interrompre l'interaction avec la mère. Il en est de même pour toutes sortes d'autres comportements qui sont étudiés de façon micro-analytique, grâce à l'intervention d'enregistrements vidéo de l'interaction. Cette attention apportée au micro-détail comportemental est en profond antagonisme avec l'attention accordée à des phénomènes beaucoup plus globaux et qui embrassent un grand nombre de comportements lorsque l'on se focalise sur le fantasme ou sur la motion pulsionnelle. D'autre part, ce n'est pas tant la signification, ou le symbole, que l'on recherche, c'est beaucoup plus une attention pour la forme et pour le «comment» de l'interaction, alors que les références à la motivation, au «pourquoi», sont laissées pour une analyse ultérieure. Autre conséquence : on considère les deux partenaires de l'interaction comme essentielle-ment symétriques ou égaux. Il n'est plus question de comparer la maturité psychique de la mère avec l'immaturité du bébé, au contraire, on essaie de mettre en évidence à quel point le répertoire du bébé lui permet d'être considéré comme un partenaire égal.

Il s'agit donc bien d'étudier l'interaction entre le bébé et sa mère en employant une métaphore de symétrie. De ce fait, on néglige sciemment la dissymétrie profonde qui existe à un autre niveau entre la mère et l'enfant, à savoir toute la dimension du développement psychologique et de l'«historicité» du sujet qui fait que la mère, sur le plan fantasmatique, apporte beaucoup plus à la relation précoce que le bébé. C'est sur ce point que s'établit une des plus grandes différences entre une approche de la «physicalité» de l'interaction précoce, et celle qui met beaucoup plus l'accent sur l'investissement psychique lorsqu'on aborde la relation d'objet au niveau psychanalytique.

V. LES BUTS ET LES MOTIVATIONS DE L'INTERACTION

Puisque les études sur l'interaction se détournent délibérément d'un modèle anaclitique et d'un modèle de réduction de tensions, il faut qu'elles puissent définir à un moment donné ce qui pousse l'enfant à créer et à maintenir une interaction sociale. On voit dans de nombreux textes sur l'interaction que, si la description des interactions est relativement facile à aborder et à conceptualiser, le problème des intentions qui sous-tendent l'interaction est plus difficile à théoriser. Les questions auxquelles on doit répondre lorsqu'on constate la puissance du mouvement interactionnel entre le bébé et sa mère sont les suivantes : d'abord qu'est-ce qui pousse ces deux partenaires à interagir ? D'autre part, les sentiments de plaisir et de détresse prédominent dans les interactions ; qu'est-ce qui est à la base de ces affects ? Enfin, les messages qui sont échangés dans l'interaction exercent une force assez considérable sur les partenaires ; quelle est la nature de cette force ?

Différents auteurs dans le domaine de l'interaction essaient d'analyser ce problème des buts de l'interaction. Ils proposent par exemple que la communication devient un but attractif en soi (TREVARTHEN). Ils disent encore que le fonctionnement réciproque contient une récompense inhérente (SAMEROFF [9]). Ils postulent aussi que l'activité interactive est une source de plaisirs, et que ces plaisirs ne sont jamais définis en catégories d'ordre supérieur, telles que le plaisir pulsionnel ; ils offrent plutôt d'autres explications, par exemple qu'il peut s'agir du plaisir dérivé de la contingence, c'est-à-dire de la prise de conscience par l'enfant que son action sur son monde environnant, et surtout sur son partenaire, entraîne des résultats qu'il peut susciter à sa volonté. On fait allusion ici au plaisir de la maîtrise (WHITE). BRAZELTON, par exemple, se réfère souvent au plaisir éprouvé par l'enfant qui arrive à accomplir une certaine tâche. Pour d'autres encore, une interaction optimale est recherchée en soi, comme si elle était elle-même le but de ce qui la détermine. Cela semble évidemment un raisonnement tautologique, mais on peut voir qu'en général la plupart des chercheurs dans le domaine de l'interaction considèrent qu'il existerait une sorte de «pulsion à la sociabilité» (c'est là un terme que j'invente et auquel eux-mêmes ne font pas allusion).

On en arrive donc à la conclusion inévitable que les mères et les enfants sont entraînés dans l'interaction comme s'ils recherchaient par là «les récompenses inhérentes à l'échange social» (*inherent rewards of social exchange*). On note déjà que toute référence au monde pulsionnel est exclue de ce modèle et qu'on est ici à nouveau dans une sphère autonome dans le sens hartmannien du terme, c'est-à-dire dans une sphère sans conflits. Par conséquent, une nouvelle mythologie explicative est introduite, selon laquelle il existerait de façon fondamentale et probablement innée une intention, une motivation à un échange social réciproque. De plus, des travaux récents sur le développement de l'affect tendent à démontrer qu'une interaction marquée par la synchronie, la mutualité et la réciprocité entraîne des niveaux d'affects optimaux chez l'enfant et, par le fait même, une prime de plaisir dans l'interaction elle-même.

Dans les études sur l'interaction, les formulations concernant les intentions qui poussent la mère et l'enfant à interagir restent quelque peu insatisfaisantes. Il est en effet difficile d'accepter que l'interaction soit à la fois le but poursuivi et le motif qui entraîne cette recherche. Il est tout à fait clair que ces études n'ont pas vraiment d'ambition philosophique ou «causaliste» ; elles ne sont pas des théories motivationnelles, mais bien davantage des études naturalistes sur le «comment» de l'interaction précoce. Elles ont aussi le mérite de démontrer les modalités de l'interaction, et également de prouver que le bébé est d'emblée saisi dans une matrice d'échanges sociaux qui s'étayent sur ses compétences innées, mais également sur quelque chose qui est de l'ordre d'une motivation, chez la mère et l'enfant, que ces études ne parviennent pas bien à définir. C'est sur ce point qu'une confrontation aux données psychanalytiques peut s'avérer particulièrement prometteuse.

VI. INTERACTION RÉELLE, INTERACTION FANTASMATIQUE

L'hétérogénéité la plus fondamentale entre les études sur l'interaction et l'approche psychanalytique des débuts de la relation d'objet concerne leur méthode et leur objet. Dans les études sur l'interaction, on cherche à objectiver, au moyen de l'observation visuelle, les modalités d'échange et de communication entre les deux partenaires, et ce, en se maintenant le plus près possible des données d'*observation*. Il est vrai qu'il y a des moments, dans la conceptualisation de ces interactions, où l'on décolle des phénomènes eux-mêmes — par exemple lorsqu'on fait référence à la mutualité dans l'interaction, en laissant entendre qu'il existerait entre la mère et l'enfant une dimension qui va au delà de la notion d'échange ou de communication — et où l'on recherche une identification croisée, disons, ou un rapport qui va au delà du simple échange de signaux physiques ; en général, ce sont des éléments objectivables, perceptibles que l'on va chercher à mettre en évidence, et c'est pour cette raison que je propose de se référer à cette interaction en mettant en évidence le fait qu'elle est l'interaction *réelle*. Par contraste, dans toutes les élaborations de la relation d'objet, on fait référence à la vie fantasmatique et pulsionnelle qui est de nature inconsciente ; de ce fait même, il ne s'agit pas de données perceptibles : ce n'est pas d'une matérialité physique de l'échange qu'il s'agit, mais bien de motions pulsionnelles révélées au niveau fantasmatique.

Dans un but heuristique, je propose que l'on contraste l'interaction réelle avec une autre forme d'interaction, celle-là invisible et non perceptible, que l'on pourrait appeler l'interaction *fantasmatique* [3]. Il est évident que l'on peut critiquer l'emploi de cette association entre interaction et fantasme. Traditionnellement, on *oppose* la notion de fantasme à celle d'action, mais la pratique de la psychiatrie concernant le comportement des mères et des très jeunes enfants nous démontre à quel point le fantasme maternel peut *agir* sur le fonctionnement psychique de l'enfant.

Par ailleurs, on peut également critiquer le terme d'interaction fantasmatique parce que, si l'on en connaît beaucoup sur les fantasmes parentaux au sujet de leurs petits enfants, on ne sait pas grand-chose de la contribution infantile à la vie fantasmatique partagée. Mais là aussi la pratique de consultations et de thérapies mères-enfants indique clairement que ce qui se passe entre les deux partenaires est de l'ordre d'un scénario qui n'est pas entièrement dirigé par le parent, et où l'enfant est un contributeur créatif : il semble en effet que l'enfant lit les signaux fantasmatiques parentaux et les intègre à sa façon, participant à la demande fantasmatique parentale.

C'est généralement par l'intermédiaire des symptômes, notamment des symptômes fonctionnels du très jeune enfant, que l'on peut imaginer comment il contribue à une interaction fantasmatique à son niveau et avec ses possibilités psychiques. Je propose donc que l'on considère comme objet de recherche clinique les corrélations possibles entre ce que l'on observe au niveau de l'interaction réelle d'une part, et ce que l'on peut appréhender simultanément au niveau fantasmatique chez la mère tout d'abord, grâce à l'accès verbal qu'elle permet de son monde interne, mais également chez le bébé grâce à ses manifestations diverses, bien que non verbales, qui nous laissent entrevoir quelle peut être sa contribution psychique à l'interaction. Il s'agirait donc d'opérer une compréhension bifocale de l'interaction, en passant de son versant perceptible (l'interaction réelle) au versant fantasmatique qui le sous-tend [8]. Cette approche est le mieux réalisée dans des entretiens cliniques en présence de la mère et de l'enfant, où l'on peut observer simultanément ce qui se passe entre les deux partenaires et obtenir une version verbalisée de ce qui se passe chez la mère à ce moment-là, espérant que l'enfant viendra contribuer par son comportement à ce scénario fantasmatique.

Il faut reconnaître tout de suite une limitation dans cette approche : il est bien entendu que l'on aura des données beaucoup plus sûres au sujet de la fantasmatique maternelle qu'au sujet de celle de l'enfant, vu la carence des moyens symboliques de celui-ci. L'interaction fantasmatique est donc beaucoup mieux étayée au point de vue des contributions maternelles qu'au point de vue de celles de l'enfant, mais cette lacune ne doit pas décourager nos tentatives d'interroger tout ce qui peut révéler la vie psychologique du bébé.

VII. L'ATTRIBUTION DE SIGNIFICATION

Dans la littérature interactive, certains auteurs ont relevé l'importance de ce qui se passe à un niveau intrapsychique comme codéterminant l'interaction visible. Ils ont ainsi employé le terme de *meaning attribution* (attribution de signification) pour désigner ce qu'on décrit généralement par le terme de «projections parentales» dans l'expérience clinique. Dans les études sur l'interaction, on a bien reconnu que parfois, comme le suggère HINDE, ce que les deux partenaires pensent de l'interaction peut être plus important et plus déterminant que les phénomènes mêmes de l'interaction visible. Par ailleurs dans les études sur le langage, J. BRUNER [1] a bien décrit le phénomène d'anticipation par lequel la mère ajoute un indice de signification aux premières vocalisations de l'enfant, les insérant d'emblée dans une grille sémantique qui imprime un mouvement symbolique et signifiant à toutes les productions de l'enfant. Il se produirait donc quelque chose de l'ordre d'une «adultomorphisation» du comportement de l'enfant qui, systématiquement, entraînerait son comportement dans une anticipation par laquelle l'enfant deviendrait un participant au monde symbolique et culturel de l'adulte.

Plusieurs des chercheurs dans le domaine de l'interaction observable, lorsqu'ils rapportent la nature des verbalisations de la mère alors qu'elle est en train de jouer ou d'interagir avec son bébé, démontrent bien qu'elle attribue sans cesse une signification aux comportements les plus élémentaires du bébé. Elle entraîne donc le bébé dans un processus de sémantisation du comportement qui dépasse, et de beaucoup, la seule dimension de signal qu'on pourrait prêter aux différents comportements du petit enfant. La dimension d'asymétrie apparaît ainsi plus clairement dans l'interaction entre un bébé et ses parents, ceux-ci ajoutant une valence symbolique et significative à pratiquement tout ce qui est produit par le bébé. Certains auteurs dans le domaine de l'interaction (KAYE par exemple) proposent même que l'intentionnalité, en fait, réside essentiellement du côté de la mère et que, pendant la première période du développement, le bébé ne ferait qu'apprendre à avoir des intentions à partir de la façon dont la mère interprète ces «intentions».

C'est par le biais de cette attribution de signification, ou par ce qu'on appelle le plus communément les projections parentales, que l'on peut établir une corrélation entre ses observations d'une part, et son estimation de l'apport fantasmatique parental d'autre part. Et ce qui constitue l'originalité et la spécificité de la psychiatrie du premier âge, c'est qu'en fait elle nous contraint à opérer cette corrélation entre ce qui est du niveau comportemental (puisque le bébé ne parle pas) et qu'on pourrait le mieux appréhender à partir des études sur l'interaction, et ce qui se passe au niveau fantasmatique, tout d'abord en prenant comme point de départ la fantasmatique parentale, et en essayant dans un deuxième temps d'imaginer sa contrepartie chez le bébé. Dans cette vision bifocale, il est nécessaire d'exercer une attention soutenue aux détails de l'interaction, et en cela on peut employer les paramètres proposés par les chercheurs qui étudient l'interaction réelle.

C'est ainsi qu'il s'agit d'analyser surtout les facteurs de *contingence*, c'est-à-dire les aspects des signaux émis par la mère et par l'enfant dans leurs rapports de contingence. On étudie dès lors dans quelle mesure ce que fait chaque partenaire correspond bien aux signaux émis par l'autre partenaire. Il s'agit de voir si un signal émis par la mère entraîne un signal correspondant chez le bébé, ce qui secondairement peut entraîner un maintien de l'interaction. Les phénomènes d'anti-contingence sont également très utiles dans cette étude : on peut voir jusqu'à quel point un comportement maternel peut entraîner des phénomènes de refus (tels que le détournement du regard ou les symptômes fonctionnels) et, corollairement, jusqu'à quel point un bébé entraîne par son comportement des signaux de désorganisation dans le comportement maternel. Secondairement, ce que l'on décrit comme contingence ou anti-contingence chez chacun des partenaires peut être traduit en termes de clinique psychanalytique : on fait appel ici à des dimensions métapsychologiques telles que l'angoisse, les conflits, les défenses. L'expérience clinique révèle alors que des phénomènes d'anti-contingence peuvent être compris, notamment, sous forme d'inhibition chez la mère et sous forme d'intrusion ou d'éléments fusionnels chez l'enfant.

Il en va de même pour le concept d'*attunement* défini par D. STERN [11] : c'est par cette expression qu'il décrit comment une mère et son enfant développent une possibilité de percevoir, ou de lire, les affects et les états intérieurs du partenaire. On a traduit le terme d'*attunement* par accordage. C'est ainsi qu'on peut décrire des indices d'intensité d'un comportement, par exemple les gestes, l'intonation de la voix, ou encore le faciès, qui permettront au partenaire de percevoir l'intensité de l'état intérieur de l'autre. Il semble que le bébé développe une sorte de vocabulaire affectif qu'il relie à ce qu'il peut percevoir dans le rythme, le tonus et l'intensité de la mimique et du comportement maternels. D'une part, il relie ces éléments perceptifs à son état intérieur à lui, ce qui lui permet d'apprendre en miroir ce qu'il devrait ressentir ; d'autre part, il arrive ainsi à construire peu à peu une représentation de ce qui se passe chez son partenaire. L'enfant a ainsi accès à ses états intérieurs et il peut les représenter à partir de ce qu'il lit dans les formes du comportement maternel.

Chaque couple mère-enfant développe une forme d'accordage spécifique : on a pu mettre en évidence que chaque mère entre en unisson affectif avec différents aspects du comportement de l'enfant et entre en résonance également avec différents niveaux d'excitation du bébé. Par exemple, certaines mères réagissent d'une manière symétrique par leur propre excitation lorsque l'enfant est à son plus haut niveau d'engagement ou d'éveil. D'autres mères, au contraire, semblent préférer entrer en unisson avec l'enfant lorsqu'il sort d'une période d'excitation. La vision du monde, la vision du *self* et la façon d'être avec l'autre seront différentes suivant les vicissitudes particulières de cet accordage, qui est fonction de l'état d'excitation de l'enfant et de celui de la mère.

Les études de STERN sur «l'être avec l'autre», en fonction de l'accordage sélectif qu'effectue la mère, nous permettent d'envisager comment se forment les territoires d'empathie et ceux où l'enfant restera seul, c'est-à-dire où il réalisera qu'il n'y a pas de possibilité d'accordage. Cette notion est évidemment très importante sur le plan de la clinique psychanalytique, puisqu'on se rend bien compte, dans la situation transférentielle par exemple, que pour certains patients il y a des possibilités de communication, d'échange et de relation d'objet qui sont limitées à certaines zones d'expérience, laissant d'autres parties exclues du commerce avec autrui, ce qui entraîne chez le patient des sentiments de solitude ou de non-partage. On peut considérer ces formations de territoire en relation avec des concepts tels ceux de clivage ou de territoire autistique par exemple. Cette problématique peut vraisemblablement être évoquée de façon différente par les notions de self authentique et de faux self. On peut en effet imaginer que certains enfants devront démesurément hypertrophier certains états pour pouvoir maintenir le contact avec leur mère, alors que d'autres états devront être clivés et abandonnés parce qu'ils ne permettent aucune possibilité de contact avec l'objet.

La notion d'*attunement* ou accordage semble être une des plus prometteuses dans le domaine des corrélations entre ce qui peut être observé et ce qui peut être imaginé au niveau du fonctionnement psychique inconscient. En effet, l'accordage que fait la mère avec les états de l'enfant peut très bien être considéré comme équivalent de ce que WINNICOTT a appelé le *holding*, ou de ce que BION décrit comme la «fonction Alpha», c'est-à-dire la capacité qu'a la mère de prendre à son compte les projections d'états de l'enfant, puis de les lui rendre légèrement modifiées afin qu'il puisse à son tour les intégrer et les introjecter. Il est bien entendu que dans ce processus — qu'on le décrive sous forme de *holding* ou de fonction alpha —, il est indispensable que la mère puisse entrer en résonance avec les états de l'enfant, c'est-à-dire s'identifier à ce dernier. On voit dès lors toutes les possibilités de recoupement entre l'*attunement* d'une part et ce qu'on a pu appeler l'empathie d'autre part. D'après les descriptions de l'*attunement* de D. STERN, on peut voir également dans quelle mesure l'*insight* que l'enfant pourrait avoir de ses états intérieurs plus tard, lorsqu'il sera en situation analytique, dépendra de la possibilité qu'il aura eue de partager ses états intérieurs avec sa mère, et que le défaut d'*insight* pourrait être en corrélation avec des zones où l'*attunement* aurait échoué.

Une notion assez proche de celle d'*attunement* est décrite notamment par EMDE [4] sous le terme de *referencing*, qu'on pourrait traduire par le terme de «référence émotionnelle». Elle peut être vérifiée par une méthode expérimentale où l'enfant est mis dans une situation de perplexité et d'appréhension. On a constaté que, dans cette situation, l'enfant se tourne à chaque fois vers le visage de sa mère comme s'il cherchait à trouver dans son regard et sur son faciès les informations qui lui indiqueront s'il doit continuer sa tâche ou battre en retraite. Si la mère présente un visage qui reflète la confiance, le plaisir, et que ces sentiments se traduisent entre autres par le sourire, l'enfant continuera sa tâche sans hésiter. Par contre, si elle prend alors un visage marqué par l'appréhension et la peur, il cessera immédiatement son investigation. On ne peut s'empêcher d'établir ici une corrélation avec ce qui a souvent été décrit comme la fonction de miroir du visage maternel. L'enfant accorde son état intérieur en fonction de ce que le visage de la mère lui renvoie, et ce schéma conceptuel a été largement exploité dans la littérature psychanalytique, entre autres par WINNICOTT et KOHUT.

Un des grands intérêts de toutes ces approches d'observation, c'est qu'elles permettent d'identifier, dans un comportement visible, ce que l'on avait déjà prévu ou reconstruit à partir de situations psychanalytiques. Par ailleurs, cette observation donne des points de repère que l'on peut systématiser en employant les concepts d'*attunement*, de référence, de mutualité, de contingence ; et ce sont les échecs de ces différents processus qui peuvent nous permettre de mettre le doigt sur des difficultés spécifiques de l'interaction. Secondement, on peut montrer ces difficultés aux mères, par exemple en leur faisant voir des enregistrements vidéo de ce qui s'est passé dans l'interaction, et à partir de cela, les faire parler de leur expérience intime afin de relier ces échecs aux mouvements fantasmatiques, aux conflits, aux angoisses et aux défenses, dans le fonctionnement intrapsychique de la mère.

VIII. OPPORTUNITÉ DU TRAITEMENT ET DE LA PRÉVENTION

Comme on vient de le souligner plus haut, c'est lorsqu'on arrive à déterminer, dans l'interaction visible, les échecs de ces différents paramètres qu'il est possible d'identifier ce qu'on pourrait appeler les symptômes de l'interaction. Il peut s'agir d'aberrations grossières de l'interaction, ou encore d'échecs spécifiques, qui seront alors identifiés à des interactions à risque ou à des interactions symptomatiques.

Des études cliniques dans ce domaine ont commencé à paraître dans la littérature depuis quelque temps. Les plus remarquables dans la littérature anglo-saxonne sont certainement celles de S. FRAIBERG [5] qui a mis en relief, de façon très spécifique, des aberrations de l'interaction, pour les relier dans un deuxième temps à la fantasmatique et à la problématique intrapsychique de la mère. On peut ainsi décrire la corrélation qui existe entre une difficulté particulière au niveau de l'interaction (par exemple une façon inopportune de nourrir l'enfant ou des formes subtiles d'inhibition dans le contact corporel entre la mère et l'enfant, ou encore des situations de surstimulation de l'enfant par la mère) et ses déterminants sur le plan intrapsychique chez celle-ci.

FRAIBERG [5] a décrit en particulier une des vicissitudes fréquentes que l'on rencontre dans cette clinique interactive, à savoir la projection que fait la mère sur l'enfant d'un objet important de son propre passé. C'est ce qu'elle a appelé *ghosts in the nursery*, c'est-à-dire la présence de fantômes dans l'entourage immédiat de l'enfant. Dans la clinique de l'interaction précoce on constate en effet, de façon tout à fait courante, l'intensité particulière avec laquelle la mère effectue des «transferts» sur son enfant. Il y a plusieurs formes de projection ; les plus fréquentes sont la projection de la mère elle-même, ou encore la projection d'un frère ou d'une soeur de celle-ci sur l'enfant, de telle sorte que la mère organise son interaction en fonction de sa relation avec un objet du passé et non pas du tout en fonction de la réalité des signaux et du comportement de l'enfant.

Lorsqu'elle présente une inhibition dans le contact corporel avec le bébé, on peut voir en filigrane se détacher le fantôme d'une relation incestueuse de son propre passé ; ou encore, dans le cas où elle rejette certains aspects du comportement de l'enfant, on peut déceler un conflit entre elle et un frère ou une soeur dans le passé, conflit matérialisé, dans le présent, dans la relation avec l'enfant. De façon générale, on constate de manière très pénétrante l'effet de *matérialisation* des contenus psychiques maternels que réalisent l'interaction réelle et les symptômes fonctionnels du bébé. C'est comme si la mère cherchait à récupérer un objet de son passé, ou plus exactement une relation fantasmatique ou réelle de son passé, en demandant à l'enfant de reproduire d'une façon matérielle les indices qui lui permettent d'avoir l'illusion que la relation ancienne est renouée. Ceci est particulièrement visible lorsque la mère n'a pas fait le deuil de certains objets importants de son passé et qu'elle cherche à tout prix à les recréer à travers la présence de l'enfant.

Dans l'autre cas, la projection n'est pas tant celle d'une relation d'objet du passé que celle d'éléments beaucoup plus narcissiques. C'est ainsi que la mère peut projeter des parties d'elle-même qu'elle «recrée» chez l'enfant en provoquant chez lui certains comportements, et même certains symptômes : par exemple, une mère qui n'a pas pu faire le deuil de sa propre toute-puissance infantile, cherchera par toutes sortes de moyens à la recréer chez son enfant, en organisant des interactions où toute l'initiative est laissée à celui-ci. Généralement, ces mères viennent nous consulter en se plaignant de l'aspect tyrannique de leur enfant, et ne réalisent pas qu'elles ont tout fait pour encourager cette toute-puissance qui leur permet, d'une manière vicariante, de vivre une retrouvaille avec leur propre narcissisme infantile perdu.

Dans d'autres situations, c'est un aspect refoulé ou clivé et interdit du fonctionnement psychique de la mère qui est ainsi matérialisé dans l'enfant. Par exemple, telle mère peut craindre de voir dans le comportement de son bébé des éléments d'une sexualité précoce. Telle autre procédera à un contrôle extrêmement strict de l'alimentation de son enfant tant elle craint l'aspect dévorateur de l'oralité de celui-ci, qui n'est autre qu'une projection massive de la sienne. Dans ce dernier cas, on observera dans l'interaction réelle une activité très contrôlante et anti-contingente de la part de la mère, en ce qui concerne très spécifiquement l'oralité de l'enfant. C'est ainsi que l'on peut voir une mère qui, sans attendre la sollicitation de l'enfant, va lui fourrer un biberon dans la bouche. Le caractère anti-contingent se manifeste par le fait que c'est la mère qui amorce l'action de la prise de nourriture sans que l'enfant n'en manifeste aucun désir. Ce genre de situation révèle souvent des anorexies parfois assez sévères.

En ce qui concerne l'*attunement* (l'accordage), on voit des mères qui se détournent systématiquement de leur enfant lorsque celui-ci est à un niveau d'excitation maximal, comme si elles craignaient que ce soit leur propre excitation interne qui se matérialise à ce moment-là dans l'enfant. L'impact du *referencing* peut être observé notamment par les signaux infra-verbaux que la mère envoie à l'enfant lorsqu'il est dans un certain état ou au cours d'une certaine activité, lui indiquant clairement qu'elle désapprouve ce qu'il fait ou qu'elle est angoissée par son activité. C'est ainsi que l'enfant apprend quels sont les états et les activités qu'il ne saura jamais partager avec sa mère.

Les possibilités d'une intervention thérapeutique, qui est d'ailleurs toujours de portée préventive à cet âge précoce, sont assez évidentes dans ces cas : il s'agit de démontrer à la mère la nature de son interaction, et ce, dans les termes les plus descriptifs de ce qui se passe réellement au niveau de l'interaction visible et, simultanément, de l'entraîner à analyser ses sentiments sur ce qui se passe à ce moment-là. Dans la situation clinique où l'on voit mère et enfant ensemble, il arrive souvent qu'un scénario très révélateur se dessine entre la mère et l'enfant d'une manière simultanée aux verbalisations de la mère, révélant alors un conflit particulier. Je ne peux résister à donner ici un petit exemple clinique de ce genre de coïncidence, lequel permet d'éclairer de manière très substantielle la pathologie interactionnelle d'une part et les mouvements de communication d'autre part.

Une mère m'amène son enfant de 16 mois parce que, depuis très longtemps, elle craint ses crises de colère et notamment ses énormes réactions lors de toute séparation physique. Elle me confie que, dans son désespoir, elle va parfois s'enfermer dans les toilettes pour avoir un moment de répit face à cet enfant qui apparemment ne supporte aucun éloignement. Lorsque l'enfant tente d'entrer dans les toilettes, elle lui dit alors «Caca !» d'une voix qui indique clairement son désir que l'enfant s'éloigne. Lors des séances de psychothérapie conjointe avec la mère et l'enfant, celle-ci commence à révéler qu'elle ne supporte pas les portes fermées et bientôt, un souvenir surgit : au cours de sa deuxième année, elle avait été séparée de sa mère et mise en pouponnière. Un souvenir-écran lui revient alors à l'esprit d'une façon péremptoire : elle est dans son lit d'enfant, à la pouponnière ; sa mère vient lui rendre visite mais n'ose pas pénétrer dans sa chambre car l'enfant est atteinte d'une maladie contagieuse. L'enfant ne peut alors voir sa mère qu'à travers une porte vitrée. C'est au cours de cette psychothérapie que la mère, tout d'un coup, se rend compte de l'importance de cette séparation-là qui représente, évidemment, un souvenir-écran de nombreux autres traumatismes. Elle se met alors à pleurer à chaudes larmes et nous commençons à parler de son angoisse de séparation vis-à-vis de sa propre mère, dont elle avait été séparée par une porte. D'une manière étonnante, l'enfant, qui jusqu'alors jouait tranquillement par terre, se retourne à ce moment-là et dit «Caca». Il monte alors sur les genoux de sa mère et se met à jouer à toucher les yeux de celle-ci avec ses doigts. Il répète «Caca» et semble intéressé par les larmes et probablement par l'état affectif de dépression de sa mère. À ce moment-là il ouvre et ferme les paupières de sa mère en disant «Caca». Il semble que là, de nouveau, il soit question d'une séparation ; il ne s'agit plus d'une porte qui se ferme mais des yeux qui se closent, créant par là une autre forme de séparation.

Ce petit exemple a bien entendu été exploité de façon extensive dans cette thérapie pour démontrer à la mère que son enfant saisissait bien son état affectif à elle d'une part, et l'association entre le mot «caca», la séparation et l'affect dépressif d'autre part. Il y a donc déjà le départ d'une activité symbolique de représentation, où le signifiant «caca» est relié de façon péremptoire au signifié de séparation et de dépression.

Sans élaborer plus avant cet exemple, on peut voir à quel point ce genre de situation est fréquent dans la pratique psychothérapique des couples mère-enfant, et devient une source très importante d'une part pour la compréhension de certaines symptomatologies, mais plus généralement pour la compréhension de la formation des processus psychiques, et des processus de symbolisation et d'empathie. On peut même suggérer que ce genre de situation pourrait nous tracer des voies d'avenir pour comprendre également les processus d'identification développés par l'enfant vis-à-vis des états psychiques de la mère.

Dans le travail psychothérapique, il est bien entendu que notre intervention touche surtout la mère et que, dans un cas comme celui qui a été cité ci-dessus, on essaiera de réduire la projection que fait la mère, sur son enfant, de ses propres états dépressifs et de son angoisse de séparation, causée ici par le souvenir de portes qui se fermaient entre elle et sa mère.

Je soulignerai de plus qu'il y a, dans les phases précoces du développement et dans les situations de thérapie où les mères ont des enfants très jeunes, un potentiel psychothérapique tout à fait particulier qui n'est jamais retrouvé à des âges plus avancés ; les psychothérapies mère-enfant peuvent donner des résultats probants dans un laps de temps relativement court. La résurgence de la névrose infantile de la mère est un phénomène maintenant bien connu dans le post-partum et l'on peut également y déceler les paramètres suivants :

1) l'effet de matérialisation que procure l'enfant et sa symptomatologie, révélant une réification des relations d'objet et des fantasmes de la mère ;

2) un retour en force, chez la mère, d'éléments conflictuels et régressifs dans sa relation avec l'enfant, émanant de sa propre relation infantile avec ses objets les plus anciens ;

3) une possibilité de mobilité psychique particulière chez les mères de très jeunes enfants, favorisant entre autres des mobilisations des défenses et des conflits, et permettant une mise en place rapide de transferts positifs qui favorisent les psychothérapies à cette période.

CONCLUSION

Dans ce survol de certaines notions concernant les études sur l'interaction, j'ai essayé de démontrer tout d'abord qu'il faut rester très vigilant pour éviter un risque de confusion conceptuelle entre l'observation directe et la reconstruction en situation psychanalytique. Si l'on est intéressé à travailler directement avec de très jeunes enfants, on ne peut s'empêcher d'essayer d'établir des corrélations et des points de recoupement entre des notions psychanalytiques et des notions de l'observation directe. Il faut souligner que l'observation directe de l'interaction n'est pas identique aux observations de l'enfant seul telles qu'on les pratiquait dans les études longitudinales des années 1960. L'approche de l'interaction est nécessairement une approche à deux partenaires au moins, et souvent à trois. Par ailleurs, on évite une réification des phénomènes psychiques en considérant que tout ce qui se passe au niveau de l'interaction est toujours de la nature d'un processus.

Ce qui semble essentiel, c'est de pouvoir envisager nos observations dans le contexte de l'interaction réelle, et procéder à une corrélation entre ces observations et les données connues sur la relation d'objet du point de vue psychanalytique. Les notions telles que celles de contingence, d'accordage (*attunement*) et de référence émotionnelle permettent de saisir, sur le plan de l'observation, des processus qui correspondent très fortement à ce qui est décrit depuis longtemps comme une reconstruction psychanalytique au niveau de la relation d'objet précoce.

Ces corrélations sont particulièrement utiles dans la situation clinique et thérapeutique mère-enfant. Mais sur un plan plus théorique, la notion de sociabilité innée et l'évidence de l'établissement de règles très spécifiques dans chaque interaction mère-enfant nous permettent de tenter une redéfinition de certains concepts psychanalytiques classiques, tels le narcissisme primaire et la barrière de protection contre les stimuli, ainsi que de certaines notions telle la phase autistique de MAHLER. De plus — et c'est là à mon sens le point de recoupement le plus intéressant —, dans les interactions précoces, on assiste à l'établissement de scénarios très spécifiques entre mère et enfant, résultant surtout des conflits de base, des angoisses et des inhibitions dans le fonctionnement psychique maternel.

Les études sur l'interaction démontrent que le bébé a extrêmement tôt la possibilité et les moyens de percevoir les signaux du comportement maternel, lesquels déclenchent des processus de sélection dans ses propres états affectifs et dans son propre comportement. Il y a ainsi toute une série de facilitations et d'inhibitions dans le fonctionnement de l'enfant qui sont négociées avec la mère en relation avec les inhibitions et les libertés qu'elle a dans son propre fonctionnement. Très tôt, l'enfant devient un partenaire très agissant dans cette interaction, construisant son propre psychisme en fonction de cette interaction. On peut mieux théoriser ce processus à partir d'une définition des identifications précoces : l'enfant intériorisera des schèmes interactifs qui indiquent de façon péremptoire les parties de son fonctionnement psychique qu'il peut développer dans la relation à deux, et celles qui peuvent être exclues, clivées ou carrément expulsées, et qu'il ne pourra dès lors plus partager.

Ce sont les études sur l'interaction qui vont probablement permettre le plus facilement de mettre en relief les modalités par lesquelles ces contagions psychiques de parent à enfant vont se traduire, et les façons dont l'enfant organisera ses identifications ainsi que ses propres conflits et inhibitions à partir de ces communications précoces. C'est dans ce domaine-là qu'il me semble exister un recoupement potentiel entre certaines préoccupations psychanalytiques et les études directes de l'interaction.

SUMMARY

PSYCHOANALYTIC MODELS, INTERACTIVE MODELS: THEIR POSSIBLE INTERRELATIONS

One of the most marking influence of psychoanalysis on psychiatry is the emphasis that is put upon childhood as a determinant factor of the entire psychic functioning. This fact has brought about a fascination for that which is precocious in a movement that tends to link chronologic origines with the causes of future psychic formations.

Psychoanalysis reaches those early movements by reconstruction — and even construction — as it unfolds during a therapy, that is, according to what is elaborated later in a "differed action".

Recently we have tried to grasp the phenomenology of precocism when the phenomenon actually takes place : in statu nascendi. Studies of early interaction tend to point out the behaviour modalities that could reveal the laws governing exchanges between the mother and the infant. The data brought to light by these studies modify our image of the new born, inciting a correlation and a comparison between the models gathered by direct observation and the indirect psychoanalytic reconstruction. The epistomologic originality of each of these models being respected, one could try to cross-check some of the data : the notion of radical primary narcissism, or normal autistic phase, should be talked about in terms of dialectic with regards to primary sociability of interaction ; precocious cathexis should be correlated with perceptual attention ; the desire for stimuli should rectify a static vision of the system by excitation.

Some parameters of interaction, such as contingency and attunement allow us to consider the visible correlates of precocious relations, of empathy and of identification.

Psychiatric practice with mothers and infants points to the interest of bifocal vision simultaneously regarding interactive behaviour (real interaction) and the fantasmatic substructure (fantasmatic interaction). Based on real interaction — the decoding of interactive scenarios implies a possible correlation with the unconscious fantasmatic movements.

It is in the field of precocious communications that we could better perceive the interest of cross-checking interactive studies and the psychoanalytical formulations, in the forming of identifications, of "psychic contagions" and the transitional phenomena between the psychism of the parents and that of the child.

BIBLIOGRAPHIE

1. BRUNER, J. (1983) «Thought, Language and Interaction in Infancy», **Frontiers of Infant Psychiatry** (J.D. Call, E. Galenson & R. Tyson, Eds.), New York, Basic Books.

2. CRAMER, B. (1979) «Sur quelques présupposés de l'observation directe de l'enfant», **Nouvelle revue de psychanalyse**, printemps 1979.

3. CRAMER, B. (1982) «Interaction réelle, interaction fantasmatique. Réflexions au sujet des thérapies et des observations de nourrissons», **Psychothérapies**, n° 1.

4. EMDE, R.N. et J.F. SORCE. (1983) «The Rewards of Infancy : Emotional Availability and Maternal Referencing», **Frontiers of Infant Psychiatry** (J.D. Call, E. Galenson, R. Tyson, Eds.), New York, Basic Books.

5. FRAIBERG, S. (1980) **Clinical Studies in Infant Mental Health : the First Year of Life**, New York, Tavistock Publ.

6. FREUD, S. (1937) **Analysis Terminable and Interminable**, Stand Ed., vol. 23.

7. KAYE, K. (1982) **The Mental and Social Life of Babies**, Univ. of Chicago Press.

8. KREISLER, L. et B. CRAMER. (1981) «Sur les bases cliniques de la psychiatrie du nourrisson», **La psychiatrie de l'enfant**, vol. XXIV, n° 1.

9. SAMEROFF, A. (in press) «Motivational Origins of Early Cognitive and Social Behavior», **Behavioral Development; an Interdisciplinary Approach** (K. Immelmann, G.W. Barlow, M. Main, L.F. Petrinovich, Eds.).

10. STERN, D. (1982) «The Early Development of Schemas of Self, other and "Self with Other"», **Reflections on Self Psychology** (J.D. Lichtenberg & S. Kaplan, edit.), New York, Int. Univ. Press.

11. STERN, D. (1983) «Early Transmission of Affect : Some Research Issues», **Frontiers of Infant Psychiatry** (J.D. Call, E. Galenson, R. Tyson, Eds.), New York, Basic Books.

De la psychanalyse à la psychiatrie du nourrisson : un long et difficile cheminement

Yvon GAUTHIER

Ce qu'on appelle actuellement la psychiatrie du nourrisson constitue la plus récente expression d'une tendance profonde et ancienne du mouvement psychanalytique : retourner aux origines les plus archaïques de l'enfant et de son développement pour expliquer les diverses manifestations normales ou pathologiques que l'on retrouve tout au cours de sa vie.

L'histoire de ce retour aux sources les plus anciennes est intéressante, car elle est marquée de tensions significatives dans plusieurs étapes importantes. C'est autour de ce retour aux origines que se sont exprimées certaines tendances contradictoires : d'une part, cette tendance à développer et à utiliser l'observation de l'enfant selon une méthode qui doit graduellement se plier aux consignes «scientifiques», et d'autre part, cette tendance, aussi ancienne que la psychanalyse, à la reconstruction d'un passé lointain et à une théorisation à la fois très proche de l'imaginaire et désireuse de retrouver les racines de l'imaginaire chez l'enfant.

On retrouve, dans le courant actuel d'observations, de recherches et de théorisation sur le nourrisson et le jeune enfant, des tensions très semblables. L'observation «naturaliste»[1] et scientifique des comportements est souvent perçue

---

(1) Ce terme n'a pas encore atteint le dictionnaire, mais il est de plus en plus utilisé pour traduire le terme anglais **naturalistic** qu'emploient les éthologues et les psychologues du développement.

179

comme contradictoire à l'opération «reconstruction», et comme une menace à l'essence même du processus psychanalytique et à l'identité du psychanalyste. La psychanalyse s'est développée dans un climat où elle s'est constamment sentie menacée de l'extérieur. La recherche de «pureté» dans la définition de l'essentiel de son être et ses fonctions, de sa technique et des mécanismes de son influence thérapeutique est à nouveau présente dans l'étape actuelle, comme on la retrouve dans plusieurs épisodes importants de son histoire.

Ce texte se veut une approche très préliminaire de cette longue histoire de tensions significatives.

I. FREUD ET L'IMPORTANCE DE L'ENFANCE

C'est très tôt dans son histoire que la psychanalyse a été amenée à découvrir l'importance de l'enfance dans la genèse de la psychopathologie de l'adulte. La découverte du refoulement des affects traumatiques a conduit à la notion d'inconscient et, en même temps, à la découverte de l'importance et de l'existence permanente des évènements du jeune âge à l'intérieur même du psychisme. Dans ses *Trois essais sur la théorie de la sexualité*, FREUD met en lumière l'importance des premières phases du développement pour expliquer la psychopathologie chez l'adulte [17]. Toute la sexualité humaine trouve un début d'explication de ses vicissitudes dans les traumatismes, les arrêts et les fixations des premières années.

On sait bien que si FREUD retourne constamment aux expériences des premières années de la vie pour expliquer les névroses, ses théories ne sont pas le fruit d'«observations» de l'enfant lui-même. Il s'agit pour lui de reconstruire le passé à partir de ce qu'il entend et observe dans la situation analytique avec des adultes. «Le Petit Hans»[18] est le résultat de consultations avec le père de cet enfant qui, lui, n'aura été vu qu'une fois. Sans doute FREUD possédait ce don d'utiliser les moindres observations autour de lui : on cite très souvent ce passage d'*Au delà du principe du plaisir* [20], où il décrit le jeu de la bobine d'un neveu et l'utilise dans une élaboration théorique pour expliquer les phénomènes répétitifs des névroses. Il ouvre ainsi la voie à l'analyse des comportements de très jeunes enfants afin d'en chercher la signification en relation avec les affects déjà essentiels qui s'y expriment.

Si FREUD voit très tôt l'importance de l'union intime de l'enfant et de sa mère, et la dépendance essentielle entre les deux pour la survie de l'espèce, il n'a évidemment pas observé ni accentué l'«interaction» entre ces deux partenaires (ce terme est d'ailleurs bien récent, comme le fait remarquer LEBOVICI ([31], p.9).

Pourtant, les fondements de sa métapsychologie s'appuient essentiellement sur cette dépendance étroite entre l'enfant et sa mère, l'expérience d'un plaisir hallucinatoire et l'établissement du principe de réalité à partir de ce désir frustré

(FREUD [19]). Mais une telle construction théorique ne repose pas sur des observations systématiques de ce qui se passe dans la relation originale entre la mère et l'enfant.

Dans *Inhibitions, symptômes et anxiété* [21], FREUD reprend l'histoire de la phobie du petit Hans et pousse plus loin sa théorie de l'angoisse. Il y rappelle la réaction du jeune enfant laissé seul, ou dans le noir, ou encore avec une personne inconnue, réaction qui exprime clairement son sentiment de «manque de quelqu'un qui est aimé et recherché» *(longed for)*. FREUD en vient à considérer la première anxiété comme exprimant la perte de l'objet maternel ; il discute longuement des mécanismes en jeu, mais n'insiste aucunement sur le rôle développemental de la relation mère-enfant.

Ce sont les disciples de FREUD qui, même de son vivant, ont voulu remonter le plus loin possible dans l'enfance pour expliquer les phénomènes psychopathologiques de l'adulte. On verra comment FREUD réagit aux élaborations de RANK sur le traumatisme de la naissance. Aucun document, à ma connaissance, n'a pu être publié, qui nous permettrait de connaître ses réactions à la controverse entre sa fille Anna et Mélanie KLEIN.

Ce que l'on peut affirmer, c'est que le développement des idées autour de ce retour aux origines se fera dans un climat de tensions importantes.

II. LES PREMIÈRES TENSIONS

Les deux premiers épisodes de cette tension se situent dans les années 1920-1930 : il s'agit de la rupture entre RANK et FREUD, et des luttes entre Mélanie KLEIN et ANNA FREUD. La contribution de SPITZ a été moins conflictuelle, mais son importance méritera d'être mentionnée.

RANK et FREUD

En 1924, après des travaux dont l'essentiel avait été tenu secret entre FERENCZI et lui-même, RANK publie *Le traumatisme de la naissance*. Déjà en 1909, dans une note de la Xième édition de *L'interprétation des rêves*, FREUD avait affirmé que «la naissance est la première expérience d'anxiété et est ainsi la source et le prototype de l'affect d'anxiété» (FREUD [16], p. 400). RANK reprend cette idée et en fait le centre d'une théorie selon laquelle l'étiologie des névroses remonte au traumatisme jamais vraiment maîtrisé de la naissance. Les états d'anxiété subséquents seraient une reproduction de cette anxiété primaire et une tentative d'abréaction de cet affect. En même temps, il ajoute le concept important d'un désir de retourner au plaisir de la vie intra-utérine, sa perte ayant été un traumatisme majeur pour l'enfant. Dans une longue argumentation fondée à peu près uniquement sur ses connaissances mythologiques ou sur des observations anthropologiques, il insiste sur l'idée que la névrose est tantôt l'expression du désir de retrouver ce paradis perdu, tantôt la manifestation du traumatisme de l'avoir perdu.

FREUD paraît de prime abord assez sympathique à cette contribution d'un de ses disciples préférés, peut-être surtout parce qu'elle semble reprendre une idée qu'il avait lui-même déjà proposée. Dans des notes ajoutées à la réédition des *Trois essais* ([17], p. 226) et du *Petit Hans* ([18], p. 116), il fait allusion à la théorie de RANK, mais de façon plutôt neutre, sans commentaire ou critique.

En fait, RANK devient assez rapidement l'objet de critiques majeures, particulièrement de la part de JONES et ABRAHAM, et FREUD se trouve étroitement mêlé à ces querelles. C'est finalement près de deux ans plus tard, dans *Inhibitions, symptômes et anxiété* [21], qu'il reprend de façon magistrale tout le problème de l'anxiété et qu'il s'en sert pour réfuter clairement la théorie de RANK. Il continue de tenir à l'idée que la naissance peut être considérée comme la première expérience d'anxiété pour l'être humain, le «prototype» des états d'anxiété postérieurs. Il réfute cependant l'hypothèse d'impressions premières sensorielles, surtout visuelles, comme non fondée et très improbable. Il montre bien que RANK se contredit en mettant l'accent tantôt sur le désir du retour au plaisir de la vie intra-utérine, tantôt sur le traumatisme de sa perte. Il critique surtout ce qui est probablement la plus grande faiblesse dans la contribution de RANK, son manque d'observations cliniques pour la fonder :

> « No body of evidence has been collected to show that difficult and protracted birth does in fact coincide with the development of a neurosis, or even that children so born exhibit the phenomena of early infantile apprehensiveness more strongly and over a longer period than other children. » ([21], p. 152)

Enfin, FREUD voit bien que la théorie de son disciple remet en question le complexe d'Oedipe, en mettant un accent exclusif sur cette expérience primitive qui devient explicative de tout problème ultérieur.

Il serait trop simple de penser que seul le contenu de cette contribution de RANK l'a conduit à la rupture avec FREUD. L'historique qu'en fait JONES [26] met en évidence la complexité des divers facteurs en jeu. L'utilisation technique que RANK a voulu faire de sa théorie : raccourcir l'analyse en la centrant sur l'abréaction du traumatisme de la naissance et de la séparation, est probablement l'élément central de la rupture. D'autres facteurs plus personnels ont sans doute joué aussi un rôle important.

Il y a pourtant dans cette théorie de RANK le germe de certaines idées qui seront reprises graduellement : l'importance de la séparation de l'enfant d'avec sa mère et celle des relations précoces mère-enfant. C'est sa manière si peu scientifique, si enflammée de les présenter qui a sans doute conduit ses contemporains à les mettre de côté. C'est d'ailleurs, il me semble, la critique principale que FREUD en a faite.

Nous reverrons de façons diverses et souvent contradictoires l'importance de ce conflit entre «observation» et «reconstruction», dans d'autres épisodes de cette petite histoire de la psychiatrie du nourrisson.

Mélanie KLEIN et Anna FREUD

Les psychanalystes d'enfants connaissent bien les grandes lignes de cet épisode, encore plus important par ses répercussions à long terme et par le symbolisme des tendances en jeu.

Très tôt dans leur formation analytique, Mélanie KLEIN et ANNA FREUD s'intéressent à l'enfant, pas seulement celui que l'on peut reconstruire à partir de la situation analytique, mais celui qui présente déjà des signes de perturbation dans son développement. Elles adaptent toutes deux l'instrument analytique dans le but de rejoindre la vie fantasmatique de ces êtres encore très jeunes. Elles doivent travailler à partir de rien, et non sans subir les critiques aussi bien du milieu extérieur que du milieu psychanalytique. Plus grave encore, elles deviennent assez rapidement en lutte entre elles, et leurs divisions feront l'objet de travaux importants où elles tenteront de clarifier leur pensée. Toutes les deux ont une oeuvre écrite importante et un système de pensée très cohérent. Elles auront chacune de leur côté, dans des écoles dont l'influence a été et est encore puissante, de profondes répercussions sur toute la pensée psychanalytique. En fait, leur conflit se situe en grande partie autour de leur conception du jeune enfant, et il annonce l'avenir de façon prophétique.

Dès leurs premières oeuvres, on voit les oppositions se marquer. Les différences semblent d'abord se situer surtout au plan de la technique : la capacité de l'enfant d'associer librement, le rôle du jeu et du langage dans la communication avec lui, l'interprétation directe ou plus graduelle de l'anxiété. Mais en fait, c'est plus profondément, à la base même de leur théorie, que l'opposition est manifeste. On le voit bien dès ce *Symposium on Child Analysis* [29] tenu à la British Society de Londres en mai 1927, où l'on présente un résumé des cours qu'ANNA FREUD avait donnés à Vienne en 1926 sur l'*Introduction to the Technique of Child Analysis*. Les critiques de Mélanie KLEIN portent surtout sur la technique, mais ses divergences d'opinion sur le transfert et le surmoi sont dès lors très claires. Et déjà on peut voir que sa poussée vers le premier âge est très forte : «*One will discover many ways and means of probing to the deepest depths*» (p. 342), «*... play technique gives us access to the deepest strata of the mind*» (p. 352).

Avec l'appui de collègues anglais, Mélanie KLEIN continue dans cette direction et développe une théorie de la genèse du fonctionnement mental qui remet en question tout ce qui est accepté jusque-là : le conflit oedipien se développerait par suite du sevrage de l'enfant, dès la fin de la première année ou au début de la deuxième année ([29], p. 357). Elle décrit successivement les premiers mécanismes de défense de l'enfant contre l'agressivité primaire, la position dépressive et la position paranoïde, qui deviennent des phases du développement normal et qu'elle situe toujours plus tôt dans le développement mental.

Fruit de contacts analytiques avec de jeunes patients très perturbés, cette psychologie kleinienne n'est aucunement reliée à l'observation de nourrissons (même si son oeuvre nous fait découvrir plus tard une activité «observationnelle» des nourrissons ([28], p. 3 et 96). Il s'agit plutôt essentiellement d'une reconstruction théorique qui devient le prototype de la vie imaginaire de l'enfant. Toujours à ce fameux symposium de Londres, on peut entendre Joan RIVIÈRE dire :

« *Psychoanalysis is Freud's discovery of what goes on in the imagination of a child* [...] *Analysis has no concern with anything else ; it is not concerned with the real world* [...] *It is concerned simply and solely with the imaginings of the childish mind, the phantasied pleasures and the dreaded retributions.* » ([36], p. 376-377)

On peut imaginer que les réactions à Londres sont très fortes. Les théories de Mélanie KLEIN et de ses disciples deviennent l'objet de discussions intenses, et menacent de créer une scission grave dans la Société anglaise de psychanalyse (KING, [27]).

De son côté, ANNA FREUD poursuit une oeuvre qui se situe très proche de l'expérience clinique et qui semble généralement mieux reçue que celle de Mélanie KLEIN, malgré les critiques surtout centrées sur les tendances dites «éducatives» de sa technique. Ce n'est pas le lieu de revenir sur l'essentiel de sa contribution bien connue de tous, mais plutôt de mettre l'accent sur certains aspects plus controversés. Il faut se souvenir qu'ANNA FREUD a d'abord été éducatrice dans une garderie (*nursery school*) à Vienne, et sans doute ces premières expériences ont-elles influencé cette tendance à l' «observation» de jeunes enfants, qui deviendra l'un des courants importants de son école de pensée.

Arrivée à Londres en 1938, elle travaille aussitôt dans des «nurseries» pour enfants séparés de leurs parents à la suite des diverses circonstances de la guerre. Elle utilise cette situation très traumatique pour poursuivre ses observations sur les expériences de séparation et de deuil, qui conduisent à des ouvrages importants [24,25]. Je crois qu'il s'agit là des premières observations de type naturaliste dont l'utilisation fera avancer les connaissances psychanalytiques du développement de l'enfant.

184

C'est au début des années 1950 que ce courant trouvera un lieu privilégié d'expansion dans le laboratoire mis sur pied à Yale par Ernst KRIS. Dans sa *Petite histoire de l'analyse d'enfants* [23], ANNA FREUD lui attribue d'ailleurs la plus grande responsabilité dans le fait que l'observation des enfants en dehors de la situation analytique soit devenue pour l'analyste la deuxième source légitime de connaissances de l'enfant. Il est certain qu'elle a elle-même joué un rôle important dans l'adoption de cette méthode. Il est aussi clair que ce courant est devenu l'objet de critiques de la part de beaucoup d'analystes, comme si cette technique mettait en cause la vie imaginaire des enfants ou devait donner trop d'importance aux facteurs environnementaux, aux dépens des facteurs internes.

Il faut ajouter que l'accent mis par ANNA FREUD sur les mécanismes de défense et sur le rôle du moi dans l'intégration du monde intérieur et extérieur l'a probablement située dans la lignée de HARTMANN, et qu'elle a dû être mêlée aux critiques adressées à cette école dite «adaptationnelle».

En somme, autant Mélanie KLEIN a accentué l'importance des premières étapes du développement chez l'enfant et attribué au très jeune enfant des mécanismes mentaux très complexes, dans une approche entièrement fondée sur la reconstruction à partir d'analyses d'enfants très perturbés, autant ANNA FREUD est demeurée prudente dans sa conceptualisation du jeune enfant, accentuant les mécanismes de défense du moi en tentant de les utiliser au maximum, et acceptant que l'observation naturaliste, «comportementale», d'enfants en situation de stress puisse servir d'instrument à une connaissance plus poussée du jeune enfant. En somme, les kleiniens se voulaient les véritables gardiens de la psychanalyse qui avait découvert la vie imaginaire de l'homme et de l'enfant — en dehors du monde réel —, et ANNA FREUD devenait facilement à leurs yeux le prototype de ceux qui acceptaient de galvauder cet instrument dans les bas-lieux de l'«observation» et du «monde extérieur».

René SPITZ

L'oeuvre de SPITZ constitue une étape majeure de l'histoire de la psychanalyse et de cette tendance à vouloir connaître les phases les plus primitives du développement de l'enfant. Il se situe clairement dans la «lignée d'ANNA FREUD» par son accent sur l'observation, mais d'emblée il y ajoute une dimension systématique qui en fait le premier (?) psychanalyste à s'inspirer des techniques expérimentales (il utilise même le film pour se donner un instrument qui dépasse le temps et devienne un puissant levier de transmission de données à implications sociales majeures). Il ne s'agit plus d'observer un ou quelques enfants au hasard de la consultation, mais de comparer des groupes d'enfants, d'isoler quelques variables significatives. C'est ainsi qu'il décrit le premier les phénomènes d'«hospitalisme» [37] ; il en arrive à mettre en évidence un syndrome important qu'il nommera la «dépression anaclitique» [38] ; il ouvre la porte sur la «carence affective» et l'importance de la «relation mère-enfant». Il sera éventuellement l'un des premiers à souligner l'«interaction mère-enfant» en parlant de «dialogue» entre partenaires [39,40].

Tout au long de son oeuvre, Spitz demeure un théoricien. L'observation chez lui n'est pas fermée, elle s'ouvre à une tentative de compréhension des mécanismes essentiels du développement, à la conception de modèles théoriques où le développement du moi est une préoccupation centrale. C'est ainsi qu'il en vient à décrire les «noyaux organisateurs» autour desquels se développe le moi de l'enfant. Il est clair qu'il se situe en contradiction avec la psychologie kleinienne qu'il refuse, non à partir de préjugés, mais sur la base d'observations scientifiques.

Très proche d'Anna Freud et de tout le mouvement qui s'exprime dans l'édition annuelle du *Psychoanalytic Study of Child*, il fait partie d'un courant très observationnel — très «moïque». Il est probable qu'il a été l'objet de critiques du type : «Ceci n'est pas de la psychanalyse[2]». Il a ouvert une voie plus systématique à l'observation du très jeune enfant, à l'influence des déficiences et déprivations affectives sur le développement psychopathologique, à tout ce domaine devenu si important de la «carence affective», qui sera repris particulièrement par Bowlby.

III. LES TENSIONS AUTOUR DE L'ATTACHEMENT

John BOWLBY

Bowlby est l'une des figures importantes dans cette perspective historique, et son intérêt pour le développement précoce de la relation mère-enfant le conduit graduellement à une remise en question de certains aspects de la métapsychologie freudienne. Son intérêt pour l'éthologie et cette distance qu'il prend par rapport à certains aspects de la théorie psychanalytique le situent à l'écart du courant plus classique. Il s'agit d'un épisode important de cette lutte interne du milieu psychanalytique.

Très tôt dans sa carrière, Bowlby s'intéresse aux très jeunes enfants et aux facteurs qui perturbent leur premier développement. Sa monographie *Soins maternels et santé mentale* [2] marque un moment important dans l'histoire de la carence maternelle. Ses travaux le conduisent à l'observation des réactions de séparation de l'enfant d'avec sa mère, et à une étude systématique des concepts les plus importants concernant les premiers affects chez l'enfant (angoisse de séparation, deuil, dépression) et la nature des liens entre l'enfant et sa mère. Il en arrive à remettre en question le concept d'oralité : tout ne se passe plus seulement à l'intérieur et autour du sein maternel et du processus d'allaitement ; les perspectives

---

(2) Il m'a été jusqu'ici impossible de retrouver des textes écrits qui justifieraient cette hypothèse.

sont élargies aux autres comportements qui relient l'enfant à sa mère et au monde extérieur. Il en vient ainsi à remettre en question une métapsychologie jusque-là très organisée autour de l'instinct oral et de ses vicissitudes.

S'inspirant des observations de l'éthologie et de ses méthodes d'observations naturalistes, il développe une théorie de l'attachement qui met en évidence l'«instinct social» de l'enfant. Il se tourne aussi vers la théorie des systèmes, et s'en sert pour décrire et comprendre les mécanismes de plus en plus complexes de feed-back qui constituent l'essentiel de l'interaction mère-enfant.

Il faut se rappeler que ses premiers écrits annonçant cette remise en question remontent aux années 1958-1961 ; il s'agit de quatre textes importants qu'il publie dans les grandes revues psychanalytiques [3,4,5,6]. Les documents écrits qui démontreraient les réactions négatives du monde psychanalytique sont rares. Ce n'est que très récemment que je me suis aperçu que celui de ces quatre textes publié dans le *Psychoanalytic Stuty of the Child* (1960) était immédiatement suivi d'une réplique de trois grands noms de la psychanalyse : ANNA FREUD, René SPITZ et Max SCHUR, qui tous trois prenaient position assez fortement contre cette remise en question[3].

Alors qu'il veut essentiellement mettre l'accent sur la durée des réactions de deuil de l'enfant, et par ailleurs démontrer que ce n'est pas la perte du sein lors du sevrage qui est vraiment importante mais plutôt la perte de la mère entre six mois et quatre ans, on lui reproche d'être trop «descriptif» et de remettre en question l'importance centrale de l'oralité. Et l'on commence à dire que ses explications n'ont rien de psychanalytique : «... *it then ceases to be a psychoanalytic explanation*» (SPITZ, 1960, p. 91). On n'aime pas qu'il minimise certaines des hypothèses jusque-là bien acceptées de la théorie psychanalytique : «... *he disregards the structural and dynamic viewpoints which for quite some time have been accepted as cornerstones of psychoanalytic theory*» (SPITZ, 1960, p. 91).

On sait que BOWLBY ne s'en tiendra pas à ces articles, si importants soient-ils, et qu'il apportera une contribution majeure dans trois livres [7,8,9], où il développe toute sa pensée sur les premiers affects qui jouent un rôle essentiel dans le développement de l'enfant : l'attachement, la séparation et la perte.

Les critiques ici encore sont rares. On retrouve un texte important et très critique d'ENGEL [12] et une critique beaucoup plus positive de BLANCO [1] dans le même numéro de l'*International Journal of Psychoanalysis*.

Très récemment, LEBOVICI [31], tout en décrivant avec précision et sympathie la contribution de BOWLBY, conclura : «Ce qui nous semble important,

---

(3) BOWLBY n'avait pas été mis au courant par les éditeurs qu'une «discussion» sur son texte serait publiée en même temps (communication personnelle).

c'est de saisir que, dans ce moment historique, un glissement s'est opéré» (p. 46). Il donnera à plusieurs reprises l'impression que BOWLBY a rejeté la psychanalyse (p. 75 et 83).

BOWLBY se situe d'emblée dans le champ de l'observation naturaliste qu'ANNA FREUD et SPITZ, entre autres, avaient pourtant déjà utilisée et dont ils défendaient l'utilité et l'importance. Il se situe aussi au coeur même de la théorie freudienne, en s'intéressant au concept d'instinct et en y approfondissant les liens entre l'organique et le psychique. Il remet en question le concept d'oralité, non pour l'écarter, mais pour mieux le situer au milieu des divers comportements qui unissent l'enfant à sa mère. Il tente de sortir la métapsychologie freudienne de ses origines linéaires et mécanicistes du XIXᵉ siècle pour l'ouvrir au concept plus moderne de l'interaction en utilisant la théorie cybernétique.

En fait, on semble réagir comme si BOWLBY menaçait la psychanalyse. On commence à dire (SPITZ par exemple) que cette ouverture sur d'autres observations et d'autres théories, conduisant à la remise en question de certaines hypothèses, n'était pas «psychanalytique». Une «définition» de la psychanalyse me paraît devenir implicite dans ces commentaires : certaines hypothèses sont conçues comme essentielles à «l'être psychanalytique», et par ailleurs on semble penser et craindre que l'observation naturaliste soit contraire à cet «être» ou conduirait à remettre en question certaines de ces hypothèses essentielles, très particulièrement l'imaginaire de l'enfant.

Il est aussi possible que ce soit l'importance que BOWLBY attache aux facteurs environnementaux dans le développement de l'enfant qui le rendra suspect à plusieurs membres de l'école psychanalytique. La remise en question qu'il fait n'est pourtant que la répétition de ce que Freud lui-même a fait tout au long de son oeuvre, en reprenant constamment ses hypothèses et en les reformulant à la lumière de nouvelles observations. BOWLBY est l'un de ces pionniers qui a voulu orienter la psychanalyse vers d'autres hypothèses et a poursuivi avec acharnement ce désir de connaître et de comprendre les racines premières du développement de l'enfant dans sa relation avec sa mère. Il est curieux que l'on soit si réticent à son oeuvre — à moins que l'on interprète cette réticence comme l'expression des résistances à tout ce qui touche les origines même de l'être humain.

IV. LES TENSIONS AUTOUR DU NOURRISSON

Ce qui s'appelle actuellement la «psychiatrie du nourrisson» constitue la plus récente étape dans ce cheminement vers une connaissance de plus en plus grande du développement de l'enfant, dans ce processus de retour aux origines les plus lointaines. Les conflits qui se sont joués autour de RANK, KLEIN et ANNA FREUD, ainsi que BOWLBY sont très présents et tout aussi intenses à l'étape que nous vivons actuellement. Il est sans doute trop tôt pour pouvoir présenter une documentation adéquate, mais il est possible et essentiel que nous soyons conscients des alternatives et des enjeux en cause.

Le terme «psychiatrie du nourrisson» est en fait trompeur et probablement trop limitatif, car il recouvre des travaux très variés qui touchent aussi bien au développement normal que pathologique et qui sont conduits par des professionnels de formations diverses. EMDE [11] utilise le terme très général de *developmental psychology* pour décrire une large partie de ces travaux. On peut presque parler de «mouvement». Par ailleurs, le succès des deux Congrès internationaux de psychiatrie du nourrisson, tenus au Portugal (1980) et en France (1983), a bien mis en évidence que ces travaux rejoignent des préoccupations majeures dans tous les pays, tout en trouvant aux États-Unis un champ particulier de floraison.

Ces divers travaux mettent en évidence les compétences du très jeune enfant, ses capacités beaucoup plus grandes et beaucoup plus précoces qu'on ne le croyait d'entrer en relation avec le monde extérieur, une interaction avec la mère qui s'organise et se construit très tôt et selon des mécanismes précis qu'on peut mieux observer et connaître. Ces travaux ont aussi comme caractéristique bien spécifique d'utiliser une méthode très systématisée et des instruments très modernes qui permettent un raffinement dans l'observation, impossible auparavant. Tout en conduisant à une connaissance beaucoup plus poussée de l'enfant et de son développement, une place très grande y est accordée à l'observation des comportements et à leur analyse détaillée, ainsi qu'à l'utilisation systématique des méthodes quantitatives ou statistiques. Ils laissent moins de place à l'interprétation et particulièrement à la reconstruction, méthode de choix du psychanalyste à travers toute son histoire.

Les réticences des psychanalystes à l'observation naturaliste, instaurée par ANNA FREUD et ses collègues, encouragée par KRIS et grandement développée par BOWLBY, deviennent beaucoup plus intenses, même si elles demeurent le plus souvent verbales. Elles sont pour la plupart fondées sur les remises en question, consécutives à ces nouvelles observations, de certaines hypothèses métapsychologiques(4). Le concept de «l'interaction mère-enfant» devient maintenant central dans la compréhension du développement de l'enfant, mais dans ce cheminement conceptuel, l'accent est maintenant déplacé des mécanismes intérieurs à l'enfant et à la mère, soit vers le rôle de l'environnement, soit vers des mécanismes de rétroaction (feed-back), ou vers l'acceptation de facteurs multiples qui s'exercent en association étroite.

La remise en cause de certains concepts considérés comme essentiels à la théorie psychanalytique ne se fait pas facilement. On a vu la réaction d'ANNA FREUD, de SPITZ et de SCHUR aux premiers écrits de BOWLBY, puis celle d'ENGEL à son livre sur l'attachement : cette remise en question du rôle central de l'oralité stimule des

---

(4) Voir à ce sujet l'excellent livre de LICHTENBERG [32].

réflexes négatifs intenses chez un grand nombre de psychanalystes. Les réactions de MAHLER et de ses disciples à la remise en cause du concept d'une phase autistique, à la lumière des observations les plus récentes, me paraissent révéler la même difficulté à revoir l'utilité de certains concepts théoriques qui ont été longtemps essentiels mais ne sont plus confirmés par l'observation (voir MINDE [34] et MAHLER [33]).

Si l'on me permet ici une démarche psychanalytique, le conflit en fait me paraît se situer à un niveau plus profond. C'est l'identité de la psychanalyse et du psychanalyste lui-même qui semble menacée dans toute cette poussée vers une compréhension de plus en plus grande et précise des premières étapes du développement de l'enfant. Beaucoup réagissent comme si l'observation naturaliste des comportements, à des moments où le langage encore inexistant ne permet pas d'apporter l'éclairage et les confirmations nécessaires, mettait en danger la notion même d'inconscient, et devait bloquer la démarche subséquente de compréhension ou de théorisation, qui est l'une des étapes essentielles de toute démarche scientifique.

Plusieurs semblent craindre que cette nouvelle méthodologie nous empêche d'observer l'émergence du fantasme, l'activité symbolique enracinée dans ce premier développement du psychisme enfantin, et le rôle créateur essentiel du fantasme dans le développement de l'enfant. Les psychanalystes sont devenus très identifiés à l'activité fantasmatique et inconsciente de l'humain, et semblent vivre ces nouvelles connaissances comme une dépossession d'un domaine qui était devenu le leur à travers leur activité, souvent imaginaire, de reconstruction. Depuis longtemps pourtant, comme le souligne justement EMDE [11], les travaux de PIAGET et de HARTMANN ont bien mis en évidence les capacités organisatrices de l'enfant par rapport à la réalité, ce qui va tout à fait dans le sens du pouvoir créateur du fantasme qui peut modifier la réalité plutôt que de s'y soumettre passivement. Les travaux récents confirment cet acquis.

Devant cette poussée, la tentation est donc forte de déclarer que, malgré leur intérêt, ces travaux «n'ont rien à voir avec la psychanalyse». De telles remarques ont été faites à BOWLBY et sans doute à SPITZ et à ANNA FREUD.

Il est pourtant possible d'utiliser toutes ces nouvelles connaissances à l'intérieur d'une démarche essentiellement psychanalytique, et plusieurs expériences le démontrent. FRAIBERG et coll. [13] ont bien mis en lumière le rôle essentiel des expériences passées des mères dans l'émergence de troubles graves du développement chez leur enfant, et la possibilité d'un travail psychothérapique qui utilise au maximum l'observation des comportements du nourrisson et de son interaction avec la mère, ainsi qu'un *insight* graduel des affects passés et présents en jeu[5]. KREISLER et CRAMER [30] clarifient plusieurs des problèmes qui se posent à la psychiatrie du nourrisson, et proposent une démarche très dynamique où les données observationnelles sont constamment éclairées par la dimension transférentielle et

---

(5) Voir à ce sujet le développement de cette approche dans le livre important qu'elle publiait en 1980.

métapsychologique. Plusieurs exemples cliniques viennent illustrer le concept d'«interaction fantasmatique»[6] qui, pour eux, vient compléter l'interaction réelle.

Ce concept deviendra central pour LEBOVICI qui le reprend dans son livre récent *Le nourrisson, la mère, le psychanalyste* [31] pour bien marquer le rôle des fantasmes inconscients dans l'interaction mère-enfant, tout en situant l'ensemble de ces travaux dans le contexte des contributions psychanalytiques.

De telles expériences illustrent bien l'opinion d'EMDE selon laquelle la psychanalyse et tout le mouvement de psychologie développementale, «*both influenced by similar models, both increasingly seeing the infant as an active, interactive and dynamic being...*» ([11], p. 214), se compléteront de plus en plus plutôt que de s'opposer dans une lutte très peu scientifique!

CONCLUSION

Au fond, et à travers toute cette histoire dont nous vivons un épisode essentiel, c'est la conception de la psychanalyse elle-même qui est en jeu. Si la psychanalyse est une «science naturelle»[7], comme FREUD l'a définie aussi bien au début de ses travaux qu'à leur toute fin [15,22], elle est donc essentiellement à la recherche de la vérité, à la recherche de connaissances de plus en plus poussées sur l'être humain à travers un processus systématique d'observation, de généralisation, de théorisation, et de remise en question constante des hypothèses à la lumière des nouvelles observations. Les nombreuses modifications que FREUD a apportées à sa métapsy-chologie démontrent bien que, pour lui, il s'agissait d'un processus normal et nécessaire.

Le retour à l'enfance, et de plus en plus aux origines les plus archaïques du développement, est l'une des données les plus essentielles de toute la pensée psychanalytique. Les résistances à la psychanalyse se sont essentiellement développées autour du concept d'inconscient et du rôle spécifique de la sexualité dans le développement humain, mais ce retour à l'importance de l'enfance et de plus en plus à nos origines premières constituait aussi, sans doute, un noyau important du refus des scientifiques et de la société de cette époque.

On ne peut se surprendre que le processus de révision essentiel au développement scientifique ait donné lieu, tout au long de l'histoire de la psycha-nalyse, à des tensions importantes dans ce secteur spécifique. Il n'est pas surprenant

---

(6) «Par ce terme apparemment hybride, nous entendons les caractéristiques des investissements réciproques, [...] ainsi que celles des projections et identifications réciproques» (1981, p. 243).

(7) Voir à ce sujet le très important article de BOWLBY [10].

non plus que ce soit dans ce domaine que le conflit devienne plus évident entre la psychanalyse «science naturelle» et la psychanalyse «art-création». Tout ce secteur des origines — ce que certains de mes maîtres appelaient «la mythologie» de la psychanalyse — a particulièrement donné lieu à une activité de reconstruction intense, où l'imaginaire psychanalytique pouvait s'adonner à une activité créatrice, «littéraire», souvent très abstraite, sans qu'il soit possible de s'y opposer vraiment. Au moment où l'observation naturaliste pénètre de plus en plus dans ce domaine et apporte la possibilité d'une systématisation moins abstraite, mieux fondée dans les faits, elle devient presque nécessairement en conflit avec cette activité créatrice du psychanalyste et le menace dans ce qu'il en était venu à considérer presque comme son domaine propre.

La psychanalyse s'est beaucoup définie en fonction des menaces qu'elle sentait venant d'un monde extérieur lui-même menacé par ses théories. Ce vieux réflexe toujours latent est à nouveau réveillé par cette plus récente poussée vers la connaissance de nos origines.

Il faut voir la complémentarité essentielle entre le courant observationnel et les connaissances qu'il nous apporte, et le courant reconstructionniste, étroitement lié au pouvoir créateur du fantasme chez l'enfant. Ces deux courants sont essentiels au processus psychanalytique, et doivent pouvoir continuer de se féconder réciproquement. Ils sont tous les deux essentiels à notre objectif premier : la connaissance, chez l'homme, des liens qui unissent ses origines les plus précoces et son devenir.

SUMMARY

INFANT PSYCHIATRY IN A HISTORICAL PERSPECTIVE

Ever since its beginning, psychoanalysis has placed much emphasis on the importance of childhood events to understand normal and pathological development. Childhood traumas in FREUD's work initially referred to oedipal years (3 to 6 years). Very gradually, earlier periods became important and were thought to be essential to our understanding of child development. The current interest in infant development and infant psychiatry is the most recent manifestation of this tendency to emphasize the influence of very early events.

In the history of psychoanalysis however, every attempt to place more emphasis on the importance of very early phenomena in child development became a focus of conflict and tension. To confirm this hypothesis, a few important episodes in the history of psychoanalysis are reviewed to demonstrate negative reactions to major efforts of psychoanalysts to develop new concepts around early development. Three such episodes are discussed : RANK's "Birth Trauma" (1924), which was the stimulus to his conflict and break with FREUD, the long quarrel between Mélanie KLEIN and ANNA FREUD, and John BOWLBY's work and reactions to his questioning FREUD's theory of early development. SPITZ's contribution is also briefly studied.

The current infant psychiatry movement stirs up similar conflictual reactions within the psychoanalytic school of thought, inasmuch as it adds new dimensions to those earlier attempts to stress the importance of early influences. The accent is now definitely set on very systematic and refined observations of infant behavior and of mother-child interaction. Now performed in the context of a careful methodology, child observation thus becomes a major instrument to develop our knowledge of the child's mind functioning.

This movement toward scientific observations is strongly questioned, in many parts of psychoanalytic schools. It is feared that such emphasis threatens the psychoanalytic process itself, in downgrading both the imaginary component of child development, and the reconstruction work of the analyst. This is the most recent expression of a very fundamental polarisation in the history of psychoanalysis, between a tendency to enhance our knowledge through close observations of the child's development in its many facets, and a tendency to emphasize the imaginary components of its maturation through reconstruction, very often of a very theoretical nature.

BIBLIOGRAPHIE

1. BLANCO, I.M. (1971) «Book Review of Bowlby's Attachment and Loss», *Int. J. Psychoanal.*, 52 : 197-199.

2. BOWLBY, J. (1951) *Maternal Care and Mental Health*, Geneva, WHO.

3. BOWLBY, J. (1958) «The Nature of the Child's Tie to His Mother», *Int. J. Psychoanal.*, 39 : 350-373.

4. BOWLBY, J. (1960a) «Separation Anxiety», *Int. J. Psychoanal.*, 41 : 89-113.

5. BOWLBY, J. (1960b) «Grief and Mourning in Infancy and Early Childhood», *Psychoanal. Study Child*, 15 : 9-52 ; suivi de «Discussion» par A. Freud, R. Spitz, M. Schur, p. 53-94.

6. BOWLBY, J. (1961) «Separation Anxiety : A Critical Review of the Literature», *J. Child Psychol. Psychiat.*, 1 : 251-269.

7. BOWLBY, J. (1969) *Attachment and Loss*, Hogarth Press.

8. BOWLBY, J. (1973) *Separation, Anxiety and Anger*, Hogarth Press.

9. BOWLBY, J. (1980) *Loss, Sadness and Depression*, Hogarth Press.

10. BOWLBY, J. (1981) «Psychoanalysis as a Natural Science», *Int. Rev. Psychoanal.*, 8 : 243-256.

11. EMDE, R.N. (1981) «Changing Models of Infancy and the Nature of Early Development : Remodeling the Foundation», *J. Amer. Psychoanal. Assoc.*, 29 : 179-219.

12. ENGEL, G.L. (1971) «Attachment Behaviour, Object Relations and the Dynamic-Economic Points of View», *Int. J. Psychoanal.*, 52 : 183-196.

13. FRAIBERG, S., E. ADELSON et V. SHAPIRO. (1975) «Ghosts in the Nursery : A Psychoanalytical Approach to the Problems of Impaired Infant-Mother Relationships», *J. Amer. Acad. Child Psych.*, 14 : 387-422.

14. FRAIBERG, S. (Ed.) (1980) «Clinical Studies in Infant Mental Health», *The First Year of Life*, Basic Books.

15. FREUD, S. (1895) «Project for a Scientific Psychology», *Standard Edition*, 1, 1950.

16. FREUD, S. (1900) «The Interpretation of Dreams», *Standard Edition*, 5.

17. FREUD, S. (1905) «Three Essays on the Theory of Sexuality», *Standard Edition*, 7.

18. FREUD, S. (1909) «Analysis of a Phobia in a Five-Year Old Boy», *Standard Edition*, 10.

19. FREUD, S. (1914) «On Narcissism», *Standard Edition*, 14.

20. FREUD, S. (1920) «Beyond the Pleasure Principle», *Standard Edition*, 18.

21. FREUD, S. (1926) «Inhibitions, Symptoms and Anxiety», *Standard Edition*, 20.

22. FREUD, S. (1940) «An Outline of Psychoanalysis», *Standard Edition*, 23.

23. FREUD, A. (1966) «A Short History of Child Analysis», *The Psychoanalytic Study of the Child*, 21 : 7-14.

24. FREUD, A. et D. BURLINGHAM. (1944) *Infants without Families*, Int. Univ. Press.

25. FREUD, A. et S. DANN. (1951) «An Experiment in Group Upbringing», *The Psychoanalytic Study of the Child*, 6 : 127-168.

26. JONES, E. (1957) *The Life and Work of S. Freud*, III.

27. KING, P.H.M. (1983) «The Life and Work of Mélanie Klein in the British Psychoanalytical Society», *Int. J. Psychoanalysis*, 64 : 251-260.

28. KLEIN, M. (1952) «On Observing the Behaviour of Young Infants», *The Writings of Mélanie Klein*, 3 : p. 96.

29. KLEIN, M. et coll. (1927) «Symposium on Child Analysis», *Int. J. Psychoanalysis*, 8 : 339-391.

30. KREISLER, L. et B. CRAMER. (1981) «Sur les bases cliniques de la psychiatrie du nourrisson», *Psychiatrie de l'enfant*, 24 : 223-263.

31. LEBOVICI, S. (1983) *Le nourrisson, la mère et le psychanalyste*, Paris, Le Centurion.

32. LICHTENBERG, J.D. (1983) **Psychoanalysis and Infant Research**, Analytic Press.

33. MAHLER, M.S. (1983) «Dr. Mahler Responds to Dr. Minde's Review», **J. Amer. Acad. Child Psychiat.**, 22 : 93-95.

34. MINDE, K.K. (1982) «Review of the Selected Papers of M. Mahler », **J. Amer. Acad. Child Psychiat.**, 21 : 426-428.

35. RANK, O. (1924) **The Trauma of Birth**.

36. RIVIÈRE, J. (1927) «Symposium of Child Analysis», **Int. J. Psychoanalysis**, 8 : 339-391.

37. SPITZ, R. (1945) «Hospitalism», **The Psychoanalytic Study of the Child**, 1 : 53-74.

38. SPITZ, R. (1946) «Anaclitic Depression», **The Psychoanalytic Study of the Child**, 2 : 313-342.

39. SPITZ, R. (1963) «The Evolution of the Dialogue», **Drives, Affects and Behavior** (M. Schur, Ed.), Vol. 2., Int. Univ. Press.

40. SPITZ, R. (1964) «The Derailment of Dialogue : Stimulus Overload, Action Cycles and the Completion Gradient», **J. Amer. Psychoanal. Assoc.**, 12 : 752-775.

The Relations Between the "Observed Infant" of Research and the "Clinical Infant" of Psychoanalytic Reconstruction

Daniel N. STERN

It should not be too surprising that psychoanalytic and observational approaches should arrive at very different views of infancy. (By observational approaches we mean naturalistic and experimental studies that focus upon objectifiable overt behaviors. This approach has largely been the domain of developmental psychology, but practiced by psychologists, psychiatrists, some psychoanalysts, anthropologists, and other developmentalists. The commonality derives from the approach not the discipline of origin of the practitioners.)

In any event, two very different infants have emerged: the "clinical infant" as reconstructed during a psychoanalysis and the "observed infant" of psychology-psychiatry. For each of these "infants" the subject matter is different, the methods are different and the aims of inquiry are different.

Psychoanalysis discovers an infant in the tale told to a therapist, about the past, by an older person who has become a psychiatric patient. The infant so discovered need not accurately reflect what actually happened back then — there are the distortions of time and memory and distortions of the fact that the reconstruction is conducted in concert with a therapist who has a particular theory about what infancy is about, (based on the metapsychology and developmental theory of his persuasion). The psychoanalytic method employs self-reflections made possible by — and limited to — verbal rendition (with minor exceptions). And psychoanalysis' concern with infancy is predominantly to look for and understand the precursors of later developing psychopathology. This is what KNAPP means by the approach being pathomorphic as well as retrospective.

The observational approach, on the other hand discovers an infant at the moment of his unfolding by way of the infant's observable overt behaviors which may or may not be available for verbal report or even self awareness. In any event, the behaviors that are under focus have an unknown relationship to subjective life. Also, the subjects of study will in all likelihood never grow up and tell of their past life to a therapist. The major concern of the observational approach is normal development and mainly with the unfolding of abilities, capacities, and their organization. The notion of precursors to later pathology is still being conceptualized from the prospective vantage point (e.g. see RUTTER, IZARD and READ [26]).

On top of these differences, most observers of infants have never interviewed patients in any depth. Similarly, most developers and practitioners of psychoanalytic theories have never closely and extensively observed infants. (SPITZ, MAHLER, WINNICOTT, and ANNA FREUD — with children only — are exceptions.)

For all of these reasons it is not surprising that the observed and reconstructed infant look so different. The question then is what is the consequence of having two different views of what are conceivably the same life events? There is a continuum of answers. At one extreme are theorists like SHAFER [28] who maintain that the therapeutic "re"-construction is a narrative structure. And the issue of whether a narrative structure is valid is strictly an internal matter. The question of whether a life narrative was observably true back when — never comes up. Narratives cannot be validated by past observed event. Retrospective narratives and current infant observations exist at two different — non overlapping — levels of epistemological discourse.

At the other extreme are those who believe, as FREUD often stated, that psychoanalytic reality should ideally closely conform to the same reality as independently arrived at by other scientific approaches. RICOEUR [25] takes an approach closer to this in suggesting that the metapsychological bases of clinical narrative can be independently evaluated by scientific means external to psychoanalytic inquiry. There is some overlap between the two levels of discourse. (Few would argue that any one particular clinical narrative could be confirmed or disconfirmed by objective evidence collected at the original time of occurrence. That would constitute a rearguing of the "seduction theory".) RICOEUR suggests that some general hypotheses about how the mind works, — e.g. the developing sequence of psycho-sexual stages — are strongly supportable by direct observation or other evidence existing outside of psychoanalysis.

A third approach, and the one adopted here, lies somewhere between the positions of SHAFER and RICOEUR. It assumes that the two approaches are at a different level of epistemological discourse — they do not overlap — and in that sense cannot confirm or disconfirm the findings one of the other. On the other hand, the current scientific zeitgeist as determined by the observational methodology has a certain persuasive force. Such that it will ultimately be a source of embarrassment to psychoanalysis if their view of infancy becomes too divergent and contradictory relative to that of the observed infant. As related fields presumably about the same thing, even though from different perspectives, too large a difference in the two views will not be tolerable and it is psychoanalysis that will have to do the major share of the re-evaluating. Only so much dissonance is tolerable. In this view, then, the mutual influence will not result from a direct confrontation about specific issues that the two views can contest, but rather from the creation of a zeitgeist about infancy that will slowly determine what feels acceptable and tenable. (For various views of this polemic see CRAMER and GAUTHIER [this volume], LEBOVICI [16], LICHTENBERG [19], CRAMER [9], KREISLER and CRAMER [15].)

For instance, the recent evidence of infant observations paint a very different picture of the "autistic-like" infant of psychoanalysis during the first few months of life (CRAMER [this volume], STERN [34,36]). Similarly, the notion of a symbiotic-like phase is seen quite differently when viewed from the observational perspective (STERN [34,36]). More basically, the entire psychoanalytic notion of clinically relevant developmental tasks as the definers of sequential developmental phases is at question from the observational point of view.

The developmental accounts of FREUD, KLEIN, ERIKSON, SPITZ and MAHLER all share the assumption that development progresses from one stage or phase to the next where each phase is primarily defined in terms of what is ultimately a particular clinical issue and the world is experienced in terms of the prevailing issue (oral, anal or genital eroticism for FREUD; autism, symbiosis, separation-individuation for MAHLER; trust-mistrust, autonomy, industry, etc., for ERIKSON; depressive, paranoid, and schizoid positions for M. KLEIN).

The reasons why psychoanalytically informed theories positioned these "clinical issues" in the central role is clear. Their primary aim was to understand the development of psychopathology. And no one else provided a developmental psychology that dealt with the needs of clinicians.

The question is, do clinical issues indeed define age specific phases? Does the succession of different "prevalent" clinical issues explain the quantal jumps in social relatedness that observers and parents readily note?

From the point of view of the "observed infant" there are serious problems with the ability of clinical issues to meaningfully describe developmental phases. The basic clinical issues of autonomy and independence provide a good example.

How does one identify the crucial events that might define a phase that is specific to the issues of autonomy and independence? Both ERIKSON and FREUD placed the "decisive encounter" for this clinical issue around the independent control of bowel functioning at about twenty-four (24) months. SPITZ [29] placed the decisive encounter more generically in the ability to say "no" at fifteen (15) or so months. MAHLER [21,22] dates the decisive event for autonomy and independence to the infant's capacity to locomote, to wander away from mother on his own initiative beginning at about twelve (12) months. These three different decisive encounters are spread over a year, (half of the child's whole life). Which author is right? They are all right. And that is both the problem and the point. In fact, more than these are right. For instance, the interaction between mother and infant as carried on with gaze behaviors during the three to five (3-5) month period is strikingly like the interaction between mother and infant as carried out with locomotor behaviors during the twelve to eighteen (12-18) month period. During the three to five (3-5) month period mothers give the infant control, or rather the infant takes control over the initiations and terminations of direct visual engagement in social activities (STERN [32, 33], BEEBE and STERN [3]). It must be recalled that during this period of life the infant cannot locomote and has poor control over limb movements and eye-hand coordination. His visual-motor system, however, is virtually mature so that in his gazing behavior, the infant is a remarkably able interactive partner. And gazing is a potent form of social communication. When watching the gazing patterns of mother and infant at this life period, one is watching two people with almost equal facility and control over the same social behavior. In this light, it becomes obvious that the infant exerts major control over the initiation, maintenance, termination, and avoidance of social contact with mother, i.e. he helps to regulate engagement. Furthermore, by controlling his own direction of gaze, he self-regulates the level and amount of social stimulation that he is subject to. He can gaze overt, shut his eyes, stare past, go glassy eyed. And with the use of these, he can be seen to "cut off", "tune out", "reject", "distance from", "defend against" mother through the decisive use of such gaze behaviors (STERN [33], BEEBE and STERN [3]). And, he can reinitiate engagement and contact when he desires through gazing, smiling and vocalizing.

The dramas of self regulation of stimulation and the regulation of social contact that get played out with the infant walking away from and returning to mother's side during the twelve to eighteen (12-18) month period are quite similar for the generic issue of autonomy and independence to the dramas played out with the infant's gazing behaviors nine months earlier.

Why then should we not consider the period from three to five (3-5) months also as phase-specific for the issue of autonomy and independence as displayed in overt behavior and experienced subjectively? (STERN [36])

200

The same problems that confront autonomy and independence as phase-specific clinical issues will be found to equally confront the clinical issues of attachment, trust, intimacy, curiosity or mastery. Recently, attachment theorists and those interested in development of psychopathology have recognized that issues such as attachment are life-span issues (CICCHETTI and SCHNEIDER-ROSEN [7], WATERS and SROUFE [39], SROUFE [31]).

It is in these general ways that the perspectives of direct infant observation and psychoanalytic reconstruction are coming to evolve different pictures of early experience. As stated above these two views are not overlapping and therefore, neither one need "win out", still the general acceptance of one versus the other is bound to have a great influence on the further evolution of either notion.

While these two approaches to infancy do not overlap, they do, indeed, touch at several places, i.e. there are selected point of interface. And, these are of particular interest for both approaches because they offer opportunities for the two views to cooperate rather than compete. Such an interface involves situations in which one can observe (and/or imagine) the transformation of an observable event ("Mother did such and such") into a subjective experience ("Mother makes me feel that so and so"). Dr. CRAMER in his contribution alluded to one such interface at the level of symbolization in the case of a sixteen (16) month old infant who did not tolerate well separation from mother. We shall use this same case material to illustrate another interface at a preverbal level. But first some background material is required.

We have recently described a phenomenon called affect attunement. This phenomenon is particularly interesting because it stands — so to speak — at the interface between objective and subjective experiences. In brief, affect attunement is a means that parents use to indicate to an infant that they have "understood" in the sense of being able to identify and share subjective quality of feeling. This is both hard to do and hard to imagine since the parent must in effect let the infant know without using words, and without using imitation — that they have "understood". An example of how this might be accomplished serves best.

A nine (9) month old girl becomes very excited about a toy and reaches for it. As she grabs it, she lets out an exuberant "Aaaah!" and looks at her mother. Her mother looks back, squinches up her shoulders and performs a terrific shimmy of her upper body — like a go-go dancer. The shimmy lasts only about as long as her daughter's "Aaaah!" but is equally excited, joyful and intense (STERN [35] ; for further examples, see STERN [36]). The girl reacts to the mother's shimming as if it were a most natural and expectable response to her "Aaaah!". What the mother has done is to convey that she has understood and can also experience with her daughter that feeling state of joyful excitement. She does this be responding to the joyful excitement "in" the daughter's "Aaaah!" with a corresponding joyful excitement "in" her physical shimming. The question then is how can joyful excitement "in" the "Aaaah!" be "in" the shimmy, and how might the infant recognize that the two were expressions of equivalent internal states?

What parents appear to do is to take some abstract qualities of the infant's overt behavior (such as its absolute intensity, changes in intensity over time, e.g. acceleration or decrescendo, duration, speed, rate, rhythm, and some features of configuration) and recast these qualities in a new behavioral form (a shimmy). By doing this the parent can avoid imitating the infant's overt behavior and thereby circumvent the behavior and directly reference the internal feeling state rather than the external form in which it is manifested. The situation can be summarized as: imitation references the external form and attunement references the internal state that gave rise to the external form. If the parent only referenced the external form via imitation, the infant could never "know' that its inner state had actually been grasped.

In order for the infant to be able to identify the correspondence between his behavior and that of the parent performing an attunement, he must be intermodally fluent — so to speak. That is, he must be able to recognize that a level of intensity or duration or speed or tempo as performed in one modality (e.g. audition, "Aaaah!") is the same level of intensity, duration, speed and tempo when performed in the kinesic mode (e.g., a shimmy).

It appears that infants are quite capable of this. Recent experimentation has shown that infants are able to transform the information about configuration presented in the tactile modality into information in the visual domain (e.g., MELTZOFF and BOSTON, [23]). For example, an infant will know from touching an object what it should look like without even having seen it before. The infant can also identify equivalences between configurations in the visual and auditory domain (MACKAIN, et al. [20]).

First as the infant can perform these cross-modal translations with configuration, it appears that they can do the same with intensity (LEWKOWICZ and TURKOWITZ [18]) and with temporal features (LEWKOWICZ [19], ALLEN, et al. [1]).

These newly found and quite extraordinary capacities of infants to recognize cross-modal equivalences could make the task of sensing that attunements reference internal feeling states understandable. In fact, they provide a mechanism whereby the infant would be equipped to identify the necessary correspondences.

Affect attunement is a form of intersubjectivity. At about nine (9) months infants seem to discover intersubjectivity. Intersubjectivity implies that the infant has come upon a "theory of separate minds" — that he and mother have separate minds, that can or cannot share similar contents. In this sense, it is a theory of "interfaceable minds" (BRETHERTON, et al. [5]). The contents of mind can be aligned and be similar or dissimilar.

202

Affect attunement addresses intersubjectivity as it concerns affective states. Intersubjectivity can also concern intention and attentional focus, as the linguists have demonstrated (BRUNER [6], BATES, et al. [2], BLOOM [4], COLLIS and SCHAFFER [8], DORE [11], GREENFIELD and SMITH [13], HALLIDAY [14], MURPHY and MESSER [24], SCAIFE and BRUNER [27], TREVARTHAN and HUBLEY [38]). It represents a new level of sense of self and sense of other as mental agents with separate but potentially overlapping internal experiences (STERN [36]).

Using these observations, we can now return to Dr. CRAMER's case material as described in his chapter, of the sixteen (16) month old infant who poorly tolerated his mother's separations. When the mother was visibly upset while speaking of the separation from her own mother, the infant walked over to her shaking a toy over his head at a fairly lively tempo — a possible imitation to her — which slowed down as he approached her. Her response to his approach and the toy-shaking was to reach towards him and perfunctorily — almost absent mindedly — ruffle his hair at a tempo quite unmatched to his behaviors. Immediately, then, she enacted at the level of intersubjectivity a separation from him, but in terms of mental not physical availability, i.e. in the domain of intersubjective relatedness (see STERN [36]). She enacted what she was talking about. And, on the basis of what has been said before, the boy recognized that his mother was subjectively separated from him — unable to enter into his current state of internal feeling and caught somewhere else in her own unshared internal world. This, no doubt, along with her speaking about "closing doors" and "leavings" and her depressed state all combined to trigger his saying "Caca". Dr. CRAMER's interpretation to the mother was unquestionably accurate. He chose to make it at the level of the meanings of separations in the past and present for mother and how she has visited this difficulty of her own on her son. If he had used her unavailability at the moment (because of her upset) he might also have engaged the same issue in the present moment (when the action is always hottest), i.e. something like : "Do you suppose he is experiencing a separation from you now — when your mind is elsewhere ?" "Does this happen much for him do you imagine ?" "Does your concern with separation and your sadness about it sometimes cause you to in fact separate yourself from him emotionally — mentally ?" And a host of similar questions. In a similar vein, one could also interpret his opening and closing her eyes as a way of determining if she was still there — intersubjectively.

The gist of these questions is in no way different or contradictory to the interpretation made by Dr. CRAMER. They are complementary, but occur at the level of an immediately displayed interaction in which one can view the way in which overt behaviors (in the domain of the "observed infant") are en route to becoming subjective experiences (in the conceivable domain of a clinically reconstructed infancy).

It is in this way that selected points of interface between the two views of infancy can be identified in furthering our understanding or the development of pathology, and equally important how the two views can be used therapeutically in combination.

Such moments are not at all rare, they are in fact very common. This interface between the two views of infancy appears before us many times over in every day. Furthermore, it appears in the most common and ordinary behaviors. It is necessary that we now become more sensitive to recognizing such moments so that these two powerful views of infancy can, when taken together, contribute to our better understanding of human development. After all, even though the topic of this section of the symposium is the relation of psychoanalysis and in this case observational research, the ultimate issue is not which view of infancy is more valid, but what are the developmental roots of psychopathology.

RÉSUMÉ

LE CONCEPT D'HARMONISATION DANS L'INTERACTION MÈRE - NOURRISSON

Les questions cliniques qui encadrent ce travail sont les suivantes : Comment l'empathie parentale contribue-t-elle à réaffirmer l'affectivité du nourrisson ? Comment les fantasmes des parents au sujet de leur nourrisson s'expriment-ils dans un comportement manifeste qui influence l'expérience et la vie subjective des nourrissons ? Comment un nourrisson apprend-il à connaître les parties de son expérience subjective qui peuvent être partagées avec autrui ?

Les questions plus expérimentales en cause sont les suivantes : Comment et quand les nourrissons développent-ils la capacité de l'intersubjectivité, c'est-à-dire l'habilité à comprendre qu'eux-mêmes et les autres ont des expériences subjectives séparées pouvant ou non être partagées, pendant la période préverbale ?

Ces questions sont analysées au moyen du concept de l'harmonisation de l'affect considéré comme une forme de réponse à l'expression affective du nourrisson en reformulant ce concept d'une manière analogique ou métaphorique. Ce processus commence à neuf mois environ et permet à la personne qui donne les soins au nourrisson de se référer directement à l'état interne plutôt qu'au comportement manifeste de celui-ci.

L'auteur poursuit avec une discussion sur les capacités et les mécanismes interactifs permettant au nourrisson d'évaluer comment les contenus subjectifs de son esprit ont été assemblés avec succès par autrui, en particulier son habilité innée à transférer l'information à travers toutes les modalités perceptuelles.

Ce matériel sera envisagé sous forme d'une séquence développementale concernant le *sens de soi* et d'autrui du nourrisson : ce type de séquence diffère de nos modèles actuels de développement, mais entraîne des répercussions certaines sur ces derniers.

REFERENCES

1. ALLEN, T.N., K. WALKER, L. SYMONDS, and M. MARCELL. (1977) «Intrasensory and Intersensory Perception of Temporal Sequences During Infancy», *Developmental Psychology*, 13 : 225-229.

2. BATES, E., I.L. CAMAI, and V. VALTERRA. (1975) «The Acquisition of Performatives Prior to Speech», *Merril-Palmer Quarterly*, 21 (3) : 205-226.

3. BEEBE, B. and D.N. STERN. (1977) «Engagement-Disengagement and Early Object Experiences», *Communicative Structures and Psychic Structures* (N. Freedman and S. Grand, Eds.), New York, Plenum, p. 35-57.

4. BLOOM, L. (1973) *One Word at a Time*, The Hague, Mouton.

5. BRETHERTON, I., S. MCNEW, and M. BEEGHLEY-SMITH. (1981) «Early Person Knowledge as Expressed in Gestural and Verbal Communication : When Do Infants Acquire a "Theory of Mind" ?», *Infant Social Cognition* (M.E. Lamb and L.R. Sherrod, Eds.), Hillsdale, N.J., Lawrence Ehrlbaum Associates, p. 333-373.

6. BRUNER, J.S. (1975) «The Ontogenesis of Speech Acts», *Journal of Child Language*, 2 :1-19.

7. CICCHETTI, D. and K. SCHNEIDER-ROSEN. (1984) «An Organizational Approach to Childhood Depression», *Depression in Children — Developmental Perspective*, (M. Rutter, C. Izard, and P. Read, Eds.), New York, Guilford, in press.

8. COLLIS, G.M. and H.R. SCHAFFER. (1975) «Synchronization of Visual Attention in Mother-Infant Pairs», *Journal of Child Psychiatry and Psychology*, 16 :315-320.

9. CRAMER, B. (1982) «Interaction réelle, interaction fantasmatique. Réflexions au sujet des thérapies et des observations de nourrissons», *Psychothérapies*, No 1.

10. CRAMER, B. (1984) «Modèles psychanalytiques, modèles interactifs : Recoupements possibles ?», paper presented at the International Symposium, *Psychiatrie — psychanalyse*, Montreal, Canada, September 6, 1984.

11. DORE, J. (1975) «Holophases, Speech Acts and Language Universals», *Journal of Child Language*, 2 :21-40.

12. GAUTHIER, Y. (1984) «De la psychanalyse à la psychiatrie du nourrisson : un long et difficile cheminement», paper presented at the International Symposium, *Psychiatrie – psychanalyse*, Montreal, Canada, September 6, 1984.

13. GREENFIELD, P. and J.H. SMITH. (1976) *Language Beyond Syntax : the Development of Semantic Structure*, New York, Academic Press.

14. HALLIDAY, M.A. (1975) *Learning How to Mean : Explorations in the Development of Language*, London, Edward Arnold.

15. KREISLER, L. and B. CRAMER. (1981) «Sur les bases cliniques de la psychiatrie du nourrisson», *La psychiatrie de l'enfant*, XXIV :1.

16. LEBOVICI, S. (1983) *Le nourrisson, la mère et le psychanalyste. Les interactions précoces*, Paris, Éditions du Centurion.

17. LEWKOWICZ, D.J. (1984) «Bisensory Response to Temporal Frequency in 4 Month Old Infants», *Developmental Psychology*.

18. LEWKOWICZ, D.J. and G. TURKEWITZ. (1980) «Cross-modal Equivalence in Early Infancy : Audio-visual Intensity Matching», *Developmental Psychology*, 16 :597-607.

19. LICHTENBERG, J.D. (1983) *Psychoanalysis and Infant Research*, Hillsdale, N.J., Analytic Press.

20. MACKAIN, K., M. STUDDERT-KENNEDY, S. SPIEKER, and D.N. STERN. (1982) «Infant Perception of Auditory-visual Relations for Speech», presented at the International Conference of Infancy Studies, Austin, Texas, March, 1981.

21. MAHLER, M.S. (in collaboration with M. Furea) (1968) *On Human Symbiosis and the Vicissitudes of Individuation*, New York, International Universities Press.

22. MAHLER, M.S., F. PINE and A. BERGMAN. (1975) *The Psychological Birth of the Human Infant*, New York, Basic Books.

23. MELTZOFF, A.N. and W. BORTON. (1979) «Intermodal Matching by Human Neonates», *Nature*, 282:403-404.

24. MURPHY, C.M. and K.J. MESSER. (1977) «Mothers, Infants and Pointing: A Study of a Gesture», *Studies in Mother-Infant Interaction* (H.R. Schaffer, Ed.), London, Academic Press.

25. RICOEUR, P. (1977) «The Question of Proof in Freud's Psychoanalytic Writings», *Journal of American Psychoanalytic Association*, 25:835-871.

26. RUTTER, M., C. IZARD, and P. READ. (1984) *Depression in Children — Developmental Perspectives*, New York, Guilford.

27. SCAIFE, M. and J.S. BRUNER. (1975) «The Capacity for Joint Visual Attention in the Infant», *Nature*, 253:265-266.

28. SCHAFER, R. (1982) «The Relevence of the "Here and Now" Transference Interpretation to the Reconstruction of Early Developments», *International Journal of Psychoanalysis*, 63:77-82.

29. SPITZ, R.A. (1957) *No and Yes: On the Genesis of Human Communication*, New York, International Universities Press.

30. SPITZ, R.A. (1965) *The First Year of Life*, New York, International Universities Press.

31. SROUFE, A.L. (1983) «Infant-caregiver Attachment Patterns of Adaptation in Preschool: The Roots of Maladaptation and Competence», *Minnesota Symposium in Child Psychology* (M. Perlmutter, Ed.), Vol. 16.

32. STERN, D.N. (1971) «A Micro-analysis of Mother-Infant Interaction: Behaviors Regulating Social Contact Between a Mother and Her 3^1/$_2$ Month Old Twins», *Journal of American Academy of Child Psychiatry*, 10:501-517.

33. STERN, D.N. (1977) *The First Relationship: Infant and Mother*. Cambridge, Harvard University Press.

34. STERN, D.N. (1982) «The Early Development of Schemas of Self, Other and "Self with Other"», *Reflections on Self Psychology* (J.D. Lichtenberg and S. Kaplan, Eds.), New York, International Universities Press.

35. STERN, D.N. (1984) «Affect Attunement», *Frontiers of Infant Psychiatry* (J. Call, E. Galenson, and R. Tyson, Eds.), Vol II, New York, Basic Books.

36. STERN, D.N. (in press) *The Development of the Infant's Sense of Self*, New York, Basic Books.

37. STERN, D.N., L. HOFER, W. HAFT, and J. DORE. (1984) «Affect Attunement: The Sharing of Feeling States Between Mother and Infant by Means of Intramodal Fluency», *Social Perception in Infants* (T. Field and N. Fox, Eds), Norwood, N.J., Ablex.

38. TREVARTHAN, C. and P. HUBLEY. (1978) «Secondary Intersubjectivity: Confidence, Confiding and Acts of Meaning in the First Year», *Action, Gesture and Symbol: The Emergence of Language* (A. Lock, Ed.), London, Academic Press.

39. WATERS, E. and A.L. SROUFE. (1983) «Social Competence as a Developmental Construct», *Developmental Review*, 3:79-97.

PSYCHIATRIE
DE SECTEUR
ET PSYCHANALYSE

Approche psychothérapique des psychoses et psychiatrie communautaire

Marcel SASSOLAS

La première image qu'évoque le terme de psychothérapie est celle d'une situation très privée et très codifiée, où deux personnes centrent leur intérêt sur la vie psychique d'un des deux protagonistes. Il peut donc sembler paradoxal d'associer cette image à celle de la psychiatrie communautaire, par définition publique et supposant un nombre plus ou moins grand d'interlocuteurs variés. Mais sans doute avez-vous noté que mon propos est d'évoquer ici l'approche psychothérapique des psychoses, et non la psychothérapie des psychoses *stricto-sensu*.

Le génie propre de la psychose répugne en effet à se laisser inscrire dans le cadre strictement défini du protocole psychothérapique classique, tel que nous le connaissons tous, inspiré du protocole analytique. Je ne veux pas laisser entendre en disant cela que cette inscription d'une personne souffrant de troubles psychotiques, dans un cadre psychothérapique strict, soit impossible ou vouée à l'échec. BION, ROSENFELD, RACAMIER, SEARLES, pour ne citer qu'eux, ont évoqué dans leurs œuvres cette psychothérapie psychanalytique des psychoses avec assez de précisions pour qu'il soit superflu d'insister sur l'intérêt et la fécondité de cette démarche. Cependant, l'expérience psychiatrique quotidienne révèle vite que tous les patients présentant des troubles psychotiques ne sont pas susceptibles de supporter le protocole psychothérapique strict. Et parmi ceux qui le peuvent, rares sont les patients dont la cure psychothérapique peut se dérouler jusqu'à son terme sans que n'apparaisse nécessaire, à un moment ou à un autre, soit au patient soit au psychothérapeute soit à l'entourage, le recours parallèle ou substitutif, temporaire ou prolongé, à d'autres interlocuteurs soignants. C'est à ces interventions parallèles ou substitutives à la psychothérapie individuelle classique, que je souhaite m'intéresser aujourd'hui.

Mon propos n'est donc pas d'évoquer ici les processus en oeuvre dans l'analyse ou la psychothérapie analytique d'une personne souffrant de troubles psychotiques, mais bien plutôt de m'interroger avec vous sur les autres réponses psychothérapiques que nous pouvons apporter à la pathologie psychotique, lorsque cette psychothérapie est impossible, ou interrompue, ou en danger de l'être. La question posée est donc la suivante : comment avoir sur le patient un impact psychothérapique, c'est-à-dire comment favoriser un travail d'élaboration psychique, source possible de changement, sans être pour autant avec lui en situation psychothérapique classique ? C'est poser le double problème du cadre de notre réponse, et du contenu de cette réponse.

Le cadre, c'est celui de la psychiatrie et de ses institutions, celles qui existaient avant nous — essentiellement les consultations médicales de l'hôpital —, et celles que nous sommes depuis une vingtaine d'années en train d'inventer : lieux de jour, lieux de vie, centres de crises, etc. Son contenu, c'est l'utilisation que le patient et nous allons faire ensemble de ce cadre, utilisation qui peut soit aller dans le sens des défenses psychotiques et pérenniser donc la pathologie, soit permettre peu à peu au patient de renoncer à certains processus défensifs, d'en avoir moins besoin, d'assouplir son fonctionnement mental, donc de souffrir moins et de vivre mieux.

Ce projet ne va pas de soi, puisqu'il s'agit d'utiliser à des fins psychothérapiques l'outil psychiatrique conçu et utilisé jusqu'ici selon un modèle médical. Or le modèle médical et le modèle psychanalytique ne font pas volontiers bon ménage. Ils ne voient du même oeil ni la pathologie ni le traitement. Le modèle médical donne pour objectif à la situation de soins de faire disparaître ce qui est apparent, les symptômes ; le modèle analytique, de faire apparaître ce qui est caché, les conflits inconscients. La difficulté est que parfois, et même souvent, les deux modèles se superposent ou se font concurrence dans l'esprit du même thérapeute. Vouloir ainsi évoquer une utilisation psychothérapique des outils de la psychiatrie et s'appuyer sur des points de repère psychanalytiques dans ce parcours parmi des institutions nées de modèle médical, c'est prendre le risque de décevoir tout le monde, aussi bien les tenants de la psychanalyse stricte que les praticiens de la psychiatrie médicale. Prenons donc ce risque, et essayons de cerner les contours de cette approche psychothérapique des psychoses dans le cadre de la psychiatrie communautaire.

Je partirai pour cela de la clinique. Commençons par nous demander pourquoi l'établissement et le maintien d'une situation psychothérapique stricte sont si problématiques avec un patient fonctionnant sur un mode psychotique prévalent. Nous aurons ainsi quelques chances de mieux comprendre où sont les obstacles majeurs à tout travail psychothérapique avec de telles personnes et, à partir de là, d'entrevoir comment surmonter ces obstacles. Accepter et poursuivre une psychothérapie suppose la triple capacité de se reconnaître psychiquement défaillant, de vivre une relation avec un autre que soi, et de supporter l'émergence en soi d'affects ayant un sens, c'est-à-dire unis par des liens repérables à des situations ou à des évènements significatifs du passé ou du présent. Or cette triple capacité est justement ce qui, à des degrés divers, fait le plus défaut aux patients psychotiques. Caricaturalement on pourrait presque dire que le jour où le patient a acquis cette triple capacité, il est déjà sorti du registre des défenses psychotiques. Tant qu'il ne l'a pas obtenu, il vit inévitablement la situation psychothérapique comme un danger, les trois éléments de dangerosité psychique de cette situation étant :

— le *premier*, la désignation explicite d'une défaillance psychique en lui ;

— le *deuxième*, l'exposition aux risques d'une relation investie avec un objet extérieur à lui ;

— le *troisième*, la confrontation avec ses propres affects et avec leur sens, dont les processus psychotiques le protègent, et dont au contraire le processus psychothérapique va le rapprocher.

Bien entendu, il serait ridicule de vouloir réduire la problématique de tous les patients psychotiques à ces trois points de vulnérabilité. Je les souligne seulement comme obstacles majeurs à la relation psychothérapique et au travail d'élaboration psychique. Au delà des particularités de chaque cas, ils sont à des degrés divers présents chez toute personne dont le fonctionnement mental se fait de façon prévalente sur un mode psychotique. Selon que le patient a besoin de se défendre avec le plus de vigueur contre la reconnaissance d'une défaillance psychique en lui, contre le risque d'investir un objet extérieur à lui, ou contre l'émergence de ses propres affects, l'obstacle au travail psychothérapique aura un visage différent et demandera donc une approche différente.

Je vous propose donc d'envisager les aspects divers d'une approche psychothérapique des psychoses à partir de l'examen successif de ces trois obstacles majeurs au travail psychothérapique.

*

*   *

Le premier réside donc dans l'énergie défensive avec laquelle de telles personnes se protègent *contre la reconnaissance en elles d'une défaillance psychique*. La forme la plus achevée de ces réactions *défensives* se rencontre dans les cas extrêmes, et si difficiles à aborder, où le patient nie toute souffrance et tout symptôme. La psychiatrie classique, s'alignant en cela sur le sens commun, fait même de cette méconnaissance radicale par le sujet de sa propre pathologie, un élément de diagnostic et d'évaluation de son degré d'aliénation. Il est cependant plus justifié — et incontestablement plus profitable — de considérer cette attitude irritante du patient rebelle, non comme le signe d'une pathologie particulièrement grave, mais plutôt comme l'indice d'une *très grande vulnérabilité narcissique*, élément essentiel qu'il va falloir prendre en compte dans l'élaboration de la stratégie thérapeutique.

Je voudrais essayer de montrer ici en quoi cette attitude du patient est légitime, et après tout assez cohérente avec l'attitude du commun des mortels.

En effet, se découvrir psychiquement défaillant est sans doute une des blessures narcissiques les plus douloureuses que puisse vivre un être humain, au même titre que se savoir atteint d'une maladie mortelle. Dans l'un et l'autre cas, il s'agit de vivre une situation de trahison par soi-même : dans l'expérience de la folie, trahison par son propre esprit, dans l'expérience de la mort, trahison par son propre corps. C'est l'image que le sujet se fait de lui-même qui est radicalement attaquée dans l'un et l'autre cas, remise en cause de l'image de soi que peu de gens sans doute sont susceptibles d'intégrer sans dommage. C'est un lieu commun de dire qu'il n'y a pas dans notre inconscient de représentation de notre propre mort ; il me paraît aussi légitime de supposer qu'il n'y a pas non plus de représentation de notre éventuelle faillite mentale. Ce n'est pas un hasard si le psychisme défaillant est toujours désigné comme victime, quels que soient les époques, les latitudes et les auteurs : soit victime d'influences extérieures (autrefois esprits maléfiques ou jeteurs de sort, aujourd'hui structure familiale, aliénation sociale ou désignation psychiatrique), soit victime d'anomalies somatiques (héréditaires autrefois, métaboliques aujourd'hui). Seule la psychanalyse a l'outrecuidance de ne pas chercher ailleurs que dans la vie psychique du sujet l'origine de cette défaillance, nous acculant à regarder en face l'inadmissible : l'éventualité de notre propre défaite, à travers celle du patient. C'est bien pourquoi l'application des concepts analytiques au domaine des troubles psychotiques rencontre de tels obstacles tant théoriques que pratiques, sans doute davantage encore que n'en rencontra en son temps leur application au traitement des troubles névrotiques.

Ces processus défensifs grâce auxquels chacun de nous se protège contre la représentation de sa propre mort ou de sa propre faillite mentale, pourquoi celui-là même qui est soudain confronté à la réalité de l'une ou de l'autre, à travers ses propres perceptions et les informations que les autres lui renvoient, n'y aurait-il pas recours ? Combien de mourants sont-ils spontanément capables d'intégrer la réalité de leur propre mort ? L'image aujourd'hui la plus répandue d'une «belle mort» est celle de la mort subite, dans laquelle le sujet ne se voit pas mourir, où lui est donc épargné le pire : la découverte de sa propre incapacité de se maintenir en vie, c'est-à-dire l'effondrement de l'image omnipotente inconsciente qu'il avait de lui-même. C'est à ce pire qu'est confrontée une personne assaillie par un vécu psychotique ; c'est contre cela qu'elle se défend par le déni de sa pathologie. On conçoit que la démarche thérapeutique sera radicalement différente selon qu'on considère ce déni comme un symptôme central de la pathologie du sujet, ou au contraire comme un processus défensif grâce auquel il se protège contre un danger vital. Dans le premier cas, le traitement consiste à attaquer ce symptôme ; dans le deuxième, à respecter cette défense tant que le patient en a besoin, tout en faisant porter l'essentiel du travail thérapeutique sur ce qui est sous-jacent à cette attitude défensive : la blessure narcissique que représente pour lui l'expérience actuelle de sa faillite psychique, et l'intégration progressive de celle-ci.

Or, justement, une des particularités des personnes prédisposées aux décompensations délirantes et fonctionnant sur un mode psychotique prévalent, est leur vulnérabilité narcissique. On ne soulignera jamais assez la pertinence des remarques de Heinz KOHUT sur la pathologie psychotique, et particulièrement son affirmation, si souvent confirmée par l'observation clinique, selon laquelle les décompensations psychotiques surviennent essentiellement à l'issue de blessures narcissiques, bien davantage qu'à l'occasion de situations conflictuelles dans le domaine objectal — lesdites blessures pouvant bien entendu être le fait d'un objet narcissiquement investi. Il me paraît d'ailleurs légitime d'élargir cette remarque à la notion de traumatisme narcissique, en incluant dans ce terme à la fois les blessures narcissiques (déceptions, échecs, dévalorisations) et les stimulations narcissiques (succès, réussites, valorisations). L'équilibre narcissique de tels sujets est en effet suffisamment instable, et la cohérence de leur image d'eux-mêmes suffisamment fragile pour être remis en question de façon traumatique par des évènements agissant dans l'un ou l'autre de ces deux sens. Or les sujets présentant des troubles psychotiques ne sont pas moins capables que d'autres de percevoir les moindres défaillances et anomalies de leur fonctionnement mental, et d'apprécier leurs conséquences au niveau de la réalité sociale : cette perception et cette appréciation constituent alors l'évènement traumatique qui risque de les précipiter vers une régression narcissique grave. La fonction du déni de toute souffrance et de toute défaillance est alors de les en protéger. C'est dire qu'attaquer cette mesure spontanée de protection développée par le patient est prendre le risque d'aggraver sa destruction narcissique, mais aussi d'accroître l'intensité défensive des mécanismes de déni. Or toute rencontre avec nous, authentifiés comme interlocuteurs psychiatriques, constitue par sa seule existence cette remise en cause de déni de toute pathologie. Ainsi, voici l'histoire de Michel le rebelle.

Au plus fort d'une période particulièrement difficile de dégradation de sa vie psychique, ce jeune homme de 26 ans qui, malgré des troubles psychotiques notables, refusait tout traitement médicamenteux et tout entretien psychothérapique, appela un beau jour les services sociaux d'urgence (médecins et pompiers) pour signaler l'état de santé de son père, à ses yeux alarmant. Les interlocuteurs ainsi introduits par le patient lui-même au domicile de ses parents chez qui il vivait, confrontés à l'exubérance délirante de ses propos et au calme relatif de son père, eurent tôt fait d'accéder à la demande de ce dernier d'hospitaliser Michel malgré son refus. Le lendemain, celui-ci s'échappe de l'hôpital et vient se réfugier au dispensaire où il avait coutume de me rencontrer. Il me raconte alors la scène de la veille où, inquiet pour la santé de son père, il a appelé au secours pour se retrouver ensuite lui-même hospitalisé malgré lui. Ce système projectif grâce auquel il localise chez son père sa propre pathologie fonctionne toujours avec la même vigueur. Je me contente de lui rappeler que lors de notre dernière rencontre, deux ou trois jours auparavant, c'est à son propre sujet qu'il était très inquiet, à cause de perceptions angoissantes de déformation de son visage, inquiétude à laquelle j'avais répondu en lui proposant une prescription de neuroleptiques que pour la première fois il avait acceptée (sans cependant aller jusqu'à les acheter). Saisi de panique à cette évocation, Michel se précipite alors à la fenêtre en s'écriant : «Si vous dites cela, je n'ai plus qu'à me jeter par la fenêtre.» Puis, très agité, il me quitte en courant.

Ainsi, la simple évocation de sa propre souffrance et de sa propre pathologie, évocation entendue par lui comme une remise en cause de son système défensif projectif, suffit à l'angoisser très fortement. Implicitement, il laisse entendre que mieux vaut se suicider que se reconnaître psychiquement malade. Michel nous désigne ainsi par sa réaction où est pour lui en ce moment le danger majeur : dans cette perception d'une défaillance psychique dont il se défend par des réactions de plus en plus intenses de déni. Dans de tels cas, l'insistance à vouloir convaincre le patient qu'il est malade, et à le soigner malgré lui, risque d'entraîner une escalade de l'angoisse et du déni de la même façon que, le plus souvent, l'insistance psychiatrique à vouloir réduire les symptômes maniaques les intensifie. Dans un cas comme dans l'autre, nous le savons bien depuis Mélanie KLEIN, le patient se défend à travers cette fuite maniaque, dont le déni fait partie, contre une détresse profonde, contre un vécu dépressif qu'il ne parvient pas à intégrer. Attaquer de front cette défense maniaque — dans notre cas acculer le patient à se reconnaître psychiquement malade — c'est l'amener à s'enfuir encore plus loin et encore plus vite. C'est ce que fait la réponse psychiatrique habituelle, en y ajoutant une prime persécutoire qui va dans le sens de la folie. Car lorsque les soignants pourchassent réellement le patient comme un gibier, la réalité vient confirmer les défenses projectives selon lesquelles le danger est dehors, dans la réalité, et non dedans, c'est-à-dire dans la façon dont le sujet vit sa pathologie. C'est seulement le jour où le patient peut intégrer que le danger dont il se protège est en lui, dans sa vulnérabilité narcissique, et non dans le monde extérieur, que la situation peut commencer à se débloquer. Notre premier souci psychothérapique doit donc être de lui permettre de vivre cette première phase du travail d'élaboration psychique. Ceci demande de notre part de la patience, de l'empathie, une bonne maîtrise du contre-transfert ; mais cela nécessite aussi des outils psychothérapiques appropriés, ainsi que l'illustre la suite de l'histoire de Michel, notre patient rebelle.

Retrouvons donc Michel au moment où, angoissé par mon allusion à sa propre souffrance, il quitte en courant le dispensaire. S'il n'y avait alors dans le dispositif de soins mis à sa disposition que ces deux pôles médicaux, l'hôpital d'un côté, la consultation de l'autre, il n'aurait pu que fuir plus loin. Heureusement, de façon intermittente depuis quelques mois Michel participe à un groupe thérapeutique situé dans un autre lieu, dont le fonctionnement ne heurte pas de front et en permanence son déni de toute pathologie et ne lui renvoie pas une image insupportable de lui-même, comme le fait l'hôpital. C'est dans cette maison qu'il va chercher asile, c'est ce groupe qu'il rejoint. Aussitôt arrivé, il parle de son vécu actuel, son hospitalisation et sa fugue. Il est manifestement très angoissé. Dans ce groupe, les thérapeutes (dont je suis) et les patients lui rappellent la réalité : celle de la mesure administrative qui limite actuellement sa liberté, et met les responsables de l'hôpital dans l'obligation de l'y ramener, fût-ce contre son gré. On mesure là dans le vif de cette situation dramatique l'intérêt primordial d'une telle structure intermédiaire, au vrai sens du terme : territoire différent de l'hôpital, du centre de soins, du domicile, territoire affectivement investi par les patients comme par les soignants, espace commun, véritable matérialisation d'une aire transitionnelle entre ce qui est eux et ce qui est extérieur à eux. À ce moment-là, le groupe joue envers Michel le rebelle un rôle multiple : lieu de refuge où il se rassure ; lieu de parole où son angoisse peut s'exprimer, et où la réalité incontournable de la loi peut lui être dite ; lieu de négociation, où vont arriver les infirmiers de l'hôpital partis à sa recherche. Négociation avec ces exécutants de la loi rendue possible par la présence et la participation des autres patients et des thérapeutes habituels.

Pour avoir été parlée, avant d'être vécue, cette confrontation de Michel avec la réalité a perdu beaucoup de l'aspect traumatisant et insupportable qu'elle aurait pu avoir. D'avoir été ainsi débattu et approuvé par les participants du groupe, son retour inévitable à l'hôpital perd beaucoup de sa dangerosité, et devient narcissiquement moins blessant. Accompagné de l'un d'entre nous, Michel réintègre donc l'hôpital.

Je reviendrai plus loin sur son devenir. Repérons pour le moment ce qu'il y a de psychothérapique dans cette séquence, et ce qui l'a rendu possible. Tout ce qui s'est passé là rapproche Michel de son véritable vécu intérieur — la détresse, l'angoisse devant sa faillite psychique — sans pour autant aggraver la blessure narcissique sous-jacente car le groupe l'a reconnu comme interlocuteur à part entière, a discuté avec lui, non de sa pathologie, mais de sa souffrance de la réalité et de la façon la plus adéquate d'y faire face, en utilisant ses propres capacités de maîtrise et le soutien des autres participants. Cette inflexion dans un sens psychothérapique d'une situation qui aurait pu au contraire dégénérer en affrontement entre Michel et les soignants, donc aller dans le sens des défenses qui cherchent à localiser le conflit entre les autres et lui, n'a été possible que grâce à l'*investissement* préalable de ce lieu par le patient.

Pour que cet investissement d'un lieu désigné comme lieu de soins soit possible pour un tel patient, il est indispensable que l'aspect et le fonctionnement de ce lieu respectent le *système défensif* que celui-ci a érigé contre la reconnaissance en lui d'une défaillance psychique, et n'aggravent pas cette blessure narcissique. Notre objectif n'est pas de détruire le système défensif, mais de permettre qu'il devienne superflu, en donnant au patient la possibilité d'intégrer peu à peu la réalité de sa défaillance psychique. En somme, il s'agit d'arrondir les angles du cadre thérapeutique pour éviter que les patients psychotiques, ces écorchés vifs, ne s'y blessent davantage lorsqu'ils ont affaire à lui. Dans cette perspective, l'essentiel est que, dans la structure proposée, l'accent soit mis davantage sur ce qui est commun aux soignants et aux soignés, que sur ce qui les différencie, c'est-à-dire la «maladie» des uns et la profession des autres.

Diverses formules peuvent sans doute matérialiser cette orientation générale. Jusqu'ici celle qui nous a paru la plus accessible et la plus fructueuse est l'immersion d'un groupe constitué par une dizaine de patients et deux thérapeutes, dans la réalité quotidienne d'une maison. Maison banale, dans une rue banale, entourée de voisins et de commerces, maison dont l'aspect et l'aménagement sont tels que chacun peut avoir d'emblée le sentiment de se sentir chez soi. Aucun signe distinctif tant extérieur qu'intérieur ne permet de la repérer comme différente d'une autre maison familiale — si ce n'est l'absence de chambres et de lits. C'est en effet une maison de jour, ouverte seulement de 11 heures à 15 heures deux jours par semaine pour chacun des groupes qui l'utilisent.

Une cuisine, une salle à manger, une grande pièce à vivre, une petite pièce refuge, une cour, un cerisier qui donne son nom à l'ensemble et ses fruits chaque année aux participants. Des volets et des radiateurs à ouvrir à chaque arrivée, à fermer à chaque départ : gestes familiers, accessibles à tous, marquant le rythme du temps, signant l'appartenance de la maison à tous. Pas de personnel spécialisé pour l'entretien et la confection des repas : ceux-ci sont l'affaire de tous et l'objet d'une négociation commune des choix et des tâches, qui incombent toutes à tous — même la vaisselle, même au médecin. Pas de bureau, pas de pièce à soins ; en cas de crise, d'affrontement, de malaise, aucun autre recours que ceux dont, spontanément, chacun peut faire usage partout dans de tels cas : parler, se réconforter avec un café, l'écoute ou la parole d'un autre, aller crier sa colère ou sa détresse sous le cerisier, faire les cent pas dans la rue, ou s'isoler dans une autre pièce. Ces détails de l'aménagement expriment plus éloquemment que toute parole ce projet de privilégier ce qui est commun à tous, l'identité de participant, au delà des particularités de chacun. Particularités qui sont exprimées sous forme de faiblesses ou de talents, de capacités ou d'incapacités — non sous forme de symptômes ou de soins. Autant d'éléments qui favorisent l'investissement d'un tel lieu par les patients, et créent une situation de soins dont ils peuvent se reconnaître partie prenante sans pour autant entamer davantage encore chacun son estime de soi-même.

*

* *

Mais il ne suffit hélas pas qu'une situation soit investie par un patient pour acquérir aussitôt une vertu psychothérapique. Une situation est psychothérapique si elle fournit à celui qui la vit une occasion d'élaboration psychique, c'est-à-dire d'intégration de ses affects dans un processus mental où il peut les reconnaître comme siens et en même temps percevoir leur sens. Notre rôle de thérapeutes ou de soignants est de rendre possible cette reconnaissance par le patient de ses propres affects, de faciliter cette appréhension de leur sens. Il est évident que nous ne pouvons remplir cette fonction que si la situation nous le permet : cela suppose une proximité et une disponibilité suffisantes pour pouvoir être attentifs au vécu du patient, dans son expression agie ou parlée, et à notre propre vécu, perceptible à travers ce que nous ressentons et imaginons alors. La relation duelle permet à la fois cette proximité avec l'autre et avec soi-même, et cette double disponibilité à l'autre et à soi ; c'est pourquoi, lorsqu'elle est possible, elle reste la situation psychothérapique la plus bénéfique. La psychothérapie de groupe classique telle qu'elle est à présent, bien codifiée et connue, permet aussi aux thérapeutes d'être à la fois attentifs, proches et disponibles. L'une et l'autre ont l'avantage de s'inscrire dans un protocole bien précis, dont les règles ont acquis droit de cité. Elles ont malheureusement l'inconvénient l'une comme l'autre d'être volontiers mal supportées par un certain nombre de personnes souffrant de troubles psychotiques, essentiellement — et ce sera le deuxième volet de cet exposé — parce que ces situations psychothérapiques classiques nécessitent chez le patient la capacité d'affronter *les risques d'une relation affectivement investie avec un objet extérieur à soi*. Capacité que souvent le patient n'a pas. Parce que le cadre psychothérapique classique est inutilisable dans de tels cas, faut-il pour autant estimer impossible tout travail d'élaboration pour de tels patients? Si nous savons adapter le cadre à la dynamique psychique de ceux qui l'utilisent, une véritable démarche psychothérapique s'avère possible avec de telles personnes, ainsi qu'en témoigne l'histoire d'Annie.

Annie est âgée aujourd'hui de vingt ans. Elle participe depuis deux ans aux mêmes groupes thérapeutiques du Cerisier que Michel, groupes dont j'ai esquissé le cadre en évoquant l'histoire de ce patient. Annie y est arrivée angoissée, agitée, hallucinée. Depuis l'adolescence, elle avait dû subir plusieurs séjours hospitaliers et suivait un traitement neuroleptique à peu près ininterrompu. Elle vivait alors chez ses parents, avec ses deux frères, l'un plus âgé, l'autre plus jeune qu'elle, et venait de terminer sa scolarité dans un établissement spécialisé. Sa pathologie posait beaucoup de problèmes à son entourage, en particulier à cause de ses réactions bruyantes et agressives. Avant sa rencontre avec notre équipe, elle avait ébauché quelques prises en charge ambulatoires en hôpital de jour, vite interrompues en raison de passages à l'acte agressifs envers le personnel...

Aussitôt dans le groupe, Annie fondit sur les femmes thérapeutes du groupe comme un aigle sur sa proie, les assiégeant de questions, de caresses, de gestes exprimant à la fois la fascination et l'agressivité. Ainsi elle tirait sur les boucles d'oreille après les avoir palpées, serrait les colliers autour du cou après les avoir caressés. Peu à peu cet investissement se localisa sur une de ses thérapeutes, désormais l'objet de sa surveillance et d'un intérêt de tous les instants. Il apparut bientôt que l'insupportable pour Annie était que cette thérapeute (Danielle BASTIDE) puisse lui échapper. Elle aurait voulu pouvoir la traiter comme une poupée, que l'on cajole ou que l'on bat, qu'on pose ici et là, dont on dispose totalement, c'est-à-dire qui ne soit qu'un prolongement narcissique d'elle-même. La thérapeute, d'abord paralysée par cet investissement tyrannique dont elle était l'objet, acquit peu à peu la capacité de mettre des limites à cet envahissement. Parfois elle devait tenir fermement les poignets d'Annie pour éviter d'être sa prisonnière, parfois moi qui suis son collègue masculin je devais m'interposer physiquement pour la protéger ou la délivrer, sans que jamais ces actes aient cessé d'être doublés par des mots. En particulier, ces mots soulignaient la détresse d'Annie qui nous était perceptible derrière sa colère.

Sans doute, dans de telles situations, pendant longtemps le rôle des thérapeutes est-il seulement de tenir le coup, de supporter les inconvénients d'un tel investissement intrusif et d'en limiter les excès, tout en veillant à ne pas cesser de mettre des mots sur ce qui est agi, dans un travail que je comparerais volontiers au sous-titrage instantané des images d'un film étranger : car pendant longtemps le patient vit toutes ces scènes dans la confusion ; bien qu'il en soit tout à la fois l'auteur et l'acteur, elles lui sont aussi difficilement compréhensibles que les images d'un film étranger en version originale. Notre premier souci doit être de mettre des sous-titres sur ces images (en prenant parfois le risque de faire quelques contresens) afin que peu à peu, pour le patient, l'insensé prenne sens, le confus se clarifie — un jour finira bien par venir où il sera capable de mettre lui-même les sous-titres sur les images de son film, puis plus tard de produire comme tout le monde un film cohérent parlant sa propre langue, et ne nécessitant plus aucun sous-titrage. Le plus difficile, dans ce travail bizarre qui est le nôtre, est la nécessité dans laquelle nous sommes alors placés de sous-titrer le film au moment même où nous sommes en train d'y tenir un des rôles principaux, gymnastique affective et intellectuelle souvent acrobatique.

Il nous apparut peu à peu qu'en fait Annie vivait dans la rage et la détresse toutes les situations qui la confrontaient au fait que cet objet investi comme une partie d'elle-même puisse exister à l'extérieur d'elle, c'est-à-dire qu'il soit susceptible de lui faire défaut, de lui échapper, entraînant alors une véritable dislocation de son édifice psychique. Chaque fin de séance de groupe était pour Annie un moment d'intense angoisse. Pendant plusieurs semaines, après avoir quitté le groupe, elle était pendant de longues heures très hallucinée, envahie, pendant son voyage de retour chez ses parents puis auprès d'eux, par les voix de la thérapeute et des autres membres du groupe, voix auxquelles elle répondait tout haut avec véhémence, inaccessible alors à la réalité, sourde à ce que lui disaient ses proches. Ainsi, elle suppléait au manque suscité par la séparation sur un mode hallucinatoire, elle emportait le groupe dans sa tête. Mais en même temps il nous apparut bientôt que la trop grande proximité l'angoissait encore davantage ; les moments les plus pénibles pour elle comme pour la thérapeute, en dehors des moments où il fallait se quitter, étaient ceux où par surprise elle parvenait à étreindre très fortement celle-ci, à se serrer convulsivement contre elle ou sur ses genoux. Elle semblait alors littéralement absorbée par l'autre, devenait l'autre, perdant ses limites propres, son image corporelle, son identité. Ses propos devenaient incohérents, elle avait alors recours au miroir pour se retrouver, se reconstituer, à travers une véritable conversation avec son image. On voit combien est alors réduite notre marge de manœuvre thérapeutique : l'objet ainsi investi devient destructeur dès qu'il fait défaut, et persécuteur dès qu'il est très proche.

Il est donc essentiel que la situation thérapeutique quelle qu'elle soit ménage aux deux protagonistes la double possibilité de régler l'un et l'autre leur distance réciproque et d'avoir recours à des tiers moins investis, ou investis différemment. Dans les groupes du Cerisier, la possibilité de régler la distance réciproque est donnée par l'immersion de la relation dans la réalité : l'un ou l'autre peut se détourne temporairement de l'autre pour centrer son intérêt sur une tâche à accomplir, tout en restant là, sans disparaître. La réalité ainsi partagée devient un moyen de médiatiser la relation, de l'assouplir, de ménager des moments de retrait salutaire où l'un et l'autre, ici la thérapeute et la patiente, peuvent reprendre leur souffle en centrant leur intérêt sur une tâche à accomplir, quelquefois même ensemble. Ces instants de désagrippage réciproque sont essentiels, ce sont eux qui rendent supportable cette relation, ce sont eux qui ouvrent la voie vers ce que la patiente n'a pas encore, la capacité d'être seule en présence de l'autre, capacité définie en termes si justes par WINNICOTT ; ils évoquent ces instants paisibles où le petit enfant se laisse aller à jouer en présence de sa mère mais sans s'occuper d'elle, tandis que celle-ci, auprès de lui, s'occupe d'autre chose que de lui.

La présence d'autres interlocuteurs joue un rôle tout aussi important : dans le vécu des deux protagonistes, cette présence est un élément rassurant, un antidote contre le vertige fusionnel qui les guette tous deux, et qui est le grand danger d'une telle situation.

Le travail d'élaboration que, par touches successives, Annie a pu faire dans ce groupe a débouché sur des changements importants dans son fonctionnement mental. Les séparations et les lacunes dans sa relation aux objets affectivement investis — toujours sur le même mode narcissique — ne déclenchent plus en elle des accès de rage accompagnés de passages à l'acte, mais des émotions qui, même si elles sont parfois intenses, sont mentalisées (et non plus agies), c'est-à-dire éprouvées et dites en mots. Dans le groupe, Annie a acquis la capacité de vivre avec la thérapeute une relation proche mais souple, source d'émotions, mais non d'angoisse, de rage ou de confusion. Et même lorsqu'elle évolue dans un registre de passage à l'acte, elle est devenue capable d'accompagner celui-ci d'un message verbal, de lui donner un sens : aussi a-t-elle associé spontanément son absence lors d'une séance récente de groupe à la tristesse qu'elle avait ressentie à la séance précédente — tristesse suscitée par l'absence de certains participants — tout en ajoutant : «En ne venant pas, j'espère bien qu'à mon tour, j'en ai rendu tristes quelques-uns.» Sur le mode de l'humour et du jeu, elle peut parler des absences et de sa façon de les pallier : ainsi, lors d'une de mes absences récentes dans le groupe, elle a décidé que ce jour-là elle était le Dr SASSOLAS, donc qu'elle était le mari de la thérapeute. Il y avait dans cette affirmation une conviction sincère — elle était moi — mais ni angoisse, ni perte d'identité. En quelque sorte, elle joue maintenant avec des mécanismes mentaux dont elle était auparavant le jouet angoissé, qu'elle subissait dans l'incohérence.

Je laisse délibérément de côté un aspect — et non le moindre — du travail élaboratif réalisé par Annie, celui qui repose sur les liens que nous avons faits chaque fois que la situation nous y autorisait, avec le vécu antérieur d'Annie, avec les évènements significatifs de sa vie familiale, avec sa relation fusionnelle et agressive avec sa mère, avec la dynamique familiale liée à la relation conflictuelle opposant

hyperactive et un père ayant désinvesti la vie familiale. Liens,
ents qui sont le tissu du processus psychothérapique lui-même, tel qu'il
ouler dans toute psychothérapie classique. Peu à peu Annie a évolué
son fonctionnement vis-à-vis des autres personnes : dans le groupe elle
atiquement plus jamais son identité, mais elle a besoin de fonctionner
très souvent en double avec un ou plus souvent une participante, relation qu'elle
définit elle-même : «Nous sommes des jumeaux». Ce double d'elle-même semble
jouer un rôle de complément narcissique temporaire et interchangeable — alors
qu'auparavant la thérapeute était ce complément vécu en permanence comme
indispensable — ainsi que l'avait été antérieurement sa mère. Simultanément, Annie
a noué à l'extérieur du groupe une relation amoureuse avec un jeune homme —
chez qui elle vit désormais — dans une relation ambiguë où elle a un rôle passif
et inactif consacré au loisir et au farniente, tandis que lui s'occupe de tout à la maison
— dans une image renversée du couple parental où sa mère s'occupait de tout et
son père de rien. Annie compare d'ailleurs volontiers son ami à sa mère...

*
* *

La situation psychothérapique suppose enfin chez celui qui la vit la capacité
d'éprouver comme siens ses affects, et celle de supporter qu'ils aient un sens. Or
justement, l'objectif du fonctionnement mental psychotique est de protéger le patient
de ses affects, non seulement en essayant de les rejeter ou de les détruire, mais
aussi en tentant d'en effacer toute trace psychique, par la falsification ou la destruction
de leur sens. On peut schématiser le mouvement psychothérapique en disant qu'il
est centripète, qu'il tend à réunir ce qui est dispersé, refoulé ou clivé, à redonner
vie aux chemins oubliés qui vont et viennent entre le passé et le présent. Le système
défensif psychotique est son parfait contraire, il est centrifuge, toute son énergie
vise à séparer, disloquer, détruire les éléments qui constituent et alimentent la vie psychique de tout être humain — perceptions, émotions, désirs, pensées, souvenirs —
jusqu'à en faire un magma confus et inerte, c'est-à-dire inoffensif. L'intensité et la
permanence de ce mouvement centrifuge sont telles qu'elles peuvent donner à un
observateur superficiel l'illusion de l'immobilité ; en fait, derrière cette apparence
figée se déploie une formidable énergie qu'il serait naïf d'ignorer et dangereux
d'attaquer de front.

Voici Édouard. Sa pathologie s'est manifestée tard, après quarante ans.
Jusque-là, c'était un homme apparemment comme vous et moi, avec une famille,
une maison, un métier, des amis, un passé, un avenir. Il y a aujourd'hui onze ans,
ont débuté des troubles qui l'ont conduit à un long périple à travers tout ce que
la psychiatrie peut offrir de consultations, d'institutions, de diagnostics et de
traitements. Sous les diagnostics successifs de démence présénile de PICK, de
mélancolie d'involution, de psychose maniaco-dépressive, de syndrome de négation
de COTTARD, il a séjourné dans nombre d'hôpitaux publics et privés, chaque fois
de quelques mois à un an, subi tous les examens neurologiques actuellement
disponibles — y compris l'artériographie cérébrale et le scanner —, goûté à tous

les traitements médicamenteux des dix dernières années, neuroleptiques, antidépresseurs — lithium compris. En vain. Lorsque nous l'avons rencontré pour la première fois, il y a aujourd'hui trois ans, il était comme au premier jour de sa pathologie : planté devant tout nouvel interlocuteur, il haussait et baissait spasmodiquement les épaules, laissait tomber sa tête sur sa poitrine comme si elle allait se détacher du cou, et répétait sans cesse quelques phrases stéréotypées, toujours les mêmes : «Je suis foutu — je suis à flinguer — j'ai perdu la vision, je ne vois plus, j'ai vu beaucoup de choses mais je ne me souviens de rien — j'ai perdu mon baratin, il ne me reste que quelques mots.»

Il était alors candidat pour venir vivre à la Maison de la Baïsse, lieu de vie communautaire que nous avons créé à Villeurbanne il y a quelques années, lieu habité par sept personnes souffrant de troubles psychotiques et défini comme un des moyens mis à leur disposition pour favoriser leur évolution psychique. En nous l'adressant, le psychiatre hospitalier qui en avait la responsabilité depuis un an exprimait sa double conviction de l'inefficacité des approches psychiatriques classiques pour ce patient, et de la capacité de celui-ci de tirer profit d'une autre approche.

Édouard est un bon exemple de ce qui est en œuvre dans les processus psychotiques, au delà des distinctions nosographiques et des cas particuliers : d'une part la mise à l'écart, la séquestration, plus encore que le clivage, de la grande partie de l'activité psychique inconsciente, expliquant que nous ayons le sentiment d'avoir affaire à quelqu'un de vide, d'absent ou d'étranger à lui-même, vécu d'ailleurs exprimé parfois directement par les patients eux-mêmes ; d'autre part la réalisation concrète et agie de la problématique inconsciente du sujet, mais à son insu, toute sa vie à partir d'un certain moment devenant un gigantesque lapsus, un acte manqué, multiple et permanent. L'inconscient tenu en cage est alors comme ce célèbre cinéaste turc retenu prisonnier dans les geôles de son pays qui, à force de messages clandestins et de complicités, est parvenu à faire réaliser par ses collaborateurs, dans le monde extérieur, un film entier dont il est ainsi l'auteur et le metteur en scène omniprésent, bien qu'absent.

Repérer quel scénario l'inconscient du patient est en train de mettre en scène n'est pas toujours facile, surtout lorsque la psychiatrie, ses institutions et ses agents en sont devenus les acteurs principaux. Ainsi Édouard, répétitivement depuis dix ans, est un homme malade, disqualifié, invalidé, traîné comme un paquet par son épouse de consultation en hôpital, hébété, ne comprenant rien à rien, sans désirs, sans souvenirs. C'est à partir de ce rôle-là — ou plutôt de cette identité-là — qu'il s'adresse à l'institution psychiatrique, et celle-ci lui donne aussitôt la réplique, puisque tel est son rôle social, son identité à elle, dans cette scène prédéterminée qui met face à face le malade et la médecine, image parentale protectrice et supposée puissante. Dans cette distribution des rôles, ce qui compte n'est alors ni ce que fait l'institution psychiatrique, ni ce qu'elle dit ; le contenu de la réponse n'est pas à prendre en compte, seul est significatif le fait qu'elle accepte d'entrer en scène en face du malade Édouard, ou qu'elle refuse de le faire. Chaque fois qu'elle accepte, le destin répétitif du scénario est scellé. En choisissant de l'adresser à une institution non revêtue de ce rôle social là, le psychiatre d'Édouard a pour la première fois donné un coup d'arrêt à la répétition, et une chance à Édouard de pouvoir un jour s'extraire de cette identité de grand malade que son inconscient le contraint à vivre.

À la Maison de la Baïsse, Édouard est un résident, pas un malade ; il est là dans un lieu de vie, pas dans un lieu de soins. C'est ailleurs, dans les consultations puis dans les groupes du Cerisier qu'il peut nous interpeller de sa position de malade — et ce n'est pas fortuit si pendant très longtemps, ces lieux de soins se sont révélés pour lui aussi stériles que les précédents. Dans le lieu de vie, Édouard va aussitôt chercher inconsciemment à revivre le scénario dans lequel il est le disqualifié : il ne s'intéresse à rien en dehors de la télévision, fume sans arrêt, crache partout, néglige de fermer les portes même en plein hiver, laisse s'échapper le gaz de la cuisinière, se souille et bientôt souille la maison de ses excréments. Il laisse tout aller, il se laisse aller — comme un bébé irresponsable, un demi-clochard farceur et hirsute, sale, rejeté par la plupart des résidents, proche seulement de deux d'entre eux, les plus perturbés dans leur relation à autrui et à la réalité. Il est cependant soutenu et presque toujours apprécié par les stagiaires successifs : les stagiaires sont des étudiants, le plus souvent en psychologie, qui partagent durant quatre à six mois la vie des patients-résidents, avec les mêmes droits et les mêmes devoirs qu'eux, sorte de voisins proches et bienveillants sur qui on peut compter, bien qu'ils n'aient aucune responsabilité soignante.

Il n'y a aucun soignant dans cette maison, mais un dispositif précis permet que cette lacune délibérément créée soit vécue comme une absence, et non comme un vide : les résidents connaissent les deux membres de l'équipe soignante concernés par leur vie dans cette maison pour avoir eu des entretiens préliminaires avec eux avant d'y entrer, pour les rencontrer chaque mardi dans une réunion de régulation où sont évoqués tous les problèmes nés de cette vie en groupe. À tout moment du jour ou de la nuit, ils peuvent faire appel à l'un d'eux.

Pendant des mois, les réunions de régulation hebdomadaires furent l'occasion d'affrontements entre la majorité des patients d'un côté, les stagiaires et les soignants de l'autre, autour du cas d'Édouard ; les premiers demandaient son départ, les seconds invitaient le groupe à patienter, tout en l'amenant inlassablement à s'interroger sur le comportement d'Édouard et sur les réactions de rejet, de lassitude ou de dégoût qu'il semblait avoir besoin de susciter. L'essentiel était de tenir — et le rôle des interlocuteurs institutionnels, dans de tels cas, est d'aider les résidents à supporter les désagréments de la situation et à montrer, par leur détermination, leur certitude que tout ceci n'est pas vain, qu'un changement est possible. Ainsi le temps passa et peu à peu Édouard se mit à vivre avec les stagiaires successifs — surtout masculins — une relation originale dans laquelle il était à la fois le père et le fils du stagiaire. Les mémoires rédigés par les stagiaires successifs à la fin de leur séjour expriment bien la fascination ambiguë de ces jeunes hommes par cette image paternelle amputée, dévalorisée, image derrière laquelle transparaissait parfois ce qu'avait été cet homme, ce qu'il pouvait être encore — en particulier à travers les brusques pointes d'un humour noir dévastateur, qui parfois lui échappaient. Désir de comprendre, de réparer, de réhabiliter, refus d'être complice de cette entreprise d'exclusion et de disqualification d'Édouard par son épouse et par lui-même.

Voici deux épisodes significatifs de la relation d'Édouard avec un des stagiaires (Vincent BOMPARD), tels qu'ils ont été évoqués par celui-ci dans son mémoire :

« La première fois où nous sommes allés à la piscine avec Édouard, il a commencé à couler à la deuxième longueur, il a perdu sa montre, il égarait ses affaires, ne retrouvait plus le box, il a même uriné sans s'en rendre compte — l'écoulement succédait au naufrage. J'ai tenu à lui dire qu'il pouvait nager, plus doucement, plus longtemps, en sachant s'arrêter. Rémy — un autre patient — l'a amené à plonger plusieurs fois, il est alors arrivé à nager plusieurs longueurs et à rester assez longtemps dans l'eau... Édouard a demandé à ce qu'on y revienne — la fois suivante, il a de lui-même acheté une nouvelle montre, et ne l'a pas perdue — ni elle, ni ses affaires. »

Ne croirait-on pas entendre un père évoquant avec sollicitude son fils en train d'apprendre à nager ? Et à un autre moment :

« Un jour, Édouard nous amène des photos-souvenirs de vacances, de sa jeunesse, et nous les regardons tous en l'écoutant commenter, et en lui demandant des précisions. À ce moment-là il est le centre d'intérêt de tous, parlant du passé comme jamais il n'en avait parlé, il redevient sujet de son histoire passée... Quelques jours plus tard, il dit qu'il a une vingtaine de films de trois minutes tournés au long des années ; je lui propose de les projeter, j'amènerai le projecteur, lui les films, les autres leur présence. Nous les verrons tous, un soir, avec beaucoup de demandes de précisions. Visiblement ému ou peiné de revoir ces années passées, il s'en ira à plusieurs reprises devant la télé, préférant un écran neutre avec des paroles extérieures, à un écran sur lequel se déroule une partie de sa vie. »

Cette fois-ci, ne croirait-on pas voir un fils amenant avec un tact affectueux son vieux père à évoquer son passé ?

Nous sommes ici au cœur du problème d'Édouard, tel qu'il commence à nous être perceptible à travers de telles situations : l'évitement de son identité de père par des comportements qui, depuis dix ans, le placent dans une position d'enfant. Il peut être instructif de comparer ce que nous percevons de cette problématique inconsciente telle qu'elle apparaît dans le scénario agi auquel nous participons, et ce qu'en laisse supposer Édouard dans ce qu'il dit de son histoire : au fil des années, Édouard a cité aux divers interlocuteurs qui s'intéressaient à son passé les mêmes événements, qui attirent aussitôt notre attention sur sa relation avec les images maternelles. Il est fils unique, il répète volontiers qu'après lui «on a cassé le moule» car sa mère a subi une hystérectomie. Il s'est marié jeune — et lors de son mariage, sa mère a été si déprimée qu'elle a dû être hospitalisée en milieu psychiatrique. Moins d'un an plus tard, il était veuf : sa femme était atteinte d'une hépatite subaiguë et on peut supposer qu'il avait été prévenu du risque vital couru par sa fiancée. Il se remarie cinq ou six ans après avec son épouse actuelle qui était une camarade d'études, et il évoque volontiers sa belle-mère devenue alcoolique après ce mariage et qui s'est suicidée. Sept ans se passent avant la naissance d'un fils — naissance après laquelle la vie sexuelle du couple est de plus en plus réduite. Lorsque le fils approche de quatre ans, a acquis le langage, va acquérir l'écriture et exister socialement en allant à l'école, Édouard commence à perdre tous ses moyens, cesse toute activité (il était chargé de la formation de dessinateurs industriels dans une grande entreprise), et devient ce grand invalide familial et social, amenant son épouse à se comporter avec lui comme avec un second fils, handicapé et malade celui-ci. Un mouvement régressif vertigineux a fait d'Édouard le petit frère de son fils et l'enfant malade de son épouse.

Cette pathologie de la filiation et de la paternité avait bien été perçue par le psychiatre qui nous avait confié ce patient (le professeur Jean GUYOTAT) — mais sans qu'une prise en charge hospitalière, si peu aliénante soit-elle, ait pu avoir un impact sur la pathologie d'Édouard. Si nous admettons l'hypothèse que tout son comportement régressif a pour objectif de le protéger contre le danger inconscient de la position paternelle en le détruisant *réellement* en tant que père, en faisant *réellement* de lui un enfant pour mieux l'éloigner de cette position dangereuse, alors on peut mieux comprendre en quoi l'approche que nous lui avons proposée à la Baïsse a été psychothérapique.

Pour moi en effet, la règle d'or de toute démarche psychothérapique repose sur une triple exigence : ne jamais attaquer de front les solutions défensives élaborées par le patient — ne jamais aller dans le même sens qu'elles — ne jamais cesser de désigner explicitement leur fonction défensive. Ainsi, à la Baïsse, nous avons accepté Édouard dans son attitude régressive, sans avoir recours aux stimulations chimiques, ergothérapiques, occupationnelles, comportementalistes qui auraient pu lui être opposées. Mais en même temps, tout le fonctionnement institutionnel s'opposait à cette attitude régressive, interpellait Édouard en tant que sujet en suscitant des tensions tellement vives qu'elles mirent à plusieurs reprises en péril sa présence dans ce lieu. Au contraire, dans tous les établissements antérieurs où il avait séjourné — sauf le dernier — les équipes soignantes s'étaient plus ou moins comportées en complices du processus défensif d'invalidation qui faisait de lui un grand malade. Enfin, à chaque occasion où cela était possible, les stagiaires et les thérapeutes institutionnels ont exprimé leur conviction parlée ou agie qu'Édouard était bien un homme — et non un enfant — et leur interrogation sur ce processus d'invalidation qui semblait jouer un rôle essentiel dans son économie psychique.

La deuxième règle de cette approche psychothérapique est de repérer ce contre quoi le patient se défend — et précisément à le repérer dans sa relation avec nous, afin de lui rendre peu à peu tolérables ces affects jusqu'ici vécus comme dangereux et destructeurs ou pour lui, ou pour nous. Ainsi, peu à peu à la Baïsse, Édouard a pu par moments et dans un autre cadre que celui de sa famille, assumer un rôle temporaire de père — et vivre les affects de cette situation ; l'épisode des photos a été l'un des plus significatifs mais il y en eut d'autres.

Près de trois ans ont passé. Édouard apparaît à présent investi dans ce lieu d'un rôle paternel, il participe à la vie de la maison, y prend des initiatives, joue un rôle important auprès d'autres patients comme Michel, dont j'ai évoqué le cas au début de cet exposé, et qui y réside à présent. Édouard est aujourd'hui vivant, capable de vraies conversations, ne parle plus de se flinguer, n'a plus des allures de clochard. Depuis un an environ, il a investi activement les groupes thérapeutiques du Cerisier, ceux mêmes auxquels participe Annie ; il y prend le risque de vivre une relation significative avec des images parentales — dont je suis. Ainsi, pendant longtemps, il n'avait jamais rien exprimé envers moi, si ce n'est un jour, il y a deux ans, où il avait hurlé dans un accès soudain de fureur : «Sassolas est à flinguer», éruption sans lendemain témoignant de sentiments agressifs difficilement intégrables en raison de leur violence. Désormais, sur le mode de l'humour, il laisse entrevoir une véritable relation oedipienne avec moi : lorsque je m'absente, il prend une place différente dans le groupe — pendant mes vacances, il évoque volontiers les incendies de forêt où je peux brûler l'été, et les accidents de ski où je peux me briser l'hiver. Les conditions sont désormais réunies pour une approche psychothérapique plus classique. Encore fallait-il qu'existe préalablement un lieu adapté à son système défensif, susceptible d'être investi par lui, habité par des personnes susceptibles de l'investir, lui…

*

*   *

J'ai tenté d'exposer ici comment concevoir et réaliser une approche psychothérapique des troubles psychotiques, lorsque la pathologie du patient le rend temporairement inaccessible à une psychothérapie classique, individuelle ou de groupe. Cette approche s'appuie sur une conception psychodynamique et non pas déficitaire de la pathologie psychotique. Elle suppose des cadres spécifiques à la rencontre du patient et des thérapeutes, cadres adaptés aux modes de défense particuliers de la psychose : déni, projection, investissement symbiotique de l'objet, destruction des affects et de leur sens.

Au delà des contingences particulières à chacun d'entre eux, ces cadres spécifiques doivent répondre, dans leur structure et leur fonctionnement, à trois critères essentiels :

1.- susciter l'investissement narcissique des patients et des thérapeutes ;

2.- aider les uns et les autres à supporter les aléas difficiles de la relation thérapeutique ;

3.- permettre au patient de vivre la douloureuse démarche de réappropriation progressive de ses affects et de leur sens.

Une telle approche rencontre beaucoup d'obstacles et soulève beaucoup de résistances, car elle remet en question la quiétude des pratiques antérieures. En effet, aux psychanalystes elle demande de modifier radicalement les rapports de leur pratique et de la réalité, non pas en intégrant des éléments de réalité dans leur protocole habituel, mais en prenant le risque d'immerger l'esprit de la démarche analytique dans une situation de réalité préalablement codifiée. Aux psychiatres, elle demande de vivre avec le patient psychotique une angoissante proximité, en renonçant aux artifices médicamenteux ou institutionnels grâce auxquels il s'en protège le plus souvent. Des gestionnaires de la psychiatrie enfin, elle exige qu'ils acceptent le démembrement des cadres institutionnels habituels, calqués sur ceux de la médecine, afin de concevoir pour les patients psychotiques des lieux de soins et des lieux de vie spécifiques n'excédant pas les dimensions du groupe thérapeutique ; lieux dotés chacun d'un personnel stable, fiable et autonome ; lieux articulés les uns aux autres, non pas selon une finalité médicale ou administrative, mais selon une conception psychodynamique de la psychose.

SUMMARY

A PSYCHOTHERAPEUTIC APPROACH OF PSYCHOSIS AND COMMUNITY PSYCHIATRY

This paper has not for object the psychotherapy of psychosis, but the psychotherapeutic answers being offered, in the framework of community psychiatry, to people suffering from psychotic disorders, when they are incapable of coping with the classical psychotherapeutic situation.

All psychotherapeutic relationship brings to life, for this kind of patient, a situation of psychic dangerosity, rendering problematical the establishment or the pursuit of this relationship, this dangerosity consisting of these three essential factors :

1- The explicit designation of a psychic failure in himself.

2- The exposure to the risks involved in an invested relationship with an object external to himself.

3- The confrontation with his own affects and their meaning.

Three clinical examples illustrate what can be a psychotherapeutic approach suited for facing advantageously these three vulnerable points, approach capable of being the occasion for a psychical working-out.

This approach rests upon a defensive — and not a deficiency — conception of psychosis. It implies the use of original care structures which setting is described here. Their functioning gives to the therapist the possibility to respect the defensive solutions worked out by the patients, without, for all that, giving in to these solutions, and without ever ceasing to indicate explicitly their defensive function.

BIBLIOGRAPHIE

Le lecteur intéressé par cette question pourra consulter les textes suivants, du même auteur :

REVUES

Transition. Revue internationale du changement psychiatrique et social, publiée par l'Association pour l'Étude et la Promotion des Structures Intermédiaires (ASEPSI), 55, avenue Mathurin-Moreau, 75019 PARIS.
Correspondante au Québec : Danièle BERGERON.
«Les maladies infantiles des structures intermédiaires», décembre 1979, n° 1, p. 44.
«La place des structures intermédiaires dans une approche psychothérapique des psychoses», janvier 1981, n° 5, p. 41.
«Les obstacles au changement dans notre tête et dans celle des patients», 3ᵉ trimestre 1983, n° 14, p. 106.

Entrevues. Bulletin du groupe de recherches psychiatriques, Hôpital Saint-Jean-de-Dieu, 290, route de Vienne, 69008 LYON.
«Les schizophrènes et nous», automne 1981, n° 1, p. 49.

Santé mentale au Québec.
«La Baïsse, une communauté pour psychotiques», novembre 1981, vol. VI, n° 2.

LIVRE

Technique de soins en psychiatrie de secteur, sous la direction de monsieur Jacques HOCHMANN, Presses Universitaires de Lyon, Collection l'Autre et la différence, 1983, 272 p.
«Structures intermédiaires et approches psychothérapiques des psychoses. À propos de deux expériences : le foyer du Cerisier et la Maison de la Baïsse à Villeurbanne», p. 135-174.

Psychodynamique et champ social chez l'individu psychotique

Jean-Guy LAVOIE

Le titre nous introduit d'emblée les concepts de champ social et de psychodynamique, deux vecteurs que je désire mettre au centre de mon approche du thème psychiatrie-psychanalyse. Une légende thessalienne bien connue, celle d'Orphée, nous présentera un drame où diverses forces sociales orientent un destin individuel.

I. UNE LÉGENDE THESSALIENNE*

Orphée était un sage qui avait beaucoup voyagé. Il avait appris les mystères des différentes religions. Il était un musicien habile et excellait à la cithare. Il tirait de sa lyre des accents d'une telle beauté que toute passion s'apaisait chez les animaux comme chez les humains. Il fut à jamais vénéré comme le dieu de la musique.

Orphée nous est bien connu pour sa descente aux Enfers où il alla chercher Euridyce, son épouse décédée le jour de leur hymen. Le spectacle de sa douleur et la douceur de son chant touchèrent les dieux. Les divinités infernales attendries acceptèrent de ranimer Euridyce. On autorisa l'amant éploré à ramener son épouse sur terre. Une condition fut posée, cependant : Orphée ne devait pas regarder Euridyce avant d'être sorti des limites des Enfers. Le couple accédait à la sortie lorsque Orphée, impatient, se retourna pour contempler sa bien-aimée. Son épouse lui fut immédiatement enlevée et elle retomba pour toujours dans les abîmes.

Les dieux refusèrent à Orphée le privilège de retourner y reprendre Euridyce. Retiré en Thrace, Orphée resta inconsolable. Il se montra insensible aux charmes

---

* Je tiens à remercier ici mes collègues du Séminaire sur les oeuvres de M. KLEIN et ceux de l'Unité de psychothérapie pour les échanges féconds qui ont stimulé ma réflexion.

des Thraciennes qui, irritées de leur échec, mirent Orphée en pièces au cours d'une célébration de leurs orgies et jetèrent sa tête dans le fleuve.

Plus tard, un temple fut consacré à Orphée où il fut honoré comme un dieu. Mais l'entrée de ce temple fut à jamais interdite aux femmes.

Le mythe d'Orphée se prête à des interprétations diverses. Ce drame nous propose le destin d'un individu à l'équilibre psychique précaire. Les Enfers nous renvoient aux profondeurs abyssales de l'inconscient où aurait été repoussée Euridyce. L'intervention brutale des divinités nous suggère que le désir d'Orphée pour cette épouse a un caractère d'illégitimité. S'agirait-il d'élans coupables condamnés par les dieux parce qu'inspirés d'un désir envers un personnage incestueux? Les forces divines refoulantes soustraient Euridyce à Orphée et rejettent dans l'oubli l'objet d'un amour trop exclusif et trop violent qui empêche toute retenue, tout délai dans la satisfaction. Euridyce ne peut être ramenée au grand jour que si Orphée maîtrise sa passion. Mais l'amant est incapable d'assumer l'interdit.

Cet amour est d'ailleurs si engouffrant qu'il empêche Orphée d'être sensible aux charmes des Thraciennes, aux attraits de la génitalité. Cet attachement incontrôlable semble procéder d'un amour primitif qui renvoie à la mère primitive.

Les dieux qui veillent à l'ordre s'interposent dans cet amour coupable et imposent la rupture le jour même de l'hyménée. Si le sujet ne peut faire lui-même la séparation avec ses premières amours, les dieux interviennent comme pour le protéger malgré lui. Plus encore, la loi de la séparation se perpétuera après la mort : le temple qui honorera Orphée ne sera pas accessible aux femmes.

Orphée ne peut pas assumer les limites posées à son amour pour Euridyce. Il ne pourra même pas s'en détacher après qu'elle lui sera enlevée une deuxième fois. Une volonté extérieure à la sienne le séparera donc à jamais de la femme qu'il aimait et de toutes les femmes exclues de son temple. Un interdit du dehors vient consacrer la rupture définitive. Orphée a failli à la tâche d'internaliser la loi de l'interdit, les dieux y suppléeront.

II. DES ENFERS INTÉRIEURS

Le destin d'Orphée pourrait bien menacer tous ceux qui ne se constituent pas des Enfers intérieurs où refouler les objets interdits. Les limites de ces Enfers doivent être bien gardées. Ce qui a été repoussé un jour du champ de la conscience doit rester dans l'oubli, à moins que d'accéder au grand jour selon des modalités neutralisées. On sait, par exemple, le risque mortifère que court le psychotique. Il n'arrive pas à se donner les structures psychiques nécessaires à la métabolisation du matériel primitif. Les objets et les désirs pour ces objets demeurent constamment menacés du déferlement des Enfers et de la Mort, et ne peuvent devenir des contenus psychiques isolés dont l'accès est limité.

Une telle loi de l'oubli est nécessaire à la survie de l'individu. Les humains se sont même donné des structures collectives qui étendent les forces individuelles rejetantes. Des tabous et des interdits collectifs soutiennent les forces répressives internes pour entraîner un rejet de «l'indicible».

La conjonction de ces deux vecteurs établit un certain équilibre et voile d'ombre de larges pans de la conscience collective et individuelle. La rupture de cet ordre nécessite un réajustement par la collectivité. Si l'ajustement individuel ne s'harmonise pas aux attentes du groupe social, l'individu sera un déviant, un malade.

Orphée était incapable de neutraliser suffisamment son désir pour sortir Euridyce des Enfers et continuer de vivre auprès d'elle. Ses passions l'emportaient. S'il avait vécu aux temps modernes, sans doute se serait-il retrouvé à l'asile, coupé de tout contact avec les siens. Il devint plutôt un troubadour, apprenant à chanter sa peine, ce qui lui valut de se voir consacrer un temple où sa mémoire serait honorée. Orphée eut ainsi une fin de vie marginale, celle d'un exclu relégué dans un temple.

Plus près de nous, l'asile a servi à retrancher du tissu social les individus perturbés qui eux non plus n'arrivaient pas à se construire des Enfers intérieurs. Cette mesure d'exclusion sociale a été utilisée pour isoler le déséquilibré qui ne pouvait respecter les règles collectives. Des mesures de traitement ont été mises au point pour limiter les perturbations du sujet et protéger le corps social. Dans les meilleurs cas, les traitements visaient à restaurer la structure psychique du malade, afin qu'il retrouve son autonomie de sujet et sa place parmi les humains.

L'équilibre social repose sur des individus capables d'adaptation et respectueux de l'ordre établi. La collectivité veille ainsi à sa propre survie, et il serait vain de croire qu'elle laissera l'individu disposer librement de lui-même en dehors de la majorité, à moins que ce ne soit dans une marginalité consentie socialement, comme dans la maladie mentale qui est en somme une marginalité constituée au sein du groupe. Les structures sociales tendront à suppléer aux instances individuelles, quitte à niveler les particularités du sujet. L'individu dépouillé et tranquille, comme peut le devenir le malade chronicisé, sera mieux toléré qu'un sujet fourmillant d'idées délirantes riches, mais turbulentes.

Les forces refoulantes du psychisme se prolongent dans les structures sociales qui les respectent et les renforcent. Les besoins de la collectivité ayant toujours constitué un élément important dans l'orientation de la pensée psychiatrique et dans la pratique de cette science, il n'est donc pas étonnant de constater l'attraction de la psychiatrie pour les interventions bio-sociales. La dimension psychologique ne s'impose pas avec la même nécessité, d'autant plus qu'elle soulève des difficultés en impliquant les soignants dans leur personne même, surtout dans le soin au psychotique, comme nous le verrons plus loin.

III. TROIS ORDRES D'EXPLICATION DE LA MALADIE MENTALE

ALEXANDER et SELESNICK ont regroupé les explications de la maladie mentale selon trois approches distinctes. L'approche organique cherche à rendre compte des causes physiques ; la maladie psychique est due à un métabolite circulant dans le corps humain, à une humeur noire nocive, à des molécules perturbées, à des morphologies somatiques typiques... Cette conception cautionne les traitements organiques : médicaments, électrochocs, régimes alimentaires...

La deuxième approche est l'explication magique. La perturbation de l'esprit est attribuable aux manifestations des êtres surnaturels activés par les actes du sujet ou, indirectement, par des humains de l'entourage auxquels le sujet a déplu. Les modes de guérison seront ici la magie ou la sorcellerie et des pratiques magico-religieuses. C'est le domaine des sorciers et des chamans, des pythies et des oracles de tous ordres, des différents thaumaturges et exorcistes.

Enfin, une troisième approche tente de cerner la maladie mentale par une explication psychologique, celle d'un dérangement de l'âme ou de l'esprit. Les émotions sont troublées et c'est la noble faculté de la raison qui est elle-même incriminée. La maladie mentale est ici ramenée à l'intérieur du sujet et n'est plus un phénomène social ou biologique pur. Le psychisme est reconnu comme une entité susceptible de dérèglements dans son fonctionnement.

L'histoire de la psychiatrie est celle d'oscillations constantes entre ces trois approches. La pensée psychiatrique a tour à tour accordé la prédominance à l'une ou l'autre de ces conceptions qu'elle intégrait. Elles ont inspiré les différents modes de traitement selon les époques.

Les approches biologiques et magico-religieuses semblent avoir toujours eu la plus grande faveur même si l'approche psychologique était empruntée également. L'être humain aime bien les explications concrètes qui rendent les phénomènes presque palpables et les ramènent sous son contrôle. Ainsi le cauchemar a-t-il été plus facilement relié aux aliments lourds ingérés avant le coucher qu'aux incidents émouvants survenus dans la journée précédente. Alors que la psychologie rationnelle se développait depuis Socrate, Platon, Aristote, elle n'eut que des retombées éparses dans l'approche du malade mental.

C'est que la psychiatrie répond à un engagement social de guérison, et les impératifs de traitement ont provoqué le développement des activités de soins, parfois au mépris d'une élaboration théorique consistante.

La psychiatrie s'est imposée comme un art de guérison plutôt que de se proposer comme un modèle conceptuel. Cet héritage de pragmatisme continue de marquer la psychiatrie et lui permet une grande ouverture à toutes les sciences susceptibles de restaurer la santé. Mais cette particularité gêne le développement d'un corps théorique qui lui soit propre et l'oblige à se nourrir des sciences fondamentales qui occupent aussi son champ. L'approche psychologique sera intégrée au champ psychiatrique, mais dans la mesure où elle sert des fins de traitement et autorise un certain rôle social de guérison, de «normalisation». Elle devra de plus en plus disputer au modèle médical les faveurs de la psychiatrie, surtout depuis l'avènement des psychotropes qui ont permis aux autres médecins de prêter aux psychiatres une identité médicale en partageant avec eux un langage et des moyens thérapeutiques biologiques.

IV. LE DÉVELOPPEMENT TARDIF DE L'APPROCHE PSYCHOLOGIQUE

Le développement des conceptions psychologiques est survenu tardivement. C'est évidemment à FREUD que nous devons son élaboration prodigieuse. Faut-il s'étonner de l'opposition farouche que ses idées ont soulevée et continuent encore de provoquer? FREUD s'est inscrit d'abord dans la lignée des recherches fondamentales. Au lieu de partir des impératifs sociaux de guérison, il s'est attardé à examiner les phénomènes à l'intérieur du sujet, et il a voulu pousser l'exploration jusqu'à descendre aux Enfers intimes. Il a fait le voyage avec Orphée sans se soucier des lois qui tendent à dissimuler à l'être humain une grande part de lui-même. Il est allé contre les tabous, mais aussi contre les forces psychologiques qui tentent même de faire croire que le pays de l'inconscient n'existe pas. Car pour être resté inconnu si longtemps, cet inconscient n'avait-il pas réussi à dissimuler jusqu'à son existence même, afin que les voyageurs curieux ne s'aventurent pas dans ce «no man's land»? Refuser de se connaître permettait à l'homme de situer ailleurs qu'en lui-même l'origine de ses difficultés et le mettait à l'abri d'un danger venant du dedans. En s'aventurant dans les Enfers intérieurs, FREUD menaçait le confort de l'ignorance.

Il a fallu que la psychanalyse se drape d'un tissu méthodologique honnête pour accéder au statut de nouvelle discipline scientifique. Mais cette science ne se posera-t-elle pas toujours en marge de la psychiatrie dans la mesure où son champ d'investigation se propose de réhabiliter la marginalité et l'interdit en prétendant les rendre compréhensibles, parfois même au mépris des règles d'un fonctionnement social normal? De plus, la démarche psychanalytique implique la prédominance de l'individuel sur le collectif, au moins de façon temporaire. Et, ultime défi, la guérison au sens de réadaptation fonctionnelle et sociale devient un objectif secondaire, réalité qui est en opposition avec les objectifs de la psychiatrie dont la fonction sociale est déterminante.

V. L'APPROCHE PSYCHOLOGIQUE BIEN ACCEPTÉE

Depuis FREUD, l'explication psychologique de la maladie mentale a réussi à s'imposer. Plus récemment, sa pénétration a bénéficié du développement des idées libérales qui ont connu une expansion explosive dans les années 1960. Le progrès économique favorisait largement la liberté des idées et des mœurs. La société devenait tolérante envers toutes les formes d'expérimentation, si contestataires qu'elles soient. Les valeurs de liberté, d'autonomie de l'individu sont à ce moment-là prépondérantes, et les pouvoirs publics disposent des richesses collectives dans des mesures sociales généreuses. La qualité de la vie est jugée une valeur essentielle pour tout citoyen et l'approche psychologique trouve naturellement sa place parmi les ressources disponibles.

Les thérapies individuelles foisonnent en de multiples variétés. Le psychotique trouve plus facilement sa place dans ce monde en rapide transformation. Un peu comme au Moyen-Âge où les pèlerinages, les croisades et les guerres de religion offraient un exutoire aux débordements des malades mentaux, différents mouvements sociaux plus ou moins marginaux (les communes, les sectes religieuses, les groupes de sous-culture...) offrent un lieu de regroupement à divers marginaux de la société.

Et l'État multiplie les interventions pour s'occuper des déshérités. Les héroïnomanes, les alcooliques, les criminels, notamment, reçoivent une attention bienveillante. Les prestations aux chômeurs sont généreuses et faciles d'accès. Des programmes spéciaux sont offerts aux jeunes désœuvrés : projets PIL, Jeunesse, Élan... Bref, la collectivité se met au service des besoins de l'individu, de tous les besoins, de tous les individus. L'ambitieux projet de la psychiatrie communautaire se met en branle et son essor est favorisé par ces visées sociales si généreuses.

Mais, après avoir connu cette période où la psychiatrie se développe à la fois dans ses dimensions biologiques, psychologiques et sociales, voilà que les impératifs économiques et sociaux lui impriment maintenant une orientation plus pragmatique qui risque de restreindre le champ psychologique dont la rentabilité est plus difficile à démontrer. Et la psychiatrie communautaire, qui s'appuyait sur le trépied bio-psycho-social, risque de voir son équilibre fondamental compromis. Des comptes lui seront demandés sur sa productivité. En même temps, l'ensemble de son action sera réévaluée, car de nombreux problèmes ont surgi depuis ses origines.

Son défi majeur pourrait bien être encore de maintenir l'incidence psychologique dans les interventions soignantes. Lorsque les ressources sont insuffisantes, les interventions deviennent plus concrètes. Et le travail de psychothérapie étant moins palpable, il devient rapidement négligé.

236

Et pourtant, l'un des plus grands apports de la psychiatrie communautaire a été de restituer au malade son identité de sujet. L'ouverture sur la dimension intrapsychique des soignants et des soignés me semble le moyen le plus sûr de respecter cet acquis. Les structures soignantes qui émergeront pourront ainsi garder une fonction soignante autrement impossible à assumer face aux poussées mortifères de la psychose.

VI. L'ASILE ET LE DÉNI DU FAIT PSYCHIQUE

La psychiatrie communautaire n'a pas apporté une thérapeutique nouvelle. Elle a rendu la psychiatrie plus humaine. Elle propose de vivre avec le malade et de le laisser vivre. La difficulté habituelle de cette coexistence se reflète généralement dans des aménagements tordus de la relation. L'exemple de l'asile n'en est que l'illustration extrême. Pour sortir de l'impasse de ces relations, PAUMELLE a postulé qu'en psychiatrie communautaire, le renouvellement de l'approche au malade devait passer par la transformation de la relation soignant-soigné.

Et, en effet, l'interaction en milieu asilaire ne peut être transposée telle quelle dans la communauté. Elle porte en elle le déni du fait psychologique en ce qu'elle propose une vision pessimiste et figée où il n'y a plus de vie psychique possible. C'est un monde fermé et pétrifié auquel s'oppose une conception plus optimiste de la maladie mentale où le sujet est posé avec ses défenses, ses conflits, ses angoisses et sa capacité de vivre. Mais dans l'attitude en milieu asilaire, le déni de la part psychologique du malade mental permet un certain confort en expulsant les conflits et les souffrances.

Pour survivre avec le psychotique en dehors des murs protecteurs de l'institution fermée, le transfert et le contre-transfert doivent être élaborés. Les conflits sont appelés à être métabolisés dans la relation soignant-soigné. Mais ces démarches sont constamment compromises par l'utilisateur lui-même des instances soignantes. Le jeu de la triangulation et de l'ouverture est constamment menacé par le psychotique dont la prédilection va aux dyades sans qu'il puisse pour autant les supporter. Et dans ces ouvertures à favoriser, ces articulations à susciter, ces liens à créer entre les différentes instances soignantes, s'activent constamment les forces mortifères de la psychopathologie grave.

La présence de l'équipe permet au soignant de rester là plutôt que d'être emporté. Il est possible de maintenir un malade grave dans sa communauté et de l'aider à mener une vie satisfaisante si une équipe soignante lui assure des soins suffisants. Le soignant fait face aux assauts, aux «attaques contre les liens» et il ne s'effondre pas, ni ne s'enfuit, parce qu'il peut obtenir l'appui de coéquipiers pour partager et métaboliser son vécu difficile.

VII. LA HAINE DE LA VIE

Ceux qui ont travaillé avec les psychotiques comprennent d'emblée ce que veut dire supporter ses charges hostiles. Il s'agit d'attaques sans retenue où la violence s'infiltre constamment, donnant lieu à des charges massives d'angoisse et de haine. La vie y est traquée dans la moindre de ses manifestations, comme si elle faisait mal à vivre, comme on peut le rappeler par le vers de Baudelaire dans «À celle qui est trop gaie» :

> « Et le printemps et la verdure
> ont tant humilié mon coeur,
> que j'ai puni sur une fleur
> l'insolence de la nature. »

La haine de la vie ne souffre d'aucune retenue. Il n'est que de se rappeler le jugement de Salomon pour constater les excès de l'envie. Voici le roi confronté à deux mères affirmant chacune être la mère du même enfant. Or, l'une des deux ment, car son propre enfant est décédé. Mais elle veut une réparation concrète, un autre enfant. Plutôt que de se soumettre au mécanisme réparateur du deuil par lequel sa colère serait surmontée, elle est emportée par la destructivité, la haine de la vie. Salomon, qui n'a pourtant pas lu Mélanie KLEIN, semble reconnaître le mécanisme de l'envie et il fait une proposition provocante : couper le nourrisson survivant et en remettre une part à chaque mère. Éplorée, la véritable mère ne peut se résoudre à cet acte insensé alors que la mère prétendue accepte le jugement du roi, préférant voir mourir un deuxième enfant plutôt que de supporter le bonheur de l'autre mère. La vie même de cet enfant l'agresse.

Ce genre de destructivité sans limites se retrouve dans la relation soignant-soigné. Les oscillations des émotions et des sentiments y sont violentes. Le calme y est aussi excessif.Quand la tempête vient à s'apaiser, l'ennui voile les passions et la relation sombre dans le vide. C'est le désert, la tranquillité de la steppe aride. La mort est de la fête.

Pourtant ces êtres aspirent à l'amour. Mais ils sont surtout amoureux de l'amour. Ils sont friands d'être aimés sans pour autant être capables eux-mêmes d'aimer les autres. L'objet adulé n'aura pas fini de s'étonner des attaques imprévues, des assauts variés et intenses sur les liens de leur relation. Les mouvements oscillatoires d'amour et de haine provoqueront des éclats et des ruptures. En situation soignante, l'équipe est appelée à recueillir les morceaux éparpillés par le malade. Dans sa lutte contre l'angoisse, le patient se débat comme un forcené, et il abandonne des parties de sa vie aux différents pièges où il s'est pris, rappelant en cela la manoeuvre de l'animal qui se coupe la patte afin de reprendre sa liberté.

VIII. L'ÉQUIPE COMME CONTENANT PENSANT

L'équipe peut recevoir ces morceaux, les réunifier, les métaboliser, leur trouver un sens et un langage puis les retourner au patient. Sauf dans le cas d'exceptions rarissimes, nous ne pouvons anticiper de guérison spontanée de tels sujets aux prises avec des mécanismes qui leur font haïr la vie et la santé. Plus encore, le soignant sera haï pour sa bienveillance qui lui fait souhaiter le bien-être de son malade au-delà des désirs du sujet lui-même. La vie et le bonheur qui défient ses incapacités deviennent une souffrance intolérable quand on lui présente une voie qu'il ne peut suivre. Sa rage se retourne alors contre cette vie même et contre les liens avec le soignant qui le confronte à cette impossible ambition.

Les liens qui l'unissent à cette vie seront rageusement attaqués, de même que sera attaqué le soignant qui vient tenter de restaurer ces liens. Le soignant est haï de vouloir replonger le patient dans la tourmente de la vie. L'action du soignant va en effet à l'encontre des défenses du psychotique qui cherche à se protéger du projet insupportable d'un bonheur inaccessible. Le psychotique ira jusqu'à attaquer son propre mécanisme mental qui lui présente un monde si douloureux. Et il attaquera les mécanismes de pensée du soignant qui viendra le replonger dans les affres de l'envie. BION [3] a bien décrit l'activité de ces mécanismes.

Cette vie avec le psychotique peut être évitée en favorisant la mise au repos psychologique par des traitements pacifiants qui iront dans le même sens que ses mécanismes mortifères. C'est le résultat des mesures exclusives de soutien et d'encadrement auxquelles nous devons parfois nous limiter pour les sujets qui ne peuvent reprendre pied dans la vie.

IX. UN PSYCHISME À SOIGNER, DES RELATIONS À PRÉSERVER

Mais certaines évolutions de malades nous confortent dans l'opinion que la préservation des liens avec le milieu naturel et une approche soignante orientée sur les besoins psychologiques du patient sont susceptibles d'éviter un état de détérioration dramatique, ou à tout le moins d'en retarder l'échéance.

L'exemple suivant illustre, me semble-t-il, la réussite d'une intervention auprès d'un malade pour qui les liens familiaux ont pu être maintenus ; de plus, les instances thérapeutiques ont offert une attention spécifique à ses difficultés psychologiques tout en lui assurant les traitements bio-sociaux adéquats.

L'ensemble du traitement s'est déroulé dans un cadre de psychiatrie de secteur. La nature de la pathologie du malade et les moyens utilisés pour le traiter n'avaient rien d'exceptionnel, sauf peut-être un certain parti-pris d'offrir en tout temps au patient la possibilité de dégager un sens à son vécu. On a respecté les impératifs psychiatriques tout en protégeant le plus possible l'espace intérieur du sujet.

La compréhension psychodynamique n'a pas semblé compromettre la rentabilité des interventions psychiatriques. Elle a plutôt favorisé un rendement optimal des ressources en orientant les efforts vers des objectifs assumés par le malade et en permettant de dépasser la paralysante compulsion de répétition.

Je veux illustrer ici la possibilité d'un type d'intervention qui ne saurait se comparer à la cure psychanalytique, mais qui semble autoriser un travail réel sur les forces dynamiques en jeu.

Je crois qu'un travail psychothérapique peut être accompli dans le cadre psychiatrique habituel en utilisant la relation au malade pour dépasser le symptôme et accéder à la réalité psychique du malade, malgré l'instabilité apparente du rapport.

X. MARIO, OU LE DIFFICILE PARTAGE DU DEDANS ET DU DEHORS

Mario n'avait que 19 ans lorsqu'il s'est présenté en salle d'urgence une première fois il y a onze ans. Il croyait alors «débarquer d'un trip sur l'acide» et le médecin de garde se rendit en partie à cette opinion, qualifiant son épisode de réaction psychotique secondaire aux neurodysleptiques. À sa demande, Mario reçut son congé après quelques jours d'observation.

Il avait connu cette première décompensation au cours d'un voyage qui l'avait éloigné du domicile familial pour la première fois. Il avait fait le voyage en compagnie de frères et d'amis. La randonnée avait été arrosée de bière, de marihuana, de haschish et de LSD.

L'effondrement

Les défenses obsessionnelles rigides, qui avaient colmaté les failles jusque-là, se relâchèrent durant le voyage et le barrage défensif s'effondra. Mario fut emporté par le torrent et il tenta désespérément de s'agripper de ses mains aux roches émergentes, ne pouvant atteindre les branches que ses proches lui tendaient du rivage. Après quarante-huit heures de dépersonnalisation, il fut ramené chez lui et conduit à l'hôpital. Le barrage défensif se reforma rapidement. Mario put reprendre pied dans la réalité. Mais sa structure psychique avait laissé voir sa fragilité.

De telles décompensations se répétèrent quatre fois à plusieurs mois d'intervalle. À chaque reprise, Mario faisait un court stage d'observation à l'hôpital d'où il recevait son congé en refusant de prolonger son séjour. Il était réticent à accepter toute forme d'aide. Même si chaque fois il était invité à contacter l'équipe de son secteur, il voulait s'en sortir seul, et il ne donnait pas de suite véritable à cette ouverture.

L'hospitalisation

Au cinquième épisode, Mario accepta l'hospitalisation, mais davantage par résignation que par souci véritable d'être traité. Il continuait à être hésitant à accepter la médication et les approches des soignants. Cette hospitalisation signifiait pour lui la première véritable reconnaissance de la morbidité de son état. Il en était meurtri et adopta une attitude retirée si bien que ni soignants ni patients ne purent s'en approcher vraiment. À sa sortie, il gardait encore une attitude amère. Des hallucinations et des idées délirantes l'envahissaient, s'entremêlant à des récriminations de toutes sortes envers les soignants.

Il accepta tout de même de me rencontrer en externe sur une base plus régulière. Une phase de passivité presque absolue s'installa qui allait durer plus de deux ans, entrecoupée de sursauts velléitaires. Il s'activait occasionnellement et partait en quête d'un emploi pour abandonner aussitôt. Ses liens affectifs se limitaient à des échanges instrumentaux avec les membres de sa famille, eux aussi tenus à distance.

Premières approches en externe

Malgré ce retrait, il continuait à venir me voir. Il s'approchait et attaquait notre rapport pour que je désespère de lui et le laisse s'éloigner en le rejetant. Je reconfirmais régulièrement ma disponibilité, qu'il transformait en offre futile. Il s'absentait pendant plusieurs semaines, puis il revenait à ses entrevues dont la fréquence s'accentua quand même avec les années, passant d'une entrevue aux trois semaines à une entrevue par semaine en dernier.

Autour des médicaments

Il s'était résigné à prendre une médication en cours d'hospitalisation, et ce n'est qu'avec circonspection qu'il continua d'en prendre par la suite, jusqu'au jour où il put contrôler les médicaments en début de ligne. Il avait, en effet, décroché un emploi d'expéditeur chez un fournisseur de l'institution soignante, et il expédiait lui-même des médicaments à cette institution. Ce contrôle atténua ses angoisses paranoïdes, et il accepta de prendre des médicaments d'autant plus qu'il identifiait maintenant ses périodes d'angoisse et qu'il pouvait constater l'amélioration qu'ils apportaient. De plus, les médicaments étaient prescrits par son thérapeute, et l'oscillation dans la collaboration suivait sa capacité de prendre et de recevoir ou de rejeter ce que celui-ci lui offrait.

Durant les phases de transfert négatif, les attaques contre les médicaments permirent le déplacement des attaques contre le thérapeute et atténuèrent la menace de rupture. Pour un temps, l'opposition devenait sa survie, la preuve qu'il existait. En montrant son opposition, il montrait sa différence, croyait-il. C'était des moments de forte ambivalence où le désir de se rapprocher de son thérapeute était très fort et aussi transparent que son désir et sa peur de le détruire pour s'en libérer. Le médicament devenait un lien transitionnel où il me livrait un combat sans s'en prendre à ma personne totale. En tant qu'objet concret, le médicament se prêtait bien à un investissement significatif.

Se battre pour se sentir soi-même

Le problème de l'intrusion et de la stabilité des frontières du soi fut une constante dans mes rencontres avec lui. Nous allions régulièrement de ruptures en réconciliations, car c'était pour lui la façon d'aménager la distance et d'établir la distinction entre le dedans et le dehors. S'il m'aimait, si j'étais près de lui, il ne savait plus s'il était encore lui-même ou si je n'avais pas pénétré en lui. De même, son intérieur pouvait sortir de ses limites et se répandre dans l'infini lorsqu'il se dédoublait en parties distinctes. Son corps physique restait dans son lit pendant que son corps astral s'en échappait. C'était pour lui des expériences éprouvantes.

Une oralité dévorante, mais réprimée

Les rapprochements avec le thérapeute risquaient donc de provoquer la confusion des identités et l'anéantissement du soi. Pourtant, il ne pouvait se défendre de pulsions orales massives. Son avidité était constante. Il souhaitait surtout recevoir sans demander, être compris sans parler. Je devais lui être disponible comme si j'étais une partie de lui-même, comme un objet narcissique. Il souhaitait définir seul la fréquence de ses visites, concevant difficilement que le thérapeute puisse avoir d'autres engagements, d'autres clients aussi.

Mais ces demandes orales étaient limitées par la peur d'être contrôlé de l'intérieur après avoir introjecté l'objet de son avidité car, une fois à l'intérieur, les angoisses transformaient l'objet en persécuteur. Nous avions l'impression que ses angoisses diminuaient envers les médicaments par suite des échanges nombreux qu'il provoquait à leur propos. Sa confiance dans le thérapeute lui permettait d'ailleurs d'atténuer la persécution du médicament mis à l'intérieur.

Son désir d'être envahi, contre lequel il se défendait de façon si paradoxale, provoquait constamment des ruptures. Au travail, il était un employé exemplaire et il fut remarqué de son patron. Celui-ci lui proposa une promotion en le faisant même devancer d'autres employés. Il accepta mais démissionna deux jours plus tard. Il craignait l'envie de ses collègues et surtout sa sujétion à son patron.

Ce désir d'être envahi, absorbé par moi, s'exprimait dans des propos où il tenait pour acquis que j'en connaissais sur lui davantage qu'il ne m'en avait dit, que c'était inutile parfois de me détailler les choses puisque je les savais sans doute déjà.

Mais les désirs menaçants qui l'entraînaient vers la fusion soulevaient chez lui des turbulences de rage narcissique. Il devait se retirer pour ne pas détruire. Si la rage était moins forte, il se présentait en chef d'opposition, assurant son identité par la négation. Tout propos de ma part recevait un démenti ou une élaboration commençant par : «Oui, mais…».

D'autres aspects de sa dynamique purent être touchés au fil des années. Mario me permit d'aborder sa blessure narcissique, les forces défaillantes de son moi, sa difficulté à distinguer ses frontières de celles des autres, ses troubles d'identité et d'identification, ses envahissements vécus dans le rapport aux autres, ses difficultés de contrôle sur ses émotions et ses sentiments les plus troublants. Petit à petit, il en montrait un peu plus sur lui-même sans se sentir dépouillé en se livrant. Après sept ans, il en avait suffisamment dévoilé pour faire une histoire psychiatrique convenable.

Après la profonde léthargie qui avait suivi le cinquième épisode psychotique et son hospitalisation, il avait donc réintégré le marché du travail. Mais la même histoire se répétait à chaque emploi. Il était angoissé au début, puis il réussissait à juguler ses angoisses. Après quelques mois, l'ennui s'établissait et il lui venait l'impulsion de quitter à tout prix son emploi. Il se contenait encore un peu puis cédait finalement à la destructivité. Dès le lendemain, généralement, il critiquait son geste, tout en se promettant bien de jouir de l'inactivité. Puis, un jour, il fut déçu de ne pas retrouver les satisfactions d'antan dans la passivité totale, et il repartit en quête d'un autre emploi quelques semaines plus tard.

L'Euridyce de Mario

Sa vie sentimentale connut également des développements durant ce temps. Mario avait fait la connaissance d'une jeune fille qu'il fréquentait assidûment. À 27 ans, c'était son premier amour. L'intensification de leur relation le fit aspirer rapidement à une union quasi fusionnelle. La jeune fille prit peur et se fiança rapidement avec un collègue de travail. Mario l'avait effrayée en voulant en faire une amante, une mère, une thérapeute.

La déchirure fut brutale. Mais au lieu de se faire conduire directement à l'hôpital comme les fois antérieures, Mario vint d'abord me rencontrer. Il passa sa hargne sur les médicaments, extirpant de ses poches ses flacons de médicaments et les laissant choir, avec ostentation, dans la poubelle. Ils les incriminait de tous ses déboires, affirmant s'appuyer sur un article de journal dont il exhibait le texte. Mais ce texte, toutefois, contredisait ses propos, ce que je lui fis remarquer.

Je constatai qu'il venait me faire cette scène plutôt que de se faire conduire à l'urgence. Au cours des sept ou huit décompensations antérieures, j'avais eu l'occasion de travailler avec lui le déni de ma présence thérapeutique au cours des épisodes aigus. Je le retrouvais invariablement hospitalisé sans avoir été prévenu de la moindre difficulté aiguë. Il ne pensait tout simplement pas à moi dans ces circonstances même si la situation eût pu, tout au contraire, l'inciter à solliciter mes services. Je disparaissais de sa pensée lors des débordements affectifs qui emportaient son monde de représentations.

Le thérapeute survit dans Mario

Mais cette fois, ses pensées n'étaient pas complètement mises en pièces. Il m'en voulait, mais pas au point de briser ses représentations internes par le clivage et l'expulsion. Il se défendait autrement. Il me pourchassait comme un mauvais objet qui avait pris pied sur sa scène intérieure, et il s'agitait pour m'éloigner comme on éloigne un persécuteur, mais il me gardait là. Peut-être aussi avait-il vaguement conscience que de s'en prendre à moi était une manoeuvre de déplacement.

Nos années de fraternisation comme compagnons de lutte (transfert positif) m'autorisèrent à protester fermement de mon innocence. Ce qui le rassura, car la rage de perdre sa fiancée le faisait s'attaquer à tout objet bon. Et il fut trop heureux que je proteste si énergiquement de ma bonne foi.

Habituellement, il fuyait la confrontation avec son entourage lorsqu'il était emporté par la colère. L'univers s'effondrait autour de lui et je faisais partie de la non-réalité du moment. Durant son hospitalisation, c'était l'équipe interne qui renouait le lien avec le thérapeute principal et permettait au soignant de reprendre une place dans ses investissements. À la sortie, le thérapeute pouvait assurer la continuité du vécu en permettant d'intégrer les moments précédant l'hospitalisation, le séjour hospitalier et la reprise de la vie quotidienne. Cette continuité nécessitait un effort d'articulation entre l'équipe hospitalière et l'équipe externe, l'une agissant en contrepoint par rapport à l'autre.

XI. DES MORCEAUX À CONTENIR

Ce compte rendu nous situe d'emblée dans l'objectif de la continuité des soins assurée par la psychiatrie communautaire. Le travail en équipe et l'articulation structurée entre les différentes instances soignantes constituent un moyen qui vise à assurer le soutien narcissique du malade. Une pratique psychiatrique à l'écoute des besoins psychiques du malade tend à favoriser la personnalisation des soins car, comme le souligne E. KESTEMBERG [10] : «La continuité du sujet passe inéluctablement par son commerce avec l'objet...» La présence de l'équipe servira à étayer cette relation et à veiller à ce que le malade ne dilapide pas ses expériences de vie.

L'articulation entre les divers soignants permettra d'offrir au psychotique un contenant pour conserver tous les morceaux de vie qu'il laisse échapper en cours d'existence. Ces lambeaux seront récupérés dans les lieux différents de son passage. Les instances soignantes unifiées dans une certaine continuité recevront ces fragments pour les «penser» dans leur appareil à penser, et les rendront ensuite au malade qui n'avait pas l'appareil psychique suffisant pour contenir en lui, métaboliser et penser son monde intérieur. Ainsi un sens peut-il être retrouvé à ces morceaux éparpillés. Un sens d'abord trouvé par les soignants, mais désormais accessible au soigné.

XII. UN OBJET POUR LA LIBIDO

L'équipe soignante atténue de ce fait l'aliénation iatrogénique. Elle favorise la renaissance des liens libidinaux qui ne demandent toujours qu'à se renouer, comme le soulignait déjà le poète Guillaume Apollinaire dans «La chanson du mal aimé» :

> « Que mon amour à la semblance
> Du beau Phénix s'il meurt un soir
> Le matin voit sa renaissance. »

Pour favoriser l'émergence de la vie, l'équipe veille à ce que l'articulation des lieux et des temps permette d'éviter la fragmentation du vécu, l'absence d'ancrage et de liens. Les investissements sont jalousement protégés pour éviter les objets flottants sur lesquels s'acharneront les projections du psychotique. Ancré dans un monde aux objets significatifs, le malade est moins soumis aux risques de la diffusion de son identité et de celle des soignants.

Les thérapeutes demeurent porteurs d'un nom, d'une fonction, d'un sens. Se situant eux-mêmes dans leur identité, ils poseront le patient dans une identité à modeler ou à parfaire. Et en assurant son identité propre, le soignant assumera le regard de l'autre qui lui prête une forme, disposant de la sorte le psychotique à recevoir aussi une forme extérieure qui ne l'anéantira pas.

XIII. LES LIENS FAMILIAUX ET SOCIAUX

Dans l'évolution jusqu'ici favorable de Mario, beaucoup de crédit doit être accordé au maintien des liens avec sa famille, même si ces liens apparurent nocifs à certains moments. Nous connaissons l'évolution naturelle des psychotiques qui brisent un par un les liens qui les unissent encore à leur entourage avant de partir à la dérive, limités à des relations avec des objets indifférenciés. Ces objets informes se prêtent facilement aux projections. Ils sont ensuite réintrojectés dans un mouvement complémentaire et deviennent des objets internes plus effrayants. Ces sujets psychotiques éparpillent ensuite leur vie dans un tissu social lâche qui perpétue l'aliénation, car il n'y a plus de relations possibles avec des objets aussi fantastiques.

Les instances soignantes qui s'emploient à l'unification du temps, des lieux et des personnes permettent au malade psychotique de manifester ses capacités d'investissement et même de surinvestissement. E. Kestemberg [10] a ainsi démontré comment le transfert si peu orthodoxe du psychotique est en fait une forme de surinvestissement. Il n'est guère possible de soutenir que le psychotique n'arrive pas à investir.

Orphée et Mario n'ont-ils pas en commun d'avoir surinvesti leur bien-aimée et d'avoir vu l'objet de leur passion soustrait à leurs élans ? Aucune femme de Thrace ne put consoler Orphée de la perte d'Euridyce. L'objet idéalisé ne pouvait être remplacé. Et Mario voulut transformer sa fiancée en quasi-divinité en lui proposant les attributs de fiancée-thérapeute-mère. Le transfert à son thérapeute devait montrer sa propension à l'idéalisation qui le faisait souhaiter et craindre de se perdre dans l'autre.

Le surinvestissement de l'objet rend la relation dyadique à la fois constamment recherchée et impossible à supporter. Le psychotique a soif d'amour et il ne peut en tolérer les réalisations. S'il approche de son objet, c'est pour le dévorer ou en être meurtri. La présence d'un tiers dans les relations thérapeutiques viendra soulager la relation dyadique dangereuse et nécessaire. La propension du psychotique à fuir cette dyade sera prise en considération par la présence des autres soignants aux côtés du thérapeute principal. Il sera ainsi possible d'aménager la relation à plusieurs pour que le lien thérapeutique soit soutenu. À la suite d'autres auteurs, j'ai déjà présenté une analyse du rôle du tiers dans l'équipe soignante lors d'une communication antérieure.

La fonction soignante peut servir de matrice où se modifieront les objets internes soumis à l'exploration thérapeutique. Cette tâche doit s'accomplir malgré les attaques du psychotique contre les liens. Le psychotique cherche par ce procédé à faire le vide autour de lui et en lui. Il retrouve ainsi un désert psychique apaisé. Mais les activités thérapeutiques sont sous-tendues par les liens à réparer, les pensées à reformer. Les soins iront donc à l'encontre de l'activité défensive primordiale du malade qui cherche à se défaire des liens qui l'entravent. Le psychotique réagira avec rage à l'activité de liaison, et il percevra les interprétations comme des attaques. Il cherchera donc à détruire le discours du thérapeute et à prendre le contrôle de son activité psychique pour la détruire. Si le soignant est laissé seul dans la tourmente, s'il n'a pas les ressources et les appuis nécessaires à l'élaboration de son contre-transfert, il est douteux que l'issue d'une telle rencontre soit heureuse. Si les forces dynamiques en cause ne sont pas reconnues et élaborées par le soignant, comment pourra-t-il survivre à une telle entreprise, sinon en se bardant de mesures protectrices contre l'être étrange, l'étranger…

CONCLUSION

En somme, les soins effectifs donnés au psychotique exigent qu'on pense les structures soignantes dans leur ensemble. Le patient ne peut faire lui-même l'intégration de son vécu et les soignants devront penser avec lui. Le morcellement de son expérience ne saurait être restauré par des mesures réduites à des dimensions biologiques et sociales, laissant aux forces naturelles le soin de colmater les brèches psychologiques. La psychose est maintenant reconnue comme inscrite dans le psychisme et les structures soignantes ne peuvent le dénier.

L'approche actuelle du psychotique nous apparaît devoir préserver une place significative à la compréhension psychodynamique. On ne saurait découper le sujet et en exclure une part sans le condamner irrémédiablement. Certains le seront malgré tous nos efforts. Encore est-il permis d'espérer que nous ne contribuerons pas trop à leur destin tragique.

L'approche psychologique du malade mental a gagné ses lettres de créance. Elle peut contribuer à l'amélioration de la qualité de vie du patient aux côtés des approches biologique et sociale. Elle nous permet de toucher au coeur même de la problématique de la psychose et de vivifier les autres contributions. Soutenir le psychotique avec des prothèses sociales et biologiques est aussi nécessaire que d'amender le sol et apposer un tuteur à un plant malade. Mais pour que la croissance reprenne, pour que les branches et les feuilles se déploient, il faut aussi réduire la maladie qui mine sa santé. Cette action est indispensable pour que la saison des fruits reprenne sa place dans le cycle de la vie.

SUMMARY

PSYCHODYNAMICS AND SOCIAL APPROACH
OF THE PSYCHOTIC PATIENT

In two different instances the gods have taken action to shield Euridyce from the love of Orpheus. This legend illustrates the fact that the hero, Orpheus, is incapable of restraining his passionate impulses. The deities intervened as external agents in lieu of the failling inner controls of the lover.

The social dicta usually combine with inner psychological rules to organize adequat individual behaviour. Psychiatry emerges as an answer to the imperative collective need for mending. In this purpose, since its origin, psychiatry resorts to biological, social and psychological therapies.

During the recent period of economic prosperity the psychological approach made great strides enhanced by the liberalism of ideas and morals. The actual shrinking of public resources now seems to favor a return to quantifiable measures. The natural resistance to the psychological approach now finds itself strengthened.

Community psychiatry was oriented towards the psychological as well as the biological and the social avenues. It could probably still maintain the psychodynamic approach in the patient's care. But community psychiatry itself is under a much needed scrutiny at this point in its evolution.

According to the author, treatments to the patients must heighten the progress reached by community psychiatry. Personalized care must be retained with due respect to the integrity of each individual. Social interventions are necessary to complement and support the patient's needs as expressed in their individual and social dimensions.

Interdependance of the bio-psycho-social approaches is illustrated by a report on a therapeutical relation together with the need to ascertain the interactions of patients and nursing institutions.

BIBLIOGRAPHIE

1. AIRD, G. (1982) «La mort d'une illusion», **Santé mentale au Québec**, vol. VII, n° 1, juin, p. 116-119.

2. ALEXANDER, F.G. et S.T. SELESNICK. (1972) **Histoire de la psychiatrie**, Paris, Armand Colin, 480 p.

3. BION, W.R. (1959) «Attacks on Linking», **Int. J. of Psychoanal.**, vol. 40, n°s 5 et 6, p. 285-298.

4. BION, W.R. (1974) «Différenciation de la part psychotique et de la part non psychotique de la personnalité», **Nouvelle revue de psychanalyse**, n° 10, automne, p. 61-78.

5. COMMELIN, P. (1960) **Mythologie grecque et romaine**, Paris, Garnier Frères, 516 p.

6. DEMAY, M. et J. DEMAY. (1982) **Une voie française pour une psychiatrie différente**, collaboration d'un groupe français d'experts, document du ministère de la Santé de France, juillet, 42 p.

7. ENGEL, G.L. (1977) «The Need for a New Medical Model: A Challenge for Biomedicine», **Science**, 196:129-136.

8. FEDERN, P. (1952) **Ego Psychology and the Psychoses**, New York, Basic Books.

9. GAP. (1983) **Community Psychiatry: A reappraisal**, New York, Mental Health Materials Center, 73 p.

10. HOCHMANN, J. (1974) **Éléments pour une théorie de la fonction soignante en psychiatrie**, recueil des travaux de 1969-1973 de J. Hochmann, colligés à l'occasion de sa visite au Pavillon Albert-Prévost.

11. KESTEMBERG, E. (1981) «Le personnage tiers - Sa nature - Sa fonction», **Les Cahiers du Centre de psychanalyse et de psychothérapie**, n° 3, automne, p. 1-55.

12. KLEIN, M. (1966) «Notes sur quelques mécanismes schizoïdes», **Développements de la psychanalyse**, Paris, P.U.F., p. 274-300.

13. KLEIN, M. (1968) **Envie et gratitude**, Gallimard, 228 p.

14. KLEIN, M. (1976) **Le deuil et ses rapports avec les états maniaco-dépressifs**, Paris, Payot, p. 341-370.

15. PAUMELLE, P. (1971) **À propos de la psychiatrie de secteur**, conférences à l'Université de Montréal, 1970-1971.

16. ROSENFELD, H.A. (1976) **États psychotiques**, Paris, P.U.F., 341 p.

Psychiatric Care in

the United States:

Past, Present

and Future

John A. TALBOTT

Since the colonization of what we now know as the United States almost 300 years ago, the delivery of mental health services has changed dramatically [1]. To understand what has happened during the past quarter of a century it is necessary to go back a bit and review this history.

Essentially there was no organized care in Colonial days; indeed, when poorhouses, almshouses and workhouses were established by some county governments, the mentally ill were thrown in, as a sort of afterthought, with the needy, rogues and vagabonds, and the idle and disorderly [2-5]. In 1752 the Pennsylvania Hospital in Philadelphia became the first hospital in the United States to provide care for the mentally ill in a separate unit; in 1773 the first public mental hospital was opened in Williamsburg, Virginia; and in 1817 the first private hospital (Friend's) opened in Philadelphia. The first state hospitals were established in Massachusetts and New York during the 1800's and institutional care was the norm for this entire century.

Since then, however, we have experienced a series of new developments or "movements", each adding onto rather than replacing its predecessor(s) (Figure 1). Alternatives to institutional care began to appear in the United States in 1885 with the establishment of the Farm of St.Anne [6]. In time, this was followed by the introduction of boarding out, aftercare, outpatient clinics, partial hospitals, halfway houses, hostels, psychopathic hospitals, and general hospital units (Figure 2).

251

FIGURE 1

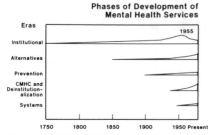

Phases of Development of
Mental Health Services

Source: J.A. TALBOTT & S.R. KAPLAN, Eds. (1983) *Psychiatric Administration*, N.Y., Grune & Stratton, p. 4. With permission.

FIGURE 2

History of Alternatives to Hospital Care

14th Century	Family Care (Gheel)
1855	Farm of St. Anne
1877	Cottage Plan (ISH)
1885	Boarding Out (Mass)
1890s	Aftercare Psychopathic hospitals
1904	Outpatient Clinic (Penn)
1909	Travelling Clinics (NY)
1910s	Community Education Crisis Intervention
1920s	General Hospital Units Satellite Clinics
1930s	Day hospital (USSR)
1940s	Home Care (Amsterdam) Social Rehabilitation (NYC)
1952	Halfway houses Night and weekend hospitals
1953	Vocational rehabilitation
1958	24 hour emergency walk-in
1959	Hostels (UK)

FIGURE 3

Components of Community Mental Health Centers

WHO Committee (1954)	New York State (1954)	Regulations	
		CMHC (1965)	CMHC Amendment (1975)
Outpatient Partial hospital	Inpatient Outpatient	Inpatient Outpatient Partial hospital Emergency (24-hr)	Inpatient Outpatient Partial hospital Emergency (24-hr)
Community education	Consultation and education	Consultation and education Diagnostic Precare and aftercare	Consultation and education Screening patients for courts and agencies prior to state hospitals Follow-up care
Rehabilitation Research	Rehabilitation	Rehabilitation Research and evaluation	
			Transactional housing Services for the elderly Services for children Services for alcoholics Services for drug problems

Source: J.A. TALBOTT & S.R. KAPLAN, Eds. (1983) *Psychiatric Administration*, N.Y., Grune & Stratton, p. 12. With permission.

FIGURE 4

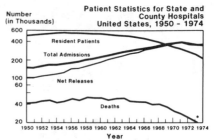

Patient Statistics for State and County Hospitals
United States, 1950 - 1974

* There were 19,899 deaths in 1973 and 16,597 deaths in 1974.

Source: U.S. BUREAU OF THE CENSUS. With permission.

FIGURE 5

Problems of the Chronically Ill

- De-institutionalization
- Funding for chronic mental patients
- Need for a continuum of community care facilities
- Need for a model service system
- Adequate housing, job opportunities, and rehabilitation services
- Low status accorded chronic patients by psychiatrists
- Definition of the role of psychiatrists in caring for chronic mental patients
- Suitable training for psychiatrists in caring for the chronic mental patients
- Involvement of families in caring for chronic mental patients
- Description of effective programs for the chronic patients
- Achievement of continuity of care
- Adequate provision of community care facilities
- Role of long-term medication
- Determination of what patients should be treated where
- Establishment of responsibility for coordination of care
- Utilization of a case manager or continuity agent

Source: J.A. TALBOTT, Ed. (1978) *The Chronic Mental Patient: Problems, Solutions and Recommendations for a Public Policy*, Washington, DC, American Psychiatric Association.

1. THE PAST 25 YEARS

Despite the development of these host of programmatic and housing alternatives, state hospital populations continued to grow steadily during the first half of the 20th century and there was no "plan" with which to pull these disparate elements together into a new conceptualization for delivery of psychiatric care. However, in 1952, a World Health Committee, headed by Daniel Blain MD, formulated such a plan that included elements felt to be essential to a "community mental hospital" ; and in 1954, New York State passed a "Community Mental Health Services Act" which stipulated four essential services (Figure 3).

Shortly thereafter, the Joint Commission on Mental Health and Illness published its summary report "Action for Mental Health" [7], which was the professional basis for what became enacted in legislation as the Community Mental Health Center Act of 1963 [8]. It was this model, the CMHC, that called for five essential and five additional services, that has to a great extent shaped the delivery of services in the United States for the past quarter century.

The philosophy embodied in this model (e.g. that care could be more effectively, efficiently and humanely carried out in community settings rather than "far distant warehouses") became one of the four driving forces what in retrospect was called deinstitutionalization. The other essential ingredients were : the introduction of effective antipsychotic agents in 1955 ; the provision of federal monies for medical treatment of the poor and aged under Medicaid and Medicare in 1965 ; and the pressure generated by civil liberties activists for ending involuntary commitment and treating patients 'in the least restrictive environment' in the 1950's and 1960's. The combination of these elements : a philosophic base, therapeutic innovation, legal pressure and economic mechanisms propelled American psychiatry in a predictable direction and resulted in 1955 in the decline in state hospital censuses nationwide after two centuries of steady growth (Figure 4).

2. THE CURRENT SITUATION

The problems that have resulted from the unplanned depopulation of state facilities in the United States are only now becoming fully appreciated. A survey of approximately 300 American psychiatrists in 1975 revealed a host of treatment, programmatic and economic problems (Figure 5).

As a partial response to these problems, the standard model for the provision of services in the country, the CHMC, was augmented in 1975 by an amendment to the 1963 legislation that called for both follow-up care and transitional housing (Figure 3). But it was clear from the many reports eminating from professional [8], governmental [9], and scientific [10] organizations that much more needed to be

FIGURE 6

The Estimated Number of Chronic Mentally Ill

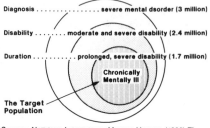

Diagnosis . . . . severe mental dsorder (3 million)

Disability . . . . moderate and severe disability (2.4 million)

Duration . . . . prolonged, severe disability (1.7 million)

Chronically Mentally Ill

The Target Population

Source: NATIONAL INSTITUTE OF MENTAL HEALTH. (1980) *The National Plan for the Chronically Mentally Ill*, final draft report to the Secretary of Health and Human Services, Washington, D.C. With permission.

FIGURE 9

New York State Age Profile – Resident Population

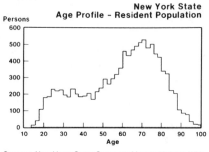

Source: NEW YORK STATE OFFICE OF MENTAL HEALTH. With permission.

FIGURE 7

The Location of the Chronically Mentally Ill United States – 1977

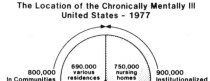

800,000 In Communities | 690,000 various residences | 750,000 nursing homes | 900,000 Institutionalized

110,000 150,000

Hospitalized
3 mos. to 12 mos.   > 1 year

Source: NATIONAL INSTITUTE OF MENTAL HEALTH. (1980) *The National Plan for the Chronically Mentally Ill*, final draft report to the Secretary of Health and Human Services, Washington, D.C. With permission.

FIGURE 10

New York State Admissions vs. Readmissions

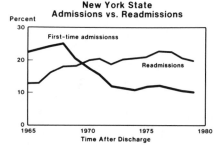
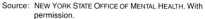

First-time admissionss

Readmissions

Time After Discharge

Source: NEW YORK STATE OFFICE OF MENTAL HEALTH. With permission.

FIGURE 8

Percent of 1955 Census State Psychiatric Centers in U.S. and N.Y.S.

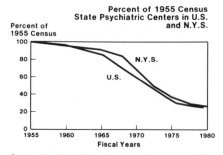

N.Y.S.

U.S.

Fiscal Years

Source: NEW YORK STATE OFFICE OF MENTAL HEALTH. With permission.

FIGURE 11

Distribution of Persons in Institutions per 100,000 Population by Type of Institution
(Both Sexes, United States, 1950 and 1970)

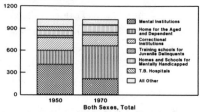
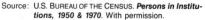

Mental Institutions
Home for the Aged and Dependent
Correctional Institutions
Training schools for Juvenile Delinquents
Homes and Schools for Mentally Handicapped
T.B. Hospitals
All Other

Both Sexes, Total

Source: U.S. BUREAU OF THE CENSUS. *Persons in Institutions, 1950 & 1970*. With permission.

done. In 1978, President Jimmy Carter's Commission on Mental Health [11] issued its final report that spelled out in great detail the issues of current concern to psychiatry, many of them related to service delivery, and shortly thereafter a National Institute of Mental Health response [12] appeared with specific actions suggested that later became embodied in a new Mental Health Systems Act of 1979 [13]. This legislation, as well as new federal initiatives in housing (by HUD) and community support programs (by NIMH), was also intended to remedy the crisis in care of the severely and chronically mentally ill. However, these initiatives were made moot by the election of a new President (Ronald Reagan) in 1980 who lumped as many federal programs as he could into 25 "block grants" which were given directly to the states to divide up according to their priorities rather than categorical nationally-identified needs. The implications of this new form of funding for the mentally ill were ominous, since through their traditional stigmatization, lack of tax power, and inadequate voice in government, they tended to get short shrift competing for monies with other more intact groups. Indeed, in 1983-4, the federal administration began a meticulous review of all those receiving disability incomes, and as could be expected, the mentally ill were disproportionately disallowed benefits (33 % vs their representation of only 11 %).

3. TREATMENT OF THE MENTALLY ILL

While the changes in care that have occurred in the past quarter-century have affected all Americans, they have had the most impact on the chronically mentally ill. It is important, therefor to define this population. To paraphrase Leona Bachrach [14], it includes all those persons who before the era of deinstitutionalization, would have or might have resided in public facilities, principally state hospitals. The aforementioned NIMH report [12], estimates the number of such persons as from 1.7-3 million (Figure 6).

Rather than receive their treatment in state facilities, the chronic mentally ill now utilize the hospital for only a portion of their lifetime — the remainder of it being spent in a variety of community residences (Figure 7). Indeed, almost half the 1.7 million are estimated to reside in community facilities. In addition, of those in hospitals, one-half are there for relatively brief periods.

During the past 25 years, the population in state facilities nationwide dropped slowly but steadily at first, picked up a great deal of steam in the late 1960's and early 1970's, but by now has more or less bottomed out (Figure 8).

Those persons who still reside in state mental hospitals are of two different cohorts, a younger group averaging about 35 years of age, and a much older population averaging over 65 years of age (Figure 9).

FIGURE 12

**Forensic Populations and CNYP Corrections
New York State**

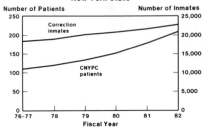

Source: NEW YORK STATE OFFICE OF MENTAL HEALTH. With permission.

FIGURE 15

**Deinstitutionalization
and Mental Health Services**

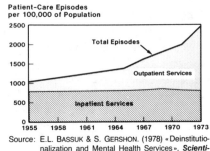

Source: E.L. BASSUK & S. GERSHON. (1978) «Deinstitutionalization and Mental Health Services», *Scientific American*, February, 238 (2): 52. With permission.

FIGURE 13

Mental Illness in the Homeless

Study	Percent of Homeless Population	
	Having Illness	Hospitalized
Baxter and Hopper	50-70%	31-74%
Arce et al.	84%	35%
Lipton et al.	100%	97%

Source: LAMB. (1984) *Task Force Report on the Homeless.*

FIGURE 16

**Admissions to Various Facilities,
in Thousands, 1940-1980**

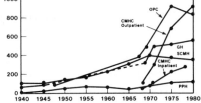

Source: NATIONAL INSTITUTE OF MENTAL HEALTH, Division of Biometry and Epidemiology. With permission.

FIGURE 14

Percent Distribution of Patient Care Episodes* in Mental Health Care Facilities (United States - 1955 and 1975)

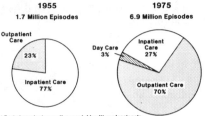

* Excludes private practice mental health professionals

Source: NATIONAL INSTITUTE OF MENTAL HEALTH. (1977) « Provisional Data on Patient Care Episodes in Mental Health Facilities, 1975 », *Mental Health Statistical Note No. 139*, U.S. Dept. HEW, August. With permission.

FIGURE 17

**Numbers of Inpatients in Various Facilities,
in Thousands, 1940-1980**

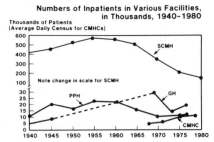

Source: NATIONAL INSTITUTE OF MENTAL HEALTH, Division of Biometry and Epidemiology. With permission.

The rate at which persons are readmitted to state facilities has also changed dramatically in the past few decades — now 60 % of each hospitals' admissions are comprised of readmissions and 60 % of each cohort of discharged patients will be readmitted within a two year period (Figure 10).

While it would appear from the above data that the United States has experienced a de-institutionalization phenomenon, Figure 11 reveals that it is more accurate to term it trans-institutionalization, since the percentage of Americans residing in all institutions did not really change between 1950 and 1970. Only the proportion of persons in each institution changed, e.g. the population in state hospitals decreasing by $2/3$rds, nursing homes trebling, and prisons increasing slightly. Ironically, only one institution was abolished, the TB sanitarium, that as a result of diagnostic and therapeutic advances rather than political and economic forces.

While prison populations in the United States have increased greatly in recent years, both correctional facilities housing mentally ill offenders as well as mental hospitals holding forensic patients have increased even more so (Figure 12).

However, despite the shuffling about of patients around different institutions, it is also clear from a look at urban America, that a vast number of the most inept mentally ill have overflowed into our nation's streets, public buildings and parks. Current estimates of the percentage of mentally ill persons among the homeless vary between 50 and 100 % and 31-97 % have histories of previous hospitalization (Figure 13).

4. THE CONSEQUENT SHIFT IN SERVICES

A massive shift has also occurred in how services are provided in America today versus 25 years ago (Figure 14). However, caution in interpreting this seeming shift from inpatient to outpatient settings is in order, for the "pie" comprising the care provided has expanded so dramatically that it hides the relatively small increase in inpatient care that actually occurred (from 1.3 to 1.86 million episodes).

If we look at the two types of services arrayed on the same chart (Figure 15), it is clear that this apparent shift is more accurately portrayed as a massive increase in outpatient services.

When inpatient services are looked at separately, it is obvious that marked alterations have occurred here as well (Figure 16). Beds in the psychiatric units of general hospitals and CMHC's have increased, as state hospital censuses declined.

Admissions to all services, inpatient and outpatient, have increased sizeably. Figure 17 reveals the magnitude of the increase in admissions to outpatient services.

The proportion of episodes of mental illness treated in state facilities looks markedly less now than in past (Figure 18) but again we must be cautious, since

257

the "pie" has increased so dramatically. Indeed, the decrease — from 830,000 to 570,000 a year — is rather small considering other changes.

While general hospitals have generally been acknowledged to have assumed much of the treatment of the mentally ill in the United States, Figure 19 reveals that their increased activity does not totally pick up the slack.

What is widely perceived now in the United States is an imbalance between state hospital and community facility resources and responsibilities. This is perhaps best illustrated by Figure 20 which demonstrates that while most patients are in the community, most resources remain in state facilities, tied as they are to beds.

It is intruiging to note that one beneficial consequence of depopulation of state hospitals was a marked improvement in their staff : patient ratios, in New York now exceeding 1 : 1 (Figure 21).

FIGURE 18

Percent Distribution of Inpatient and Outpatient Care Episodes in Mental Health Care Facilities - by Type of Facility (United States - 1955 and 1975)

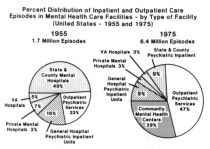

Source: NATIONAL INSTITUTE OF MENTAL HEALTH. (1977) « Provisional Data on Patient Care Episodes in Mental Health Facilities, 1975», *Mental Health Statistical Note No. 139*, U.S. Dept. HEW, August. With permission.

FIGURE 19

Admissions to Public vs. Non-Public Hospitals
1971-1975

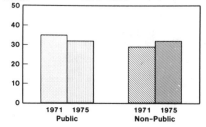

FIGURE 20

New York State State/Local Program Shares

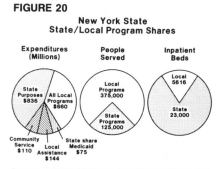

Source: NEW YORK STATE OFFICE OF MENTAL HEALTH. With permission.

FIGURE 21

Ratio of Resident Patients to Staff of N.Y.S. Psychiatric Centers

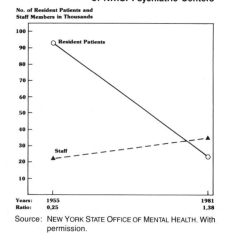

Source: NEW YORK STATE OFFICE OF MENTAL HEALTH. With permission.

258

Another item of note. In the United States we have become aware that over 50 % of the psychiatric care is being provided by non-psychiatric physicians, prompting a rethinking of the need to educate those physicians working in family or emergency medicine in both rural and inner-city areas (Figure 22).

5. THE ECONOMIC PICTURE

The health portion of the gross national product (GNP) has increased steadily in the U.S. and currently exceeds 10 % (Figure 23). The mental health portion of that percentage, however, has decreased slightly, relative to the entire health "pie" (Figure 24).

The total amount of monies that can be allocated for care of the mentally ill in America, however, is still staggering. Figure 25 demonstrates this amount broken down into direct (e.g. that go to providers) and indirect (e.g. loss of income, loss of productivity) services.

FIGURE 22

Estimated Percent Distribution of Persons with Mental Disorders — by Treatment Setting (United States, 1975)

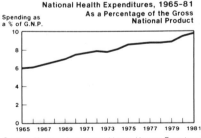

Source: D.A. REGIER, I.D. GOLDBERG & C.A. TAUBE. (1978) « The De Facto US Mental Health Services System, a Public Health Perspective », *Archives of General Psychiatry*, American Medical Association, June, 35: 690. With permission.

FIGURE 24

Mental Health as a Percent of Total Medical Expenditures (United States, 1971 and 1980)

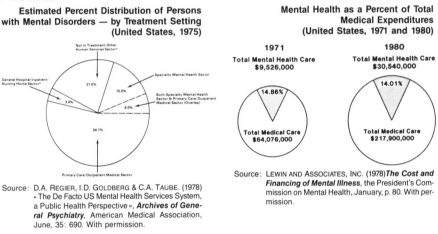

Source: LEWIN AND ASSOCIATES, INC. (1978)*The Cost and Financing of Mental Illness*, the President's Commission on Mental Health, January, p. 80. With permission.

FIGURE 23

National Health Expenditures, 1965-81
As a Percentage of the Gross National Product

Source: NATIONAL INSTITUTE OF MENTAL HEALTH, Department of Health and Human Services. With permission.

FIGURE 25

Estimated Costs of Mental Illness (in millions)					
Cost	1963	1968	1971	1974	1980
Direct	2,402	4,031	11,058	16,973	23,558
Indirect	4,634	16,906	14,179	19,813	28,860
Total	7,036	20,937	25,238	36,786	52,418

Source: Figure adapted from: J.A. TALBOTT, Ed. (1978) *The Chronic Mental Patient: Problems, Solutions and Recommendations for a Public Policy*, Washington, DC, American Psychiatric Association, p. 138.

In 1974 the amount of money that could be allocated to the chronic mentally ill is almost 37 billion dollars or 87 % of the total. The reason for this high percentage becomes apparent when one looks at where direct costs are incurred, e.g. over 50 % of direct monies go to nursing homes and state and county hospitals (Figure 26).

As can be seen from Figure 27, hospitals now receive a smaller proportion of funding and long-term care facilities, outpatient services, and physicians a greater one.

The sources of funding for mental health services have also shifted, with a much higher proportion now coming from federal sources and less from states, insurance programs and private sources (Figure 28).

6. THE AMERICAN NON-SYSTEM OF CARE

If one attempts to construct a table of organization of services in the United States it is quite complex (Figure 29). Each level of government funds, operates

FIGURE 26

Percent Distribution of Expenditures for Direct Care of the Mentally Ill by Type or Locale of Care (United States, 1974)

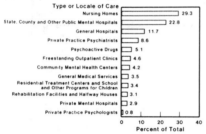

Source: NATIONAL INSTITUTE OF MENTAL HEALTH, Division of Biometry and Epidemiology. *Statistical Note No. 125*. With permission.

FIGURE 27

Total Personal Medical and Mental Health Expenditures (United States - 1971 and 1980)

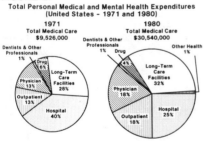

Source: LEWIN AND ASSOCIATES, INC. (1978)*The Cost and Financing of Mental Illness*, the President's Commission on Mental Health, January, p. 76. With permission.

FIGURE 28

Payment Sources of Personal Medical and Mental Health Expenditures (United States - 1971 and 1980)

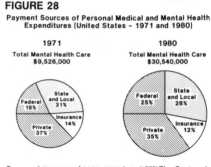

Source: LEWIN AND ASSOCIATES, INC. (1978)*The Cost and Financing of Mental Illness*, the President's Commission on Mental Health, January, p. 78. With permission.

FIGURE 29

Levels of Government Funding

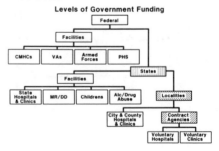

Source: J.A. TALBOTT & S.R. KAPLAN, Eds. (1984) *Psychiatric Administration*, N.Y., Grune & Stratton, p. 5 With permission.

and contracts with local facilities to operate mental health services. The result is a predictable conflict of interest, revealed when any governmental hospital is threatened with loss of accreditation and back-flows money from the community into its own facilities.

Without coordination and with each type of facility essentially acting in competition for the same "desirable" patients, it is no wonder that certain critics have painted a cynical picture of the current situation where patients may be shuffled between hospitals, nursing homes and community residences like "hot potatoes" (Figure 30).

One additional obstacle to providing systematic care for the mentally ill in America is the fact that almost each need of the mentally ill is met by a different federal, state and often even local governmental agency (Figure 31). Each agency tends to have a different definition of who is eligible for funding and there is no conceptual unity among agencies.

FIGURE 30

The Hot Potato Syndrome

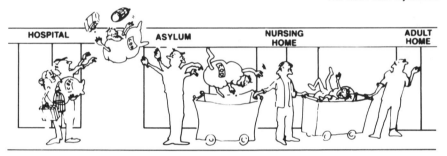

"Hot Potatoes, Hot Potatoes! Don't get stuck with the hot potatoes!"

Source: Figure adapted from: NASSAU ACTION COALITION INC. (1979) *NAC News*, Special Supplement, April-May. With permission.

FIGURE 31

Needs of the Chronic Mentally Ill

Housing	Income	Vocational Rehab	Social Rehab	Medical	Psychiatric
(HUD)	(SSI)	(HRA)	(HSA)	(Medicaid/ Medicare)	(CMHC/State /Local)

FIGURE 32

Needs of the Chronic Mentally Ill

	Housing	Income	Vocational Rehab	Social Rehab	Medical- Psychiatric
	(HUD)	(SSI)	(HRA)	(HSA)	(Medicaid/ Medicare)
Federal					
State					
Local					

261

To have a systematic approach toward treatment and care of the mentally ill in the United States, several measures would have to be undertaken. First, all governmental agencies would have to agree on the population to be served, coordinate their funding streams and communicate both vertically and horizontally (Figure 32).

Second, a truly comprehensive, coordinated delivery system would have to be established in all localities (Figure 33). If this looks strikingly similar to the vision of a community mental health center, it reaffirms the principles with which that delivery system was envisioned, albeit never fully implimented.

FIGURE 33

An Integrated Service Delivery System

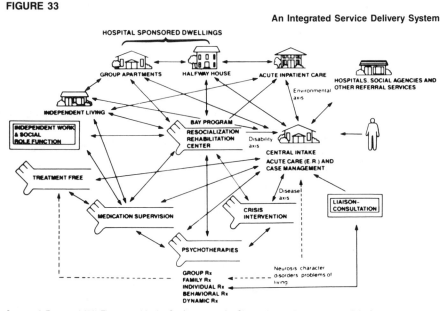

Source: J. BARKER. (1978) Figure used in the Conference on the Chronic Mental Patient. Not published.

Third, to not repeat the problems of the CMHC, this new community care system would need to have an adequate number and range of community housing settings and treatment services. A conceptualization offered recently by Elizabeth Boggs provides a schema for understanding what must be established. She placed patient needs along one axis and settings along the other in decreasing order of their ability to meet these needs (Figure 34).

And fourth, settings and services would have to be available to each patient in a comprehensive manner, as this matrix implies (Figure 35).

FIGURE 34

Needs of the Chronically Ill and Housing

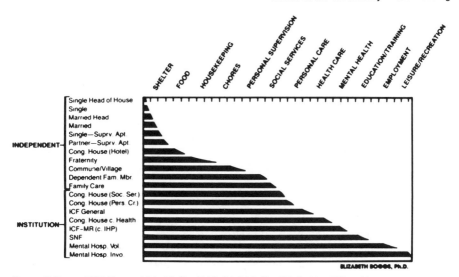

Source: E. BOGGS. (1983) Figure published in *Psychiatric Administration* (J.A. TALBOTT, Ed.), p. 14.

FIGURE 35

The Spectrum of Optimal Treatment Services and Living Situations

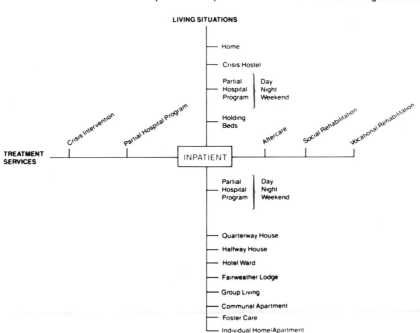

Source: J.A. TALBOTT. (1978) *The Death of the Asylum*, N.Y., Grune & Stratton. With permission.

7. WHAT DOES THE FUTURE HOLD?

There is much that we do not know about the future. But we do know something now about our changes in demography, proposals for reform of our current non-system, as well as governmental and societal intentions about "controlling costs" in the health sphere.

The two biggest demographic trends now facing us in the United States involve the young and the old. We have just experienced the movement of our large post World War II baby boom group from adolescence into early adulthood. Currently some 42 million Americans are between 18 and 28, the ages when people become vulnerable to serious mental illness and first come into treatment for it. The widespread concern with these "new" or "young chronic mentally ill" individuals reflects our difficulty providing treatment for them (Figure 36).

Another crisis looms with our aging population. Current projections indicate that our population over 65 will double by the year 20-30, and since we are aware of the fact that the incidence and prevalence of mental illness increases so dramatically in this population should give us great cause for concern, especially since most states have already made policy decisions not to allow construction of any additional nursing homes nor to renovate or construct new state hospitals (Figure 37).

FIGURE 36

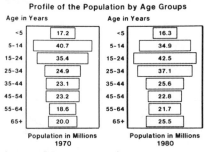

Source: U.S. BUREAU OF THE CENSUS. (1981) Adapted from a figure published in the **New York Times**, May 24. With permission.

FIGURE 37

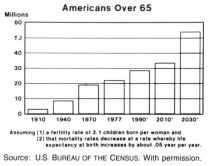

Source: U.S. BUREAU OF THE CENSUS. With permission.

FIGURE 38

Mechanisms of Reform

- Capitation Funding
- HMOs/Prepaid Plans
- Vouchers - Housing and Services
- Reimbursement Tinkering
- Unified System
- More Monies

Several proposals for reform of our non-system have already been made. In addition to the older ones of shutting down either the state hospital or community care systems altogether and concentrating our resources and efforts on the extant one — several newer ones have emerged (Figure 38). First, it has been suggested that mental health services be funded as they are in Wisconsin, by capitation, so that outpatient and preventive services, and alternatives to hospitals will be rewarded more than more expensive inpatient services. Second, services could be provided through prepaid organizations, e.g. health maintenance organizations (HMO's), as was popularly proposed for general health services in the United States during the past decade. Third, vouchers could be issued that would reimburse patients for both housing and treatment services, enabling marketplace factors to determine services rather than historical reimbursement patterns. With such vouchers, individuals (albeit with fiduciary cosignators) might choose not to spend one-half their direct services monies on nursing homes and state and county hospitals instead of community, especially psychosocial rehabilitation, programs. Fourth, reimbursement mechanisms could be tinkered with, so that partial hospitalization, psychosocial programs and ambulatory care were more adequately reimbursed and inpatient care less well funded. Finally, an attempt to move toward a truly "Unified System" might be attempted, with an attempt to have only one system without competing subsystems and elements.

There are several current trends that will certainly affect our future in the US. The most immediate of these are proposals for payment of services prospectively, competition legislation, and the increasing importance of corporate medicine. Prospective payment mechanisms, e.g. telling hospitals, services and practitioners how much they will get in advance, rather than reimbursing them on a per diem basis for inpatients and a fee for service basis for outpatients, have been strongly supported by our federal legislators. Whether they would involve paying hospitals, programs and practitioners according to diagnosis related groups (DRG's) or by other indices of severity and chronicity, they will seriously affect our delivery patterns. Competition legislation is the attempt to encourage marketplace competition and ultimately effect cost-savings. The most commonly proposed programs are preferred provider organizations (PPO's) that enroll physicians and others in their provider-cohort and compete with other PPO's for consumer business by offering different (but decreased) costs for services. Finally, we have recently witnessed the astounding acquisition by corporately controlled health organizations of large numbers of hospitals, emergency services and ambulatory programs, including many psychiatric facilities, and run them quite profitably. There are fears that such corporate control will lead to "creaming off" of higher paying patients, neglect of educational and research goals, and poor quality medical/psychiatric care. Whether these consequences are inevitable or not has yet to be determined, but the increasing importance of corporate medicine in general, and for-profit chain hospitals in particular, is no longer in question.

SUMMARY AND CONCLUSIONS

This contribution has summarized the past, present and future of psychiatric services in the United States. Past practices were overwhelmingly controlled by psychiatric hospitals; present care by the community mental health center and deinstitutionalization movements; and the future by cost-cutting and competitive forces. The only thing we can safely predict is that the future delivery of services will be as different from the present non-system of care as it is from the past — and assuredly as problematic.

RÉSUMÉ

SOINS PSYCHIATRIQUES AUX ÉTATS-UNIS : D'HIER À DEMAIN

Il y a vingt-cinq ans, les États-Unis amorçaient un changement radical en matière de services psychiatriques, passant d'un traitement institutionnel à un traitement communautaire de la maladie mentale chronique et sévère — mouvement plus tard appelé «désinstitutionnalisation». Dans une certaine mesure, il s'agit d'une fausse appellation, car il s'est produit en réalité 1) une transinstitutionnalisation à d'autres agences, en particulier les centres d'accueil et 2) le dépeuplement des hôpitaux d'État sans ressources équivalentes ajoutées.

Les problèmes qui sont apparus à la suite de ce changement sans précédent dans la distribution des services de santé mentale furent nombreux, incluant le manque de soins communautaires, de fonds adéquats, d'un habitat approprié comportant des soins de garderie.

Cette présentation donne un aperçu du nombre de malades mentaux chroniques, de leur localisation, de leur capacité fonctionnelle et de leurs besoins ; on y aborde aussi les programmes qui fonctionnent et ceux qui ne fonctionnent pas, les facteurs économiques en cause, les obstacles entravant la qualité des soins et la responsabilité gouvernementale.

Plusieurs suggestions sont formulées afin qu'on remédie au problème créé par la désinstitutionnalisation et que de véritables soins communautaires soient organisés. Ces suggestions comprennent des changements dans le remboursement et la répartition des fonds, dans le fonctionnement gouvernemental et administratif, et dans les attitudes du public ; une amélioration de la formation professionnelle et une enquête sur la recherche sont également souhaitées.

REFERENCES

1. DAIN, N. (1976) «From Colonial America to Bicentennial America: Two Centuries of Vicissitudes in the Institutional Care of Mental Patients», *Bull. NY Acad. Med.*, 52: 1179-1196.

2. QUEN, J.M. (1975) «Learning from History», *Psychiatr. Ann.*, 5: 15-31.

3. ROTHMAN, D.J. (1971) *The Discovery of the Asylum: Social Order and Disorder in the New Republic*, Boston, Little, Brown and Co.

4. MAXMEN, J., G.J. TUCKER, & M. LEBOW. (1974) *Rational Hospital Psychiatry: The Reactive Environment*, New York, Brunner/Mazel.

5. QUEN, J.M. *Review of Rothman*, reference #3.

6. GALT, J.M. (1985) «The Farm of St.Anne», *Amer. J. Insanity*, 11: 352-357.

7. *Action for Mental Health: The Final Report of the Joint Commission of Mental Health and Illness*, New York, Basic Books, 1961.

8. TALBOTT, J.A. (Ed.) (1978) *The Chronic Mental Patient: Problems, Solutions and Recommendations for a Public Policy*, Washington, DC, American Psychiatric Association.

9. COMPTROLLER GENERAL OF THE UNITED STATES. (1977) *Returning the Mentally Disabled to the Community: Government Needs to Do More*, Washington, DC, US General Accounting Office.

10. GAP REPORT. (1978) *The Chronic Mental Patient in the Community*, New York, Group for Advancement of Psychiatry.

11. TALBOTT, J.A. (1978) *Report to the President from the President's Commission of Mental Health*, Washington, DC.

12. U.S. DEPARTMENT OF HEALTH AND HUMAN SERVICES. (1980) *Toward a National Plan for the Chronically Mentally Ill*, Report to the Secretary by the DHSS Steering Committee on the Chronically Mentally Ill, Washington, DC, DHSS.

13. «PL 96-398», *Mental Health Systems Act*, 1980.

14. BACHRACH, L.L. (1976) *Deinstitutionalization: An Analytical Review and Sociological Perspective*, Rockville, Md, NIMH.

ENSEIGNEMENT DE LA PSYCHOTHÉRAPIE ET PSYCHANALYSE

Formation du psychothérapeute et psychanalyse

Pierre-Bernard Schneider

I. LA PSYCHANALYSE ET SES CARACTÉRISTIQUES

S'il est aisé de délimiter le second terme du titre que j'ai choisi pour cet exposé, celui de psychothérapeute, en revanche, est plus difficile à circonscrire. J'entends par «psychanalyse» la psychanalyse freudienne classique, celle des instituts et des sociétés de psychanalyse affiliés à l'Association Internationale de Psychanalyse. Il est évident que je considère cet ensemble théorique, technique et pratique surtout sous l'angle clinique et scientifique ; parfois, pourtant, je tiendrai compte du cadre de l'institution psychanalytique. Il s'agit d'un édifice en construction et en remaniement constants, mais qui est cependant dans la pratique de la cure psychanalytique assez solidement érigé sur un ensemble de notions théoriques et pratiques que je rappelle en deux mots. Cet ensemble me paraît être indispensable à la compréhension de la cure psychanalytique, donc à la formation du psychanalyste, et nous allons voir ce qu'il en est pour la formation du psychothérapeute.

Les caractéristiques théoriques sont l'inconscient, la structure fondamentalement conflictuelle de l'appareil psychique avec les notions de conflits intrapsychique et interpersonnel, les pulsions, l'histoire psychodynamique de l'homme, soit l'aspect génétique, l'organisation de la vie mentale autour du complexe d'Œdipe et de sa résolution, et le transfert et le contre-transfert, non seulement comme phénomènes caractéristiques de la cure psychanalytique, mais également en tant que prototypes du fonctionnement mental, qui se base donc sur la remémoration et la reviviscence du vécu surtout infantile.

Quant aux caractéristiques pratiques, je citerai celles qui me paraissent primordiales, à savoir le divan, les associations libres, l'interprétation du matériel

271

jaillissant de l'inconscient, la neutralité affective de l'analyste, son intérêt centré sur le fonctionnement global du malade et non sur le symptôme, la primauté du langage qui permet d'ailleurs les associations libres et les interprétations, et enfin la névrose de transfert.

Tels sont les ingrédients dont la connaissance, tout d'abord, et ensuite l'usage réfléchi permettent à la cure psychanalytique de se dérouler. Le psychanalyste doit donc les intégrer dans son activité thérapeutique au cours d'un lent travail formatif, car tout le monde sait qu'on ne devient pas psychanalyste en quelques mois et que la formation exigée par la plupart des instituts et sociétés durera pour le moins cinq ans, en moyenne dix ans, avant que le candidat soit admis au sein de l'Association Psychanalytique Internationale.

II. LES PSYCHOTHÉRAPIES

Qu'en est-il du psychothérapeute ? Tout d'abord de quel psychothérapeute parlons-nous ? Dès que nous prononçons ce terme qui doit caractériser une profession, de multiples images et représentations envahissent l'esprit et obscurcissent notre vision. «Psychothérapeute» renvoie à «psychothérapie» et nous savons bien qu'il existe une multitude d'activités qui se réclament de ce concept. Aussi convient-il d'élaguer un peu ce maquis et de restreindre le champ de notre vision pour mieux saisir les objets que nous allons étudier. Tout d'abord je limiterai le champ des psychothérapies à celles qui s'appliquent dans le cadre de la médecine. Ce sont des méthodes d'action psychique utilisées pour traiter des malades. Parmi la multitude de ces méthodes ou techniques — il y a plusieurs années déjà quelqu'un en avait dénombré plus de 200 — je peux, pour le propos qui me concerne de leurs rapports avec la psychanalyse, délimiter très grossièrement trois catégories :

1. Les psychothérapies directement issues de la psychanalyse

Je citerai en exemple la psychothérapie d'orientation ou d'inspiration psychanalytique (P.I.P.) ou psychothérapie dynamique, la psychothérapie analytique brève, la psychothérapie analytique de groupe, la psychothérapie analytique des schizophrènes et celle des cas limites. Notons que les rapports de la psychanalyse avec ces formes de psychothérapies directement issues d'elle ont été, et sont encore en partie, avant tout conflictuels. En particulier, les psychanalystes dits orthodoxes craignaient que les psychothérapies inspirées de la psychanalyse mettent en danger cette dernière soit en introduisant des impuretés dans la doctrine, soit en diminuant le volume de la pratique psychanalytique, ce qui ferait que les psychothérapeutes ne posséderaient plus l'«outil psychanalytique», soit enfin en faisant disparaître la technique classique au profit d'autres techniques, ce qui rendrait difficile ou même impossible la transmission du savoir psychanalytique. Je pense que cette dernière objection est de loin la plus valable.

2. Les psychothérapies empruntant à la psychanalyse une ou quelques données théoriques, éventuellement pratiques

Parmi la foison des techniques figurent les méthodes de REICH comme la bio-énergie ou certaines techniques corporelles, par exemple la «Gestalt», l'analyse transactionnelle, le cri primal de JANOV, la méthode de ROGERS, le rêve éveillé de DESOILLE, etc. La plupart de ces méthodes s'appuient sur un ou quelques principes isolés de l'ensemble de la théorie psychanalytique et les valorisent aux dépens des autres qu'elles ignorent le plus souvent. Les auteurs élaborent autour de ces principes une théorie plus ou moins valable et plus ou moins cohérente, mais s'abstiennent aussi de toute théorisation. JANOV fait appel au «traumatisme originel» ; REICH et son élève LOWEN limitent en réalité la psychanalyse à une théorie simplifiée des pulsions, et la théorie rogérienne se réduit en fait à un mode d'emploi du transfert ; quant à l'analyse transactionnelle, elle me paraît représenter sur le plan analytique une copie conforme du fonctionnement mental psychanalytique, mais en supprimant tout ce qui est inconscient. Le «rêve éveillé» de DESOILLE et son épigone allemand, le *katathymes Bilderleben*, se réfèrent au rêve et à son interprétation freudienne.

3. Les psychothérapies n'ayant fondamentalement aucun rapport avec la psychanalyse

Je peux citer en exemple le behaviorisme, la psychothérapie cognitive, le biofeedback, les méthodes thérapeutiques, spécialement familiales, issues de la théorie systémique, le yoga, la méditation transcendantale et toutes les méthodes dites orientales. Les psychothérapies de cette classe se réfèrent à d'autres théories du fonctionnement mental et à des anthropologies différentes de celle de la psychanalyse.

*
*   *

Bien que les trois catégories que j'ai distinguées paraissent pouvoir couvrir le champ global des psychothérapies, l'une d'entre elles y trouve difficilement sa place, et c'est pourtant la forme la plus fréquente de psychothérapies qu'utilisent aussi bien le psychiatre que le médecin généraliste dans sa pratique courante. Il s'agit de la *psychothérapie de soutien*. On peut l'exercer en tenant compte des mouvements dynamiques, en particulier les mécanismes de défense et la structure du moi — ce qui implique d'ailleurs une connaissance de l'économie instinctuelle — , mais également d'une manière plus naïve, en s'appuyant sur d'autres modèles, behavioriste, systémique ou cognitif par exemple — et il ne s'agit pas d'une liste complète. Bien plus, la plus grande partie des médecins qui «font de la psychothérapie» de soutien se contentent de données empiriques pour agir au mieux de leurs expériences cliniques non contrôlées. Aussi la psychothérapie de soutien peut-elle devenir la pierre de touche d'une formation psychanalytique du psychothérapeute.

III. LA FORMATION PSYCHANALYTIQUE

Ces catégories classificatoires semblent au premier abord délimiter très clairement trois champs distincts dans le domaine des psychothérapies, et les liens de chacune de ces catégories avec la psychanalyse prendront des aspects très différents dans le domaine de la formation du psychothérapeute. Il ne faut pourtant pas oublier que, dans le monde occidental où nous étudions ces psychothérapies, la psychanalyse n'est pas seulement une méthode parmi d'autres de connaissance de la vie psychique et de traitement des troubles mentaux. Depuis le début du siècle, elle a exercé une influence considérable sur la vie culturelle de nos pays et elle l'a imprégnée de notions qui sont devenues notre bien commun. De nos jours, l'inconscient et le refoulement, pour ne citer que ces deux concepts, appartiennent à la structure interne de l'homme occidental et nous ne pouvons pas les éliminer autoritairement. Ceux qui créent des méthodes psychothérapiques en dehors du champ psychanalytique, souvent en opposition à cette doctrine, ne sont-ils pas influencés par elle, par le fait même qu'elle participe de notre culture ? Nous devrions donc avoir constamment à l'esprit cette situation de fait.

Après avoir mentionné les ingrédients théoriques et pratiques indispensables à la cure psychanalytique, et délimité trois catégories de psychothérapies selon leur relation ou leur absence de relation avec la psychanalyse, je dois aborder la façon dont se présente la formation psychanalytique type. Qu'il s'agisse de la psychanalyse freudienne, dite orthodoxe, des psychanalyses kleinienne, lacanienne, existentielle ou même de la psychothérapie analytique jungienne, la formation comporte une analyse didactique, des analyses de contrôle, la fréquentation de séminaires théoriques et pratiques, et éventuellement la présentation d'un travail clinique ou théorique. Même si ce programme d'études est discuté, contesté, modifié, sa structure fondamentale, parfois tronquée ou étendue dans le temps, demeure la même et c'est d'elle qu'il s'agira dans mon exposé lorsque je parlerai de «formation psychanalytique». Je sais bien que ce que je viens d'en dire est rudimentaire à l'excès, mais si je commençais à soulever les problèmes importants que comporte ce thème, je n'aurais pas assez de tout le temps de mon exposé pour en décrire la complexité. Aussi les règlements sur la formation adoptés par les sociétés et instituts psychanalytiques doivent être constamment modifiés, et cette formation s'effectue en fait en grande partie en dehors de la codification institutionnelle, mais en tenant compte des trois éléments fondamentaux que j'ai cités. Il est également vrai que le monde des psychanalystes reconnus par les sociétés psychanalytiques faisant partie de l'Association Psychanalytique Internationale est très petit par rapport à la nuée des psychothérapeutes qui exercent leur activité dans le monde médical. Enfin reconnaissons que, parmi tous les patients dont les psychiatres, les psychothérapeutes et les médecins généralistes doivent s'occuper, seule une infime minorité peut être traitée par la cure psychanalytique type. Pour les autres, il faut envisager de recourir à des psychothérapies.

IV. PRATIQUE PSYCHOTHÉRAPIQUE ET INCONSCIENT

Abordons maintenant de façon plus directe le problème des rapports de la psychanalyse avec la formation du psychothérapeute. Former un psychothérapeute, c'est «préparer quelqu'un à exercer une pratique» (P. HERMANN [10]), à savoir la pratique du traitement de troubles psychiques ou physiques par une méthode dite psychologique. Cette pratique revêt des aspects bien différents selon qu'on tient compte ou non de ce qu'on désigne par «inconscient». C'est par rapport à cette notion — que j'admets être connue de chacun d'entre nous du moins dans ses aspects intellectuels et intelligibles — qu'une séparation, en quelque sorte par sédimentation, s'établit entre des psychothérapies où l'inconscient intervient — plus lourdes ou plus légères selon nos goûts — et des psychothérapies qui s'effectuent sans que l'on tienne compte de l'inconscient. Mais qui tient ou ne tient pas compte de l'inconscient? Le médecin psychothérapeute, le patient, ou la méthode? Une réponse univoque à ces questions n'existe pas. Nous allons le montrer en envisageant le problème selon ces trois points de vue.

1. Si nous revenons aux trois classes de psychothérapies que nous avons établies, nous constatons que la première, celle qui englobe les méthodes issues directement de la psychanalyse, ne peut se passer de la connaissance intellectuelle et vécue de l'inconscient. Dans la deuxième classe, ce dernier est inconstant ; plusieurs méthodes n'en tiennent pas compte et certaines s'en passent très facilement bien qu'elles se prétendent héritières de la pensée psychanalytique. Les psychothérapies de la dernière classe ne mentionnent pas, à juste titre d'ailleurs, l'inconscient, puisque soit elles l'ignorent dans leurs théories, soit elles font appel à des notions ésotériques ou religieuses qui ne revêtent qu'une ressemblance très lointaine avec le concept freudien.

2. Lorsque nous nous mettons dans la perspective du psychothérapeute, nous sommes obligés de tenir compte de son désir (de sa motivation) de connaître l'inconscient et de le prendre en considération dans son approche psychothérapique, ainsi que des possibilités qu'il a eues et qu'il aura à apprendre à connaître ce domaine et à s'y sentir à l'aise. Autrement dit, c'est le psychothérapeute, en dernier ressort, qui décidera du chemin de sa formation et qui y inclura ou exclura l'abord de l'inconscient, donc la dimension psychanalytique.

3. Quant au patient, il est en grande partie à la merci de la mode thérapeutique qui a cours là où il consulte. Mais souvent, après avoir tâté des techniques qui ne comportent pas une exploration découvrante des mécanismes enfouis en lui-même, il désire aller voir ce qui se passe au-delà des apparences. Il demande alors expressément un traitement d'essence psychanalytique.

Si nous tentons maintenant d'obtenir une vue plus globale, nous constatons que, dans sa pratique, n'importe quel psychothérapeute a tout intérêt à comprendre ses patients à travers leur inconscient, c'est-à-dire selon une vision psychanalytique, et à pouvoir user de ses connaissances dans ce domaine pour les traiter. En effet, s'il emploie les psychothérapies issues de la psychanalyse, ou s'il veut répondre à une demande qui va au-delà de la connaissance rationnelle, cognitive, et au-delà des modifications du comportement, il devra bien recourir à l'outil psychanalytique.

V. LA FORMATION PSYCHOTHÉRAPIQUE DU PSYCHIATRE

Les solutions proposées sont variées, souvent disparates, etc. Chaque institution, hospitalière ou extra-hospitalière, chaque centre de formation ont établi leur programme, ce qui nous montre bien qu'il n'existe pas un modèle de formation psychothérapique qui se soit imposé comme étant le meilleur. Il ne saurait en être autrement lorsqu'on désire former de jeunes psychiatres à la psychothérapie, car les enseignants se trouvent dans la même situation que les instituts de psychanalyse qui cherchent toujours les structures idéales d'enseignement. S'il est possible d'établir le catalogue des connaissances, du savoir-faire et des erreurs à éviter dans le domaine de la psychopharmacologie, s'il est même possible d'examiner le savoir du psychiatre, la situation est très différente pour l'acquisition d'une pratique psychothérapique, à condition que celle-ci ne consiste pas uniquement dans l'apprentissage d'une technique. Dès que la pratique psychothérapique prend une teinte psychanalytique, elle devient à la fois une pratique du conscient et de l'inconscient. Même si elle comporte une part dite technique, celle-ci ne doit pas étouffer la pratique, seule composante créatrice et thérapeutique.

Le psychiatre en formation (celui que vous appelez le «résident» et que nous appelons l'«assistant») devrait donc pouvoir accéder à une formation psychothérapique, mais si celle-ci est d'orientation psychanalytique, elle ne saurait, semble-t-il, lui être imposée comme peuvent l'être la connaissance de la psychopharmacologie et le maniement des médicaments. Mais quelle est cette formation psychanalytique ?

1. Place de la formation analytique classique

En réalité, je pense que la meilleure façon d'acquérir une formation psychothérapique analytique valable est de suivre le programme classique d'un institut ou d'une société psychanalytiques. Non que ce programme soit parfait, loin de là, mais il offre tout de même de meilleures chances d'ouverture à la connaissance de l'inconscient. On connaît les inconvénients de ce système de formation dont l'autoritarisme souvent autocratique a été reconnu par FREUD lui-même lorsqu'il a écrit :

> « Je ne connaissais que trop les pièges qui attendent ceux qui s'engagent dans l'analyse et j'espérais que beaucoup d'entre eux pourraient être évités si on réussissait à établir une autorité dont le rôle serait d'instruire et de réprimander. »

Malgré ces insuffisances et ces inconvénients, la formation psychanalytique classique donne certaines garanties d'un bon exercice psychothérapique. Mais, pour de multiples raisons (matérielles et financières, respect de la liberté de choix, etc.), on ne peut exiger du futur psychiatre qui veut exercer aussi la psychothérapie, même d'inspiration psychanalytique, de suivre le long trajet de cette formation. Si l'on s'en tient à la pratique psychothérapique, en laissant pour le moment de côté les techniques et les méthodes, nous pouvons définir la psychothérapie comme une méthode médicale de traitement des troubles psychiques et physiques dus à des conflits intrapsychiques, conscients et inconscients, non résolus, nécessitant de la part du patient un engagement volontaire, une collaboration, ainsi que le désir et la possibilité d'établir avec le psychothérapeute une relation interpersonnelle subjective bien particulière, qu'on appelle la relation psychothérapique, où le langage intervient comme mode préférentiel de communication. Le but de la psychothérapie est de permettre au patient de résoudre lui-même ses conflits intrapsychiques, en tenant compte de son idéologie et non pas de celle du psychothérapeute. Cette définition est certainement restrictive, mais elle doit l'être pour pouvoir délimiter un champ dans lequel une action bien dirigée est possible. Or cette définition fait mention des «conflits intrapsychiques conscients et inconscients», et seules une connaissance et une formation de type psychanalytique, quelle que soit la tendance choisie, permettent de donner au candidat psychothérapeute les moyens de comprendre psychodynamiquement les conflits de son patient et de l'aider à les résoudre. Pour ces motifs, nous estimons que si le jeune médecin qui veut devenir psychiatre désire également exercer la psychothérapie, il est indispensable qu'il puisse acquérir les données théoriques indispensables et la formation qui lui est nécessaire. Mon discours paraît simple et clair, mais l'application de ces principes soulève parfois des difficultés gigantesques auxquelles je ne pourrai apporter que des ébauches de solution.

Tous ces problèmes pourraient être résolus, semble-t-il, si l'on demandait aux futurs psychiatres d'accomplir une formation psychanalytique classique, ce qui leur permettrait de traiter leurs patients tant par la psychanalyse que par des psychothérapies plus ou moins inspirées par celle-ci, ou même d'allier la psychanalyse à l'approche systémique ou behavioriste par exemple. La réalité est très différente, nous le savons bien, et si certains psychiatres choisissent cette voie, qui me paraît être favorable, d'autres ne s'engagent pas dans une formation psychanalytique complète. Il se peut qu'ils le fassent beaucoup plus tardivement, après les années d'apprentissage comme assistants. Convient-il, par purisme psychanalytique, de les priver de la connaissance de cette discipline ? La réalité montre que la grande majorité des centres de formation n'a pas choisi cette manière exclusive d'agir. Seuls ceux qui sont uniquement centrés sur une formation non analytique de type systémique, behavioriste ou cognitif par exemple, ont choisi cette solution à mon point de vue insatisfaisante parce qu'elle ne tient pas compte de la structure de notre appareil psychique.

Si un centre de formation désire donner un enseignement psychothérapique analytique aux futurs psychiatres — *mutatis mutandis* ceci est aussi valable pour l'enseignement des autres catégories du personnel médical — celui-ci doit-il être déclaré obligatoire pour tous les candidats ? Cette question mérite réflexion. La formation psychothérapique telle que je l'envisage doit, comme le choix de la carrière de psychanalyste, résulter d'une décision bien mûrie. Autrement dit, être psychiatre ne signifie pas forcément être en même temps psychothérapeute. À ce sujet, je peux parler de l'expérience que nous faisons dans notre pays depuis une vingtaine d'années au moins.

En Suisse, le titre de spécialiste en psychiatrie est en même temps celui de spécialiste en psychothérapie. Cela signifie que, selon les directives qui sont édictées par la Chambre médicale suisse, le médecin qui veut devenir psychiatre doit acquérir une formation psychothérapique, et en particulier effectuer des traitements psycho-thérapiques de longue durée sous contrôle et suivre des séminaires psychothéra-piques. Dans de nombreux centres de formation, cet enseignement suit d'assez près la pensée psychanalytique. Or, vous savez aussi bien que moi que le futur psychiatre n'est pas forcément doué dans ce domaine et qu'il éprouve souvent des résistances à aborder la vie psychique — et surtout la sienne — sous cet angle. Pour certains, l'obligation qui leur incombe de traiter des patients par une méthode contre laquelle ils nourrissent une hostilité intérieure marquée, reconnue ou non, peut aboutir non seulement à un échec — ce qui est naturellement regrettable d'autant plus que généralement les patients peuvent en pâtir — mais encore à un sabotage très inconscient de tout le dispositif d'enseignement et de formation.

Cette médaille a aussi un revers qui est alors favorable. On s'aperçoit que des candidats qui au départ étaient obtus et dénigraient l'approche psychanalytique se révèlent être assez vite, non seulement conquis par elle, mais capables d'une évolution rapide et efficace. Tout bien pesé, il me semble cependant que la solution suisse que je viens de décrire, et à laquelle je n'ai jamais été favorable, ne devrait pas être appliquée, et qu'une entière liberté devrait être laissée aux candidats d'accomplir ou non une certaine formation de type psychanalytique. Ceci me permet de monter en épingle le principe fondamental que nous ne devons jamais oublier, c'est-à-dire que dans le domaine de la psychothérapie telle que je la conçois, *c'est véritablement le candidat qui se forme lui-même* et qui utilise à plus ou moins bon escient les possibilités que lui offre l'institution ou le centre de formation. Davantage encore, le centre de formation ne devrait pas lui donner toutes les gammes imaginables de séminaires, de cours et de contrôles. Bien des centres sont des magasins aux rayons trop fournis d'un matériel didactique qui coupe finalement l'appétit des candidats et les maintient dans la passivité d'une dépendance exagérée. À mon avis, la formation psychothérapique — comme d'ailleurs la formation psychanalytique classique — dépend entièrement du futur candidat et c'est à lui de la choisir et de l'organiser, avec une restriction importante concernant les patients qu'il prend en charge. Dans le cadre d'une formation institutionnalisée, le candidat est naturellement responsable de son patient mais, de plus, le service clinique dans lequel il travaille est tenu d'exercer un contrôle sur la qualité du traitement. Ce contrôle peut ne pas prendre un aspect inquisiteur et, au contraire, offrir au candidat des possibilités de travailler mieux et de se surpasser en établissant un dialogue constructif avec la personne qui apprécie son activité. Si ce principe de la prise en charge par le candidat de sa formation est reconnu, un certain nombre de candidats éviteront naturellement tel centre pour en choisir un autre, ce qui ne pourra avoir que des effets globaux favorables.

2. Objectifs de cette formation

Les objectifs que l'on désire atteindre par cette formation sont limités, et le but principal consiste à permettre au candidat de pratiquer la psychothérapie la plus commune dans le monde psychiatrique, la psychothérapie de soutien, avec davantage de plaisir et en espérant des résultats meilleurs, puisqu'il pourra comprendre les mécanismes inconscients de son patient et utiliser parfois cette connaissance dans ses interventions. S'il fait un pas de plus, il pourra devenir un médecin à même d'effectuer des psychothérapies d'inspiration analytique ou des psychothérapies brèves. Mais dans ces secteurs il rencontrera assez rapidement les limites de ses capacités, et si ses enseignants ont pu l'éclairer à ce sujet, ils auront accompli un très grand travail. Pour la pratique de la psychothérapie analytique de groupe, nous exigeons maintenant, après de longues et multiples expériences, que le candidat soit bien engagé dans une psychanalyse ou qu'il en ait terminé une. Un autre objectif, aussi important que le précédent, est de permettre au candidat de s'ouvrir à une formation psychanalytique complète et de commencer une psychanalyse dite personnelle didactique, mais que j'appelle simplement thérapeutique. Cette psychanalyse thérapeutique peut avoir deux issues. L'une prouvera au candidat qu'il est capable d'aller plus loin, de devenir un psychothérapeute de qualité et, éventuellement, de parfaire sa formation. L'autre lui fera abandonner cette carrière de psychiatre qu'il aura commencée, peut-être pour des raisons névrotiques, comme on dit, et il choisira une autre trajectoire médicale.

Une fois le choix fait d'accepter d'être responsable de sa formation et de se plier aux exigences de l'enseignement du centre, le candidat se trouve dans une situation relativement contraignante au cours de laquelle les satisfactions s'accompagnent d'un travail intense et de frustrations certaines. C'est le prix qu'il doit payer et qui se révèle être bien productif si cette phase probatoire, qui dure des mois, peut être traversée avec un début de modification de sa personnalité professionnelle. Pour que cette évolution puisse être bénéfique, il est nécessaire que la structure du centre de formation permette une activité thérapeutique importante, de nature psychanalytique, dirigée par des responsables jouissant d'une formation psychanalytique complète. Pourtant cette affirmation, qui peut paraître péremptoire, est soumise à votre discussion, car une trop grande rigidité risque de rétablir le surmoi psychanalytique paternel des sociétés et des instituts de psychanalyse, dont l'influence parfois néfaste a été rappelée par différents auteurs depuis le début de l'histoire du mouvement psychanalytique. Cette souplesse n'empêche pas que les responsables de l'enseignement doivent être très au clair en eux-mêmes et entre eux sur la place que la psychanalyse doit occuper dans la formation.

Dans la situation de la Suisse où tout médecin qui désire devenir psychiatre doit suivre un enseignement et une formation psychothérapiques, il est évident que nous ne pouvons pas obliger les assistants à commencer une psychanalyse dite personnelle ou didactique. Cette exigence ne pourrait être admise que si le candidat avait le choix de devenir psychiatre sans formation psychothérapique. Même si tel était le cas, l'obligation de la psychanalyse dite didactique serait nocive et les effets d'un traitement effectué dans ces conditions, probablement défavorables.

3. Modalités du programme de formation

a. La supervision et le superviseur

Si l'on ne peut pas exiger que l'analyse personnelle soit au centre de la formation psychothérapique que nous esquissons, les psychothérapies faites sous contrôle y prennent une place importante et décisive. D'ailleurs le terme de contrôle comme celui de supervision, que j'utiliserai cependant, ne correspondent pas à l'échange dialectique qui a lieu pendant l'heure hebdomadaire où l'aîné rencontre le cadet, puisqu'il s'agit davantage d'un enseignement et d'une initiation. L'enseignement coule de source. Le soi-disant contrôleur apprend quelque chose au candidat. En plus, il l'initie à ce qu'il est lui-même en tant que psychothérapeute ou psychanalyste. La qualité d'une formation psychothérapique, dans le sens où je l'entends, dépend des aptitudes (des dons) du candidat, mais aussi de son désir (de sa motivation) d'acquérir un bon outil et de sa disposition à se critiquer constamment. Sa collaboration avec le ou les superviseurs est aussi importante que les facteurs personnels.

Il est important que la supervision porte au moins sur deux psychothérapies analytiques de longue durée, c'est-à-dire, selon mon expérience, d'au moins deux ans, et non pas seulement sur des psychothérapies de soutien ou des psychothérapies brèves. En effet, l'analyse du transfert et du contre-transfert nécessite un long travail qui, même dans ce genre de traitement, doit être effectué en détail. Cela est difficilement possible lors du contrôle de traitements brefs ou de soutien du moi. En conséquence, les candidats doivent soit accomplir un stage de deux ans dans la même institution, soit obtenir la possibilité de traiter deux patients pendant deux ans en changeant d'institution et selon des modalités à fixer chaque fois.

Que le candidat ait la possibilité ou non de choisir le superviseur avec qui il va travailler, ce qui ne me paraît pas important au début de la formation, n'empêche pas parfois que l'alliance pédagogique ne s'établisse pas. Cette difficulté doit d'abord être élucidée avant que le travail commun puisse continuer ; si le nœud conflictuel intime ne peut être dénoué, la poursuite du travail de contrôle devient inutile et même néfaste, et il convient de changer de superviseur.

Quelles devraient être les qualités principales du contrôleur ? La première, essentielle, est qu'il possède lui-même une formation psychanalytique complète, que celle-ci ait abouti ou non à son admission dans une société psychanalytique. — Ce dernier point me paraît être secondaire puisque l'expérience a montré qu'on peut être un excellent psychanalyste sans devenir membre d'une société. — Ensuite, il doit avoir suffisamment pratiqué les psychothérapies psychanalytiques et, si possible, de différents types, et avoir vécu intimement ce qui les différencie de la psychanalyse. Très tolérant devant les échecs inévitables du candidat néophyte, il doit aussi être fort attentif à la séduction que ce dernier va exercer sur lui, puisque lors du contrôle il répétera le jeu voyeuriste et exhibitionniste qui se joue lors du traitement contrôlé. Son attention bienveillante se porte naturellement sur les réactions affectives et comportementales de son élève, et il le soutient lorsque ce dernier se trouve dans des situations de traitement difficiles qui font vibrer des problèmes personnels. Pourtant cette sollicitude ne doit pas se transformer en une psychothérapie, ce qui serait néfaste au contrôle, au candidat et au contrôleur. Si l'affaissement de la personnalité du contrôlé est profond, il est loisible au superviseur de lui recommander d'envisager des mesures thérapeutiques... Enfin, — et je me contente de ces quelques particularités — il lui appartient non seulement de limiter les ambitions thérapeutiques du futur psychiatre, mais encore de lui montrer pourquoi, parfois, il ne peut s'engager dans un traitement trop difficile.

La fonction du superviseur consiste donc à apprendre au candidat à écouter son patient puis à observer aussi bien son comportement, ce qui va de soi, mais surtout quelque chose de beaucoup plus subtil qu'on ne voit pas, le déroulement de la vie mentale. Il accomplit au mieux sa tâche, comme le soulignent plusieurs auteurs, s'il est attentif aux mouvements contre-transférentiels du candidat. De cette façon il va ouvrir une porte sur l'inconscient, en se gardant bien toutefois de dépasser le cadre du contre-transfert, purement professionnel, et en s'abstenant de pénétrer dans la sphère privée du contrôlé. Mais il peut lui montrer les obstacles et les inhibitions qui existent chez lui et qui pourraient être améliorés ou levés par une psychanalyse dite personnelle.

Dans la mesure du possible, le superviseur n'appartient pas aux cadres de l'institution et il n'a pas de rapports hiérarchiques avec les candidats dont il s'occupe. Il s'agit d'ailleurs d'une exigence relative, et l'expérience m'a montré que certains contrôleurs de psychothérapie appartenant à l'institution savaient adopter des attitudes qui ne compromettaient pas leur efficacité.

Dans un centre de formation, la supervision en groupe complète la supervision individuelle. Si le contrôleur est attentif aux phénomènes groupaux conscients et inconscients, il met encore mieux en évidence la scoptophilie inhérente au groupe, mais aussi les mouvements compétitifs vrais pré-oedipiens et oedipiens des candidats, mouvements qui peuvent être jusqu'à un certain point utiles à condition que le contrôleur évite l'interprétation sauvage individuelle utilisée soi-disant dans un but pédagogique. Dans le groupe de supervision, les médecins en formation se trouvent dans une situation de contrainte et on comprend pourquoi certains se tiennent à distance et n'y participent pas. Pourtant cette abstention peut nuire au processus formatif et, dans certaines circonstances, soit le superviseur soit le responsable de l'enseignement devrait pouvoir élucider les implications psychodynamiques de ce comportement.

b. Les moyens audio-visuels

Envisageons maintenant la place des moyens audio-visuels dans ce processus de formation et de supervision. Une première constatation : ils ne peuvent remplacer la supervision individuelle et de groupe, mais ils la complètent de manière très heureuse, car la vidéo introduit, si elle est bien utilisée, «l'atmosphère thérapeutique» et une partie des communications infraverbales. Cependant le médecin en formation vit les moyens audio-visuels comme une persécution et une intrusion dans sa sphère privée. Aussi est-il préférable qu'il commence à s'enregistrer, à se voir et à s'entendre lui-même en secret ; ainsi les autres ne pénétreront que plus tardivement dans son univers professionnel qu'il n'aura plus besoin de protéger.

Cependant, la reproduction télévisée d'une séance de psychothérapie et même la participation extemporanée à celle-ci ne permettent pas que l'on en discute à ce moment-là ; on doit toujours attendre que le traitement soit déjà du passé avant d'en parler. On ne peut donc discuter de l'acte psychothérapique qu'après qu'il a été effectué, tandis que l'instructeur peut corriger le chirurgien ou lui apprendre une technique au moment même où celui-ci l'exécute. Il en résulte que tout le processus de supervision, quels que soient les accessoires techniques utilisés, est un discours sur le passé. Pour avoir un discours sur le présent, il faut utiliser le jeu de rôle qui permet d'interrompre le processus pour que l'on puisse en discuter à chaud.

c. L'enseignement théorique

Venons-en à la troisième partie de l'enseignement psychanalytique, la transmission et la discussion de la théorie et de la technique. À ce sujet, nous pouvons observer que certains auteurs tendent à présenter l'édifice freudien, celui de ses successeurs ou d'autres tendances d'une manière simplifiée à l'excès, n'en retenant d'ailleurs souvent que certains aspects. On trouve dans la littérature des exposés sur une formation de base centrée sur des séminaires théoriques et pratiques qui ne traitent que du transfert ou de la psychodynamique ou encore du narcissisme, ceci en fonction probablement des intérêts relativement limités, mais assez spécifiques, de ceux qui défendent ces points de vue. Dans la perspective de la formation du psychiatre, le savoir psychanalytique forme un tout qui ne peut être débité en tranches que l'on peut déguster séparément. En revanche, des séminaires ou des ateliers centrés sur des points particuliers de la théorie ou de la technique psychanalytique apportent beaucoup de connaissances à ceux qui les ont déjà expérimentés, donc à un stade ultérieur.

En d'autres termes, je voudrais signaler le danger de simplifier à l'extrême la psychanalyse pour la faire «passer» facilement à des candidats qui ne veulent acquérir qu'une technique et non pas une pratique. Je me réfère aux excellentes distinctions qu'un de mes anciens collaborateurs, P. HERMANN [10], a élaborées entre pratique, théorie et technique en psychothérapie. Lorsqu'une psychothérapie se résume en une technique isolée que l'on acquiert par un «apprentissage», de graves inconvénients apparaissent à l'horizon : «... le savoir technique est un savoir dangereux, il donne l'illusion de la maîtrise et de l'économie des moyens quand les choses vont bien. Il ne permet pas de sortir du stéréotype de réponse quand les choses vont mal.» Parmi les deux cents méthodes psychothérapiques dont j'ai parlé plus tôt, la grande majorité ne sont que des «techniques», la plupart fondées sur des bribes de théories. «Le savoir technique est un savoir dangereux quand on s'y arrête, car incapable de se modifier il l'est aussi de se critiquer. Il tend à la stéréotypie, à la stagnation, et donc au fanatisme doctrinal.» (P. HERMANN) Ces réflexions sont encore plus justes pour des techniques qui se veulent psychanalytiques et qui sont en réalité extérieures à l'ensemble de la théorie. C'est le cas pour la plupart des méthodes psychothérapiques du deuxième groupe que j'ai distingué au début de cet exposé.

Ces considérations critiques s'appliquent également à certaines formes de psychothérapies brèves soi-disant psychanalytiques et pour l'exercice desquelles une formation simplifiée, un véritable apprentissage suffirait. Il est évident que ces méthodes doivent enthousiasmer les néophytes qui trouvent ainsi, à prix réduit, le moyen d'acquérir un faux semblant de culture psychanalytique. C'est la raison pour laquelle je préfère considérer la psychothérapie comme une pratique beaucoup plus large et approfondie que ne peut l'être une technique quelconque. Ceci n'empêche pas qu'il existe des aspects techniques dans la cure psychanalytique type, mais ils n'en constituent pas, et de loin, l'essentiel.

Le point de vue que je développe entraîne naturellement une structuration du savoir psychanalytique à transmettre à l'assistant médecin en formation psychiatrique. Entrer dans les détails du programme que nous avons élaboré dépasse le cadre de cet exposé qui se veut très général et survolant de haut les matières qu'il traite. D'ailleurs, comme le montre la littérature, chaque programme d'enseignement possède des points forts et des zones de faiblesse qui ne sont pas les mêmes selon les pays et les centres de formation, les conditions locales jouant un rôle très important.

Certains programmes comportent un «résumé» des connaissances que le psychiatre devrait acquérir pour devenir psychothérapeute psychanalytique. Jusqu'à quel point ces condensés d'une théorie assez complexe ne la trahissent-ils pas ? En fait, ce n'est pas le texte qui peut être dangereux, mais bien l'usage que l'on en fait et, à ce sujet, on peut exprimer différentes craintes, surtout lorsque certains auteurs établissent un guide-âne sur la «psychodynamique» en la détachant expressément de l'arrière-plan métapsychologique qui pourrait la faire comprendre, et en mettant en avant un soi-disant souci de clarté.

d. Mise au point

Essayons de faire le point. En étudiant la multitude des psychothérapies qui sont utilisées dans le champ médical, nous avons vu que certaines d'entre elles se situent en dehors de la psychanalyse, d'autres lui sont très directement rattachées et, dans une troisième classe, nous trouvons des psychothérapies qui ont des liens discrets avec cette discipline. Nous avons également constaté que la formation psychanalytique classique est assez bien réglementée, bien qu'elle soit toujours re-mise en question surtout en raison du caractère traditionnellement autoritaire des dispositions y relatives. Il n'en reste pas moins vrai que, si elle constitue un bon instrument pour la connaissance de la théorie, mais surtout de la pratique psychanalytique, on ne saurait imposer l'analyse dite didactique aux candidats psychothérapeutes qui ont le désir de pratiquer des formes psychothérapiques d'inspiration psychanalytique.

Nous devons donc constater que nous nous trouvons dans une zone où les frontières sont floues, et, s'il existe bien une limite assez précise du côté des méthodes psychothérapiques pour lesquelles il n'est nécessaire d'avoir ni une culture ni une formation psychanalytiques, de l'autre côté, rien n'est très précis. Or, l'observation m'a montré — et je ne suis pas seul à avoir fait de telles constatations — un fait auquel il fallait s'attendre. La formation psychanalytique, aussi poussée et longue soit-elle, ne garantit pas une bonne pratique de la psychothérapie analytique ; d'autre part, des psychiatres n'ayant qu'un minimum de connaissances et de formation psychanalytiques peuvent devenir d'excellents psychothérapeutes psychanalytiques. Entre ces deux extrêmes se trouve la masse des psychothérapeutes analytiques moyens qui sont utiles et qui ne représentent pas un danger pour les patients qui en ont besoin, car rares sont les malades qui peuvent être traités par une psychanalyse classique.

e. L'identité du psychothérapeute

Le problème central qui se pose au médecin voulant acquérir une formation psychothérapique analytique est celui de son identité, et cela le place dans un dilemme qui a été bien décrit par J. GUYOTAT [9] lorsqu'il dit que, devenir psychothérapeute (sous-entendu analytique), c'est en fait perdre une partie de soi-même, à savoir la partie maternelle de la toute-puissance du soignant, laquelle doit au contraire être présente lorsqu'il agit comme psychiatre «ordinaire». Un clivage doit se créer à l'intérieur de lui-même, clivage qu'il doit assumer pour en faire une zone de jeu dans la conception winnicottienne du terme. La question de ce clivage ne se pose pas pour le psychiatre «biologique», pour le «thérapeute de famille strictement systémique» ou pour le psychanalyste classique orthodoxe. La raison pour laquelle il est si difficile de décrire l'identité du psychothérapeute psychanalytique est qu'il lui manque encore des ancêtres valables et reconnus, et que le problème de sa filiation doit être constamment repris. En effet, bien que les psychanalystes reconnaissent son existence, ils se sentent menacés par lui sur tous les fronts. Ils craignent que la théorie analytique disparaisse, que la transmission de la pratique ne se fasse plus, et qu'ils soient dépouillés de leurs patients et de leur gain. Une lettre d'information de l'API parue dans le *Bulletin de la Fédération européenne de psychanalyse* en 1983 le prouve abondamment [23].

La réaction des psychanalystes prend alors l'aspect de celle d'un groupe devenu autoritaire parce qu'il se défend par la «réprimande» que FREUD recommandait. Le groupe se penche sur les règlements et tente de les rendre encore plus restrictifs et contraignants. On va à l'encontre même de la psychanalyse qui est en fait l'enseignement de «quelque chose» dont on dit et répète à juste titre qu'il ne peut pas être enseigné. Cependant, il faut apprivoiser ce «quelque chose» et établir des cadres qui l'empêcheront de s'échapper constamment pour être enfin enseigné. Ce quelque chose est naturellement «l'inconscient», l'imaginaire, le fantastique, ce qui fonde la psychanalyse et la met à part de tous les autres savoirs, lesquels peuvent être constamment maintenus dans le rationnel.

f. Les paradoxes de l'enseignement

On me reprochera peut-être d'être inutilement paradoxal, puisque, d'une part, je parle comme avocat de ceux qui exigent une formation aussi rigoureuse et complète du psychothérapeute pour qu'il puisse acquérir une identité valable et que, d'autre part, je soutiens le point de vue que la psychanalyse ne peut pas être enseignée. Admettons qu'il existe des oscillations entre ces deux images radicales que je vous propose, et laissons-nous entraîner par ce mouvement qui nous fait passer d'un extrême à l'autre pour y trouver un point d'équilibre qui ne soit pas utopique. C'est ainsi que je puis être entièrement d'accord avec les psychanalystes belges qui, présentant leur nouvelle revue [24], écrivent :

> « Diverses formes d'intervention psychothérapeutique (sic) se sont développées dont l'intérêt et l'efficacité restent liés à l'expérience d'une psychanalyse rigoureuse, appuyée sur une formation sérieuse avec ce qu'elle comprend d'engagement personnel, d'expérience clinique et d'apprentissage théorique. »

J'estime cependant que l'expérience d'une psychanalyse rigoureuse est désirée, mais non indispensable.

Les craintes que les psychanalystes et leurs sociétés émettent à l'égard de la pratique psychothérapique sont certainement justifiées quand on constate à quel point certaines formations ne sont qu'un placage de notions théoriques sur une pratique qui n'a aucun caractère analytique. Dans ces circonstances, un mot de Gabriel GARCIA MARQUEZ [6] prononcé lors d'un entretien me vient à l'esprit :

> « La théorie, pour moi, c'est l'ennemi. Elle limite le champ de manœuvres de l'intelligence, l'enserre dans un corset étriqué. Elle mène à l'inhibition. Les intellectuels français sont souvent, dans le domaine de la pensée, ce que certains apparatchiks communistes sont en politique. »

Si la motivation à devenir psychothérapeute analytique est indispensable au processus formatif, on peut se demander à l'inverse si, malgré une bonne motivation, une sélection ne devrait pas être instituée. Je ne pense pas que nous possédions actuellement et je doute que nous ayons jamais des critères suffisants, à l'exception des distorsions importantes de la personnalité, qui nous permettent d'effectuer une sélection valable. Nous savons à quel point la sélection des candidats à la psychanalyse est restée aléatoire. En revanche, elle est possible en cours de formation et se fonde sur des arguments de réalité concrète qui peuvent dévoiler des insuffisances notoires. En ce sens, la psychothérapie est vraiment une pratique.

g. L'intégration des psychothérapies

Reste un dernier problème que je ne veux qu'effleurer, à savoir celui des rapports de la psychanalyse, par le truchement de la psychothérapie analytique, avec d'autres méthodes dites psychothérapiques issues du behaviorisme, de la thérapie cognitive ou des théories sur la communication, spécialement des théories systémiques. Rares sont ceux qui acquièrent à l'intérieur d'eux-mêmes différents modèles d'activité psychothérapique. Cela est possible mais risque de se faire au détriment de l'un ou de l'autre de ces modèles. Allier des pratiques qui ne se situent pas au même niveau du fonctionnement mental, qui ne s'adressent pas aux mêmes structures psychologiques, qui ignorent ce que l'autre met au premier plan ne me paraît utile que lorsqu'une vue réellement synthétique est possible et féconde, mais le syncrétisme éclectique est souvent plus dangereux qu'utile.

CONCLUSION

En conclusion, et malgré tous les doutes que j'ai émis, les critiques que j'ai formulées, les zones d'indécision et d'obscurité que je crois déceler dans ce domaine, j'estime qu'il existe des possibilités d'établir des programmes de formation psychanalytique pour des assistants médecins en formation psychiatrique, programmes qui leur permettent, s'ils en ont le désir, d'acquérir une pratique de la psychothérapie analytique suffisante pour que leurs patients et eux-mêmes en retirent des avantages importants. Mais cette formation place aussi bien l'enseignant que le candidat dans une situation souvent difficile, en raison du clivage qu'elle introduit forcément dans la sphère professionnelle. Les enseignants doivent maintenir une rigueur tempérée de souplesse dans leur pratique au moment où la psychothérapie analytique est menacée par les autres méthodes psychothérapiques, ce qui n'est pas un mal en soi mais peut amener une incitation créatrice. La menace la plus grande est celle de l'affadissement d'une théorie tronquée, plaquée sur une pratique qui risque de ne plus rien avoir de psychanalytique.

SUMMARY

CONSIDERATIONS ON THE TEACHING
OF PSYCHOTHERAPIES

Having first described the theoretical and practical characteristics of the classical psychanalytic treatment, the author gives his definition of psychotherapy and proposes a classification of the various types of psychotherapy according to their relations to the unconscious.

The practice of psychotherapy implies taking into account or not taking into account the unconscious. But, who takes or does not take into account the unconscious, is it the psychotherapist, is it the patient, is it the method? Is psychoanalytic training for residents in psychiatry relevant? From the author's point of view, a classical psychoanalytic training is a desirable goal, albeit not a mandatory one : a psychiatrist should not be necessarily a psychotherapist.

The last section deals with modalities of psychotherapeutic training : supervision, theoretical teaching, audio-visual material, etc. The identity of the analytic psychotherapist is fragile since he does not have any recognized and valid forefathers.

BIBLIOGRAPHIE

1. BALINT, M. (1972) *Amour primaire et technique psychanalytique*, Paris, Payot.
2. BATTEGAY, R. (1983) «The Value of Analytic Self-experience Groups in the Training of Psychoanalysts», *Int. J. Group. Psychother.*, 33 : 199-213.
3. CLEGHORN, J.M., A. BELLISSIMO & A. WILL. (1983) «Teaching Some Principles of Individual Psychodynamics Through an Introductory Guide to Formulations», *Can. J. Psychiatry*, 28 : 162-172.
4. FREUD, S. (1930) «Contribution à l'histoire du mouvement psychanalytique», *Cinq leçons sur la psychanalyse*, Paris, Payot.
5. FURTOS, J. (1983) «L'identité du psychothérapeute», *Psychol. Méd.*, 15 : 383-389.
6. GARCIA MARQUEZ, G. (1984) «Entretien avec...», *Construire*, n° 9, p. 17.
7. GOLDBERG, D.A. (1983) « Resistance to the Use of Video in Individual Psychotherapy Training », *Am. J. Psychiat.*, 140 : 1172-1176.
8. GREBEN, S.E., D.M. BERGER, H.E. BOOK, D.R. FREEBURY, D. SILBER, & G.J. TAYLOR (1981) « The Teaching and Learning of Psychotherapy in a General Hospital », *Can. J. Psychiat.*, 26 : 449-454.
9. GUYOTAT, J. (1983) « Liminaire », *Psychol. Méd.*, 15 : 377.
10. HERMANN, P. (1983) « Enseigner quoi ? De la pratique à la théorie », *Psychothérapies*, n° 1 : 11-17.
11. HUNT, W. (1981) « The Use of the Countertransference in Psychotherapy Supervision », *J. Am. Acad. Psychoanal.*, 9 : 361-373.
12. LAKOVICS, M. (1983) « Classification of Countertransference for Utilization in Supervision », *Am. J. Psychother.*, 37 : 245-257.
13. MARMOR, J. (1979) « Psychoanalytic Training. Problems and Perspectives », *Arch. Gen. Psychiat.*, 36 : 486-489.
14. MELCHIODE, G.A. (1979) « Psychoanalytic Teaching in Medical Education », *Am. J. Psychiat.*, 136 : 1071-1073.
15. NAMMUM, A. (1980) « Trends in the Selection of Candidates for Psychoanalytic Training », *J. Am. Psychoanal. Assoc.*, 28 : 419-437.
16. SAFOUAN, M. (1983) *Jacques Lacan et la question de la formation des analystes*, Paris, Éd. du Seuil.
17. SCHNEIDER, P.-B. (1976) *Propédeutique d'une psychothérapie*, Paris, Payot.
18. SCHNEIDER, P.-B. (1984) « Les rapports des psychothérapies avec la psychanalyse », *Psychothérapies*, à paraître.
19. SHULMAN, L. (1981) « Learning Dynamic Psychotherapy in Psychiatric Training », *Am. J. Psychiat.*, 138 : 167-171.
20. SILVER, D., H.E. BOOK, J.E. HAMILTON, J. SADAVOY, & R. SLONIM. (1983) « Psychotherapy and the Inpatient Unit : a Unique Learning Experience », *Am. J. Psychother.*, 37 : 121-128.
21. WATTERS, W.W., A. BELLISSIMO, & J.S. RUBENSTEIN. (1982) « Teaching Individual Psychotherapy : Learning Objectives in Communication », *Can. J. Psychiat.*, 27 : 263-269.
22. WINOCUR, M. & H. DASBERG. (1983) « Teaching and Learning Short-Term Psychotherapy », *Bull. Menninger Clinic*, 47 : 36-51.
23. « Lettre d'information de l'API », *Bulletin de la Fédération européenne de psychanalyse*, Association psychanalytique internationale, vol. 15, n° 3, octobre 1983.
24. « Éditorial », *Revue belge de psychanalyse*, n° 1, automne 1982, p. 2.
25. *Psychanalyse en Europe*, Fédération européenne de psychanalyse, bulletin 14, 1980.

Réflexions sur

l'enseignement de

la psychothérapie

Laurent GERVAIS

«Je lui dis qu'elle était guérie de tout
sauf de la vie, pour ainsi dire.»

(D.M. THOMAS faisant parler FREUD,
L'Hôtel blanc, p. 148.)

«...*what you believe is more important
than what you possess ; what you do
is more important than what you profess ;
and whom you inspire is more important
than whom you impress.*»

(F.J. BRACELAND et P.A. MARTIN,
«Memoriam for Leo H. Bartemeir»,
Am. J. Psychiatry, May 1984.)

On pourrait penser que tout a été dit sur la psychothérapie et particulièrement sur son enseignement, en songeant à des textes comme ceux de MENDEL, H. EY, TARACHOW, WALLERSTEIN, SCHNEIDER, R. LANGS, et j'en passe...

Je vais donc tenter de me limiter à quelques aspects qui m'apparaissent encore denses, obscurs, embrouillés. Par exemple, je voudrais jeter un regard sur les facteurs facilitant et les facteurs inhibant l'apprentissage de la psychothérapie.

On pourrait établir une comparaison entre l'évolution de l'apprentissage de la psychothérapie et l'évolution d'une psychanalyse. Je sais très bien que les deux situations ne sont pas les mêmes ; cependant, je serais porté à penser que des facteurs identiques sont en jeu dans l'une et dans l'autre.

291

Il m'a toujours semblé que l'enseignement et l'apprentissage de la psycho-thérapie formaient un pilier essentiel dans la formation du psychiatre, et je dirais, quelle que soit son orientation future. WALLERSTEIN [1] parle du « trépied» de la psychiatrie, en faisant allusion aux aspects biologiques, sociologiques et psycho-logiques de cette discipline.

Si j'établis cette comparaison entre l'enseignement de la psychothérapie et l'évolution d'une analyse personnelle, c'est que je suis fortement influencé par l'approche nouvelle préconisée par l'Université de Montréal dans son «Programme d'enseignement de la psychothérapie» depuis quelques années, et qui consiste, pour l'enseignant, à demeurer le superviseur ou le contrôleur des mêmes résidents et, si possible, des mêmes patients durant toute la formation psychiatrique, c'est-à-dire durant quatre ans.

Le phénomène de la durée m'impressionne particulièrement, et la rencontre hebdomadaire durant plusieurs années suggère pour ainsi dire une comparaison avec la cure analytique. Comme dans une analyse, je parlerai donc des débuts et de l'évolution de la supervision. Je parlerai également du superviseur.

I. LES DÉBUTS DE LA FORMATION OU L'INITIATION

Des difficultés très spécifiques se présentent en début de formation psychothérapique. On pourrait répéter l'aphorisme de FREUD lors de son voyage en terre américaine : «Ils ne savent pas que je leur apporte la peste» disait-il en parlant de sa nouvelle méthode psychothérapique, car c'est bien de cela dont il s'agit.

Dans aucun autre domaine de l'activité humaine la démarcation entre la psyché du malade et celle du thérapeute, à tout le moins à certains moments de la thérapie, n'est aussi mince. Comment étudier, comprendre, analyser, traiter les troubles de la pensée et des émotions sans impliquer sa propre pensée, ses propres émotions, sa propre personnalité?... C'est là le prix à payer si l'on décide de s'acheminer sur cette voie.

La démarche du résident qui entreprend l'apprentissage de la psychothérapie fait penser à celle d'Ulysse, ce héros du grand Homère, qui osa avec ses hommes s'aventurer sur les traces du cyclope Polyphème. Ce n'est pas sans avoir frôlé de graves dangers qu'il put sortir de l'antre du monstre, ni sans avoir attiré sur lui les foudres et la vengeance du père du cyclope, Poséidon, dieu coléreux et roi des tempêtes. De même, ce n'est pas sans précaution qu'on peut se permettre d'entrer dans l'antre de l'inconscient ou de la psyché!

En parlant «De la psychothérapie», dès 1905 FREUD [2] écrit :

« Ce n'est pas facile, en effet, que de jouer de l'instrument psychique. En pareilles occasions, je ne puis m'empêcher de penser à un célèbre névrosé qui, il est vrai, n'a jamais été soigné par un médecin et n'a existé que dans l'imagination d'un poète, je veux parler d'Hamlet, prince de Danemark. Le roi charge deux courtisans, Rosenkranz et Guldenstern, de suivre le prince, de le questionner et de lui arracher le secret de sa mélancolie ; Hamlet les repousse. Alors, on apporte sur la scène des flageolets (flûtes à bec). Hamlet s'empare d'un de ces instruments et demande à l'un de ses bourreaux d'en jouer, ce qui, dit-il, est aussi facile que de mentir. Le courtisan refuse en alléguant qu'il ne sait pas se servir d'un flageolet et comme il s'obstine dans son refus, Hamlet s'écrie : "Sangdieu ! Croyez-vous qu'il soit plus facile de jouer de moi que d'une flûte ? Prenez-moi pour l'instrument que vous voudrez, vous pourrez bien me froisser, mais vous ne saurez jamais jouer de moi." »

On peut être doué pour un instrument de musique, tout comme on peut être doué pour la compréhension de la psyché. On peut être plus ou moins intuitif, mais la maîtrise de la technique d'un instrument demande de longues années de pratique et de patience ; de même en est-il de la maîtrise — qui n'est jamais totalement acquise ni terminée — de la technique et de la compréhension de la psyché humaine.

Puisqu'on parle volontiers «d'analyse terminable et interminable» ou, si l'on veut, «d'analyse finie et infinie», il m'apparaît juste et approprié de parler d'apprentissage et de formation dans ces mêmes termes. D'ailleurs, comment en serait-il autrement ?

Comme j'ai fait allusion à l'intuition, j'estime que le psychothérapeute doit être une sorte de romancier, non seulement et surtout parce qu'il écoute l'histoire du malade, mais parce qu'il complète, qu'il ajoute, qu'il trace des pointillés là où n'existait aucun lien. Il établit des liens entre des thèmes qui à première vue étaient éloignés, disparates, insolites.

On assiste donc à deux démarches qui se font en parallèle et parfois se croisent : celle du malade et celle du thérapeute. Cette constatation est encore plus probante dans le cas de la rencontre avec le malade plus perturbé ou avec le malade psychotique. Et pourquoi en est-il ainsi ? C'est que dans cette situation l'apprenti sorcier est confronté avec la mort, avec la mort psychique. Situation anxiogène par excellence ! C'est Bion [3] qui écrit que «l'observateur [doit avoir] réduit autant que possible ses propres tensions et résistances internes qui autrement, entraveraient sa vue des faits en rendant impossible une mise en corrélation du conscient et de l'inconscient». Il est impensable de croire que le malade puisse accomplir une démarche personnelle et authentique sans qu'une démarche comparable ne soit entreprise en parallèle par le thérapeute.

De nouveau, je suis amené à parler du thérapeute et d'une difficulté de taille à laquelle il est confronté, soit celle de l'écoute du malade ; en d'autres termes, il s'agit de comprendre le passage de la pensée logique et rationnelle à la pensée inconsciente et non logique. C'est le passage du monde de la raison à celui du rêve, où les dimensions et les coordonnées habituelles de la pensée logique n'existent plus : le temps n'est plus divisé en passé, présent et futur, l'espace ne sert plus de démarcation entre les objets, les idées opposées existent côte à côte sans pour autant s'annuler, etc. Toute sa vie on a appris à se servir de sa tête, à avoir une pensée rationnelle et logique, et voilà qu'on tente, en psychothérapie, d'enseigner un autre mode de compréhension qui s'appuie non pas sur ce qui est dit, mais davantage sur le «non-dit».

Je parle toujours de la pensée et il est temps que je dise quelques mots du monde des émotions. Une anecdote en révélera davantage qu'une longue explication. On raconte avoir demandé un jour à ANNA FREUD ce qui arrivait quand elle voyait un patient, un enfant et qu'elle ne l'aimait pas. Question pertinente. Elle répondit qu'elle revoyait le ou la malade. Impatient, son interlocuteur poursuivit, insistant pour savoir ce qui arrivait si la fois suivante elle ressentait toujours les mêmes sentiments à l'égard de son malade. Et ANNA FREUD, peut-être impatiente à son tour, et à bon droit, répondit que ce n'était jamais arrivé !

Ce qu'il faut comprendre ici, c'est qu'entre ces deux étrangers, le soignant et le soigné, le thérapeute et le malade, l'analyste et l'analysant, d'emblée s'établit une relation émotionnelle, unique, autant sur le plan de la vie inconsciente que sur le plan de la vie consciente. En effet, comment imaginer qu'on puisse aimer ou détester un parfait étranger, sans comprendre ou tenter de comprendre que derrière ce parfait étranger se cache un ou d'autres personnages qui évoquent d'autres scènes, d'autres souvenirs qui sont du ressort du thérapeute ?

Dans notre jargon, nous parlons de mouvement transférentiel du malade et de mouvement contre-transférentiel du thérapeute !

Cette écoute s'appuie sur un *rapprochement* empathique sans lequel le discours du malade ne peut être compris. Il s'agit d'une identification temporaire du thérapeute à l'état du malade. En contre-partie, une *distanciation* est également nécessaire, un éloignement qui permet de distinguer la forêt des arbres qu'elle abrite. Une trop grande familiarité — comme le tutoiement du malade à l'égard de son thérapeute ou l'inverse — rend le climat thérapeutique néfaste, et ce désir d'une trop grande familiarité de la part de l'un ou l'autre des partenaires doit être exploré sans délai. Sans doute s'agit-il d'une tentative de réduire une anxiété trop grande. Le fait que, dès l'approche initiale, le malade utilise ce comportement nous donne déjà une indication sur sa façon de maîtriser son anxiété et de maîtriser son thérapeute.

Si je parle de distanciation, c'est pour éviter que le thérapeute ne tombe dans ce piège du tutoiement à l'endroit de son malade car, ainsi, il risque fort de se lier les deux mains. S'il ne se permet pas une distance suffisante — ni trop près, ni trop loin —, il ne pourra aucunement percevoir ce qui peuple l'inconscient de son patient, pas plus qu'il ne pourra percevoir son propre inconscient.

Autant celui qui consulte peut ressentir une grande anxiété face à l'inconnu de sa démarche, autant l'apprenti sorcier, et nous en sommes tous, peut lui aussi masquer sa propre anxiété grâce au rôle qui lui est dévolu : celui de médecin, de membre du personnel de l'hôpital, de thérapeute. Que ces coordonnées sont rassurantes ! Elles le sont tellement qu'elles devront être mises à l'écart pour qu'une véritable rencontre ait lieu et pour que s'engage véritablement un processus psychothérapique !

II. ÉVOLUTION DE LA THÉRAPIE ET RÔLE DU SUPERVISEUR

En parlant de l'évolution de la thérapie au cours d'une supervision, comment ne pas s'attarder un peu sur ce rôle particulier du superviseur... Il faut souligner qu'on peut apprendre à devenir psychiatre, à devenir psychothérapeute, on peut suivre une formation qui est censée donner un enseignement et une compétence, mais jamais il n'est enseigné comment devenir superviseur. Le phénomène est le même concernant la psychanalyse, où personne n'enseigne à devenir un contrôleur de cure analytique.

J'ai mentionné auparavant les difficultés inhérentes à cette tâche, à ces rencontres entre le supervisé et le superviseur où de multiples déformations se croisent : celles du malade même, celles du médecin-rapporteur et celles du superviseur. À première vue, devant cette tour de Babel, on croirait que c'est peine perdue d'essayer de comprendre quoi que ce soit du malade puisque, entre sa parole et celle qui sera entendue par le superviseur, il y aura un tel écart... Mais peut-être que le véritable problème ne se situe pas là. Le superviseur doit non seulement entendre le supervisé raconter le déroulement de sa thérapie, mais tenter de l'aider à comprendre ce qui se passe entre lui et son malade. WALLERSTEIN utilise à ce sujet une formule très imagée quand il parle de *blind spot* et de *dumb spot*, en faisant allusion aux points aveugles ou aux scotomes du thérapeute.

C'est dire que les entraves à la compréhension peuvent venir de scotomes relevant davantage de l'inconscient du thérapeute, comme elles peuvent venir de son inexpérience et de son manque de connaissances, et que ces lacunes pourront être comblées d'une part par la maturité et une thérapie personnelle, et d'autre part par les lectures, le temps et l'expérience.

Mais il faut bien comprendre que ces scotomes et ce manque de connaissances ne sont pas uniquement le lot de l'étudiant, du supervisé : le superviseur n'est pas sans savoir qu'il peut lui aussi souffrir des mêmes afflictions à des degrés divers, sauf, du moins peut-on l'espérer, qu'il est davantage conscient de ses propres limites et qu'il a davantage accès à son propre inconscient.

On peut compter que l'étudiant, comme tout psychothérapeute, deviendra un jour son propre superviseur… répétant ainsi la démarche qui, un jour, fut celle du superviseur.

Ici se pose la question de savoir jusqu'à quel point un superviseur enseigne au supervisé et jusqu'à quel point il le traite. La ligne de démarcation est très délicate, mais je crois quand même qu'elle doit exister, à tout le moins dans l'esprit du superviseur. Je pense que d'aucune manière le superviseur ne doit devenir le thérapeute du supervisé, et il m'apparaît nécessaire pour le thérapeute qui s'oriente vers une pratique psychothérapique d'entreprendre éventuellement une démarche thérapeutique personnelle : sinon, il risquera constamment de confondre ce qui provient du malade et ce qui provient de lui-même. C'est là la confusion des origines, comme c'est souvent là l'origine de la confusion.

Un exemple servira d'illustration. Jean-Michel PETOT [4] établit une analogie entre le Petit Hans de FREUD et le petit malade de Mélanie KLEIN, Fritz, dont on sait maintenant qu'il était le propre fils de madame KLEIN et que son véritable nom était Erich. Dans le cas du Petit Hans, les parents étaient des disciples de FREUD et tentaient d'élever leur enfant, Hans, « sans plus de contrainte qu'il n'était nécessaire » ; néanmoins, le Petit Hans développa une phobie et son père, raconte PETOT, «prend la décision d'entreprendre l'analyse de l'enfant». De même, pour son fils Erich, «Mélanie KLEIN se propose initialement un but purement éducatif. Mais l'éducation se transforme en analyse lorsqu'il se révèle que l'enfant n'en tire pas la libération escomptée et présente un renforcement de ses quelques traits névrotiques».

Autant dans le cas du Petit Hans que dans celui d'Erich, il n'a pas suffi d'enseigner, il a fallu interpréter, c'est-à-dire donner un sens aux symptômes et aux inhibitions.

Si cette comparaison me vient à l'esprit à propos de ces deux cas à la fois cliniques et historiques, c'est que je pense qu'il en est de même pour l'apprentissage de l'étudiant et son «éducation» en psychothérapie. Vient un moment où cette «éducation» est insuffisante et ne peut à elle seule surmonter les obstacles rencontrés au cours d'une thérapie, d'où la nécessité de passer de l'«éducation» à une démarche thérapeutique personnelle. Cependant, contrairement aux deux cas cités auparavant, le superviseur ne doit pas suivre l'exemple du père du Petit Hans ni celui de madame KLEIN, mais plutôt s'en tenir à son rôle d'enseignant et suggérer à l'étudiant un thérapeute autre que lui-même !

La pédagogie a donc ses limites qui ne peuvent être dépassées, à moins que le thérapeute lui-même ait un jour assumé et vécu la position du malade. En somme, tôt ou tard apparaissent des inhibitions et des scotomes qui ne peuvent être levés lors d'une supervision, et qui demandent véritablement au thérapeute d'avoir accès à son propre inconscient.

Le superviseur n'a pas non plus à traiter le malade par l'intermédiaire du résident ; son rôle est plutôt de permettre à l'étudiant d'acquérir ses propres outils. Dans ce libre échange, le superviseur ne doit pas hésiter, pour illustrer son travail, à se servir d'exemples tirés de sa propre pratique.

La situation superviseur - supervisé en est une de déformations multiples, comparable à celle de miroirs déformants. En plus de la déformation inhérente à la thérapie même et à la perception qu'en a le thérapeute, se greffent également les déformations créées par ce nouveau duo artificiel formé par le superviseur et le supervisé. Quel labyrinthe ! Il n'est pas sans intérêt de se rappeler la définition du labyrinthe [5] : «un ensemble de couloirs compliqués, de voies sans issues et de croisements multiples».

Cette comparaison implique à la fois la nécessité de trouver ou de retrouver «le fil d'Ariane» à travers le discours raconté par le patient, et la capacité de tolérer pour un certain temps la frustration de ne pas trouver d'issues.

Mais si la thérapie se trouve dans un cul-de-sac, par exemple dû à des difficultés de transfert — j'entends par là transfert du malade à l'endroit de son thérapeute et transfert du thérapeute à l'endroit de son malade, et comme, en général, l'étudiant n'est pas en analyse personnelle —, comment comprendre ou comment sortir de cette impasse ? Il y a sans doute toutes sortes de réponses et parfois le malade trouve lui-même la sienne en quittant sa thérapie. Mais si le malade poursuit sa thérapie, soutenu par une alliance thérapeutique, et s'il peut tolérer un brouillage temporaire, qu'est-ce qui se passe alors ? Puisqu'on ne peut renvoyer l'étudiant à son analyse personnelle, le superviseur doit tenter une *compréhension intellectuelle* des phénomènes, ou encore il doit *prêter temporairement* sa compréhension inconsciente à l'étudiant.

Drôle de prêt, allez-vous me dire ! En effet, mais il n'est pas possible qu'il en soit autrement, à moins que le superviseur ne se transforme en analyste ou thérapeute de l'étudiant tout en demeurant également son superviseur ; cette situation m'apparaît comparable à celle vécue par les premiers analystes, où souvent l'analyste avait également servi de superviseur à son ex-analysant. Je n'insisterai pas pour souligner qu'une telle situation ne m'apparaît pas idéale. Je ne crois pas qu'il soit nécessaire d'ajouter d'autres conflits à ceux existant déjà.

Dans ce long processus qui s'engage entre deux personnes, comment ne pas parler de la patience ? Sans la patience, il est impossible de songer à devenir psychothérapeute. Patience n'est pas pour autant synonyme de passivité, puisque l'écoute du malade doit être une écoute active, c'est-à-dire une écoute où le thérapeute travaille autant que le malade à déchiffrer, à décoder le discours de celui-ci. La patience du thérapeute permet au malade de «s'apprivoiser», comme l'entend SAINT-EXUPÉRY quand il fait parler le renard et le Petit Prince [6] :

Le Petit Prince : «Qu'est-ce que signifie «apprivoiser»?

C'est une chose trop oubliée, dit le renard : ça signifie «créer des liens» [...]

Mais, si tu m'apprivoises, nous aurons besoin l'un de l'autre. Tu seras pour moi unique au monde. Je serai pour toi unique au monde... dit le renard.

On ne connaît que les choses que l'on apprivoise, dit le renard. Les hommes n'ont plus le temps de rien connaître...»

Des mois et parfois des années sont nécessaires à cet apprivoisement.

Par ailleurs, cet apprivoisement devrait prendre place également dans la relation superviseur - supervisé. En même temps, conscient de l'effet que le superviseur peut avoir sur son élève et craignant cet effet, je dis toujours à celui-ci qu'il est «Maître après Dieu» de la thérapie, puisque c'est lui qui est présent lors des consultations ; c'est lui ou elle le ou la responsable du déroulement de la thérapie, ceci, bien entendu, sans nier le rôle joué par le malade lui-même.

III. LES DIFFICULTÉS ET LES INCIDENTS DE PARCOURS

Daniel LAGACHE [7], parlant de l'angoisse du thérapeute, nous dit que «la théorie c'est l'ensemble des solutions qu'on tente de donner aux problèmes que nous posent les patients». C'est donc ce à quoi on pense, ce qu'on tente d'élaborer quand un patient va particulièrement mal, quand un patient suicidaire ne se présente pas à son rendez-vous. Cette inquiétude du thérapeute peut être stimulante si elle l'oblige à poursuivre sa réflexion, ses recherches et ses lectures.

Je me permets ici de citer un exemple concernant un début de thérapie chez un malade qu'on qualifie aujourd'hui de cas frontière. Ce malade me parlait de son enfance et me racontait que sa famille était citée en exemple par le curé de la paroisse. Il me parlait de lui-même et me *prévenait*, pour ainsi dire, en me disant qu'il avait été un enfant «modèle», donc un enfant «modelé» pour employer sa propre expression, et que, à tout le moins consciemment, il ne comptait pas devenir un patient « modèle», donc un patient «modelé».

Dans la dernière phase de sa thérapie, ce malade qui avait été hospitalisé pour tentatives de suicide et que j'avais suivi en psychothérapie par la suite, me rapporta ces paroles contradictoires. Il me dit qu'il avait appris beaucoup de choses à son sujet et qu'il était davantage en possession de lui-même, mais il me révéla également qu'il sentait qu'il ne s'améliorait pas, que quelque chose le détruisait intérieurement. Comme il était question de sa peur de guérir, le patient se mit à associer sur la durée et sur le temps. Il dévoila un scénario imaginaire où il me raconta que «sa maladie» avait arrêté le temps. Ainsi, en demeurant malade, mon patient demeurait éternel. Si sa condition s'améliorait, s'il se rétablissait, le temps redémarrerait et de nouveau mon patient deviendrait un pauvre mortel.

Cette réaction thérapeutique négative tire ses origines d'un désir inconscient de nier le temps et la finitude de la vie. C'est le jeu de «qui perd gagne» ou plus exactement de «qui gagne perd» : qui gagne «la guérison» perd l'immortalité. Il n'est pas facile, à certains moments, de se percevoir divin et tout-puissant et de devoir se contenter de la faiblesse humaine...

Je passe à un autre thème, celui de la capacité d'observer son patient avec un œil nouveau. Même si on connaît son malade depuis assez longtemps — et je dirais même d'une façon toute particulière dans ce cas —, il peut s'avérer avantageux de le regarder comme s'il en était à sa première visite. Devant chaque malade, même si les critères diagnostiques et nosographiques qui servent de balises sont rassurants, ils ne devraient pas être contraignants ; on devrait pouvoir les mettre de côté pour se permettre un regard neuf sur le malade.

Il y a de cela près d'un siècle, Jean-Marie CHARCOT [8] révélait «qu'il revoyait toujours les choses qu'il ne connaissait pas comme si c'était la première fois qu'il les voyait». Il laissait ses impressions se renforcer jusqu'à ce que, brusquement, il accédât à la compréhension... On pouvait l'entendre dire que la plus grande satisfaction pour une personne lui vient de ce qu'elle peut voir de neuf, c'est-à-dire de ce qu'elle peut percevoir de neuf, et toutes ces remarques le ramenaient à l'effort de voir et au bénéfice qu'on peut en retirer.

Plus près de nous, W.R. BION [9], qui est connu surtout pour ses travaux sur les groupes et sur la thérapie des psychotiques, reprend ce même thème :

> «BION propose d'éviter systématiquement de se souvenir et de désirer, puisque «la mémoire» et «le désir» interfèrent avec l'intuition, donc avec la possibilité de prendre contact avec ce qui est inconnu du patient. »

Ce concept, nous dit GRINBERG, est semblable à celui de l'attention flottante, et l'on comprend facilement que par «désir» on entend «le désir que la séance finisse» ou le *furor curandi*, et par «mémoire», le souvenir obstiné du dernier article lu, grâce auquel on essaie tout de suite de comprendre le matériel du patient. Cependant, BION va plus loin dans sa position. Il étend le mot «souvenir» à tout souvenir : il nous propose d'oublier ce que nous savons déjà du patient, de le considérer à chaque séance comme un nouveau patient, afin d'être dans de meilleures conditions pour découvrir ce que nous ne savons pas encore de lui. Il étend aussi le mot «désir» à tout désir, y incluant celui de comprendre tout en admettant la difficulté d'arriver à cet état et de le maintenir. Il justifie ces exigences par le fait que la *réalité psychique* n'est pas sensorielle et que, par conséquent, notre équipement sensoriel nuit à la perception de cette réalité.

Enfin, il souligne l'importance, pour le thérapeute, d'avoir la capacité de supporter la souffrance et la frustration de «ne pas savoir» et de «ne pas comprendre». Sans cette capacité de tolérer le doute, les mystères et l'incertitude où n'existent ni mémoire ni désir, il nous est impossible d'entrer en contact avec le patient durant cette expérience unique et intransmissible qu'est chaque séance de thérapie.

Je suis toujours dans le vif de mon sujet quand je souligne que l'apprentissage de la psychothérapie s'échelonne sur toute une vie. Hilde BRUCH [10] nous dit que «c'est une tâche interminable de réévaluation créative, d'études constantes de ses échecs et de ses succès avec la même objectivité et le même désir d'apprendre».

Un jour, un patient me dit avoir fait deux rêves, et poursuivit en m'avouant qu'il hésitait à m'en parler parce qu'il savait que je lui demanderais ce qu'il en pensait, et qu'il se sentirait dépourvu ou plus exactement aurait peur d'entreprendre le décodage de ses rêves. Il me dit: «Vous, vous faites des découvertes et moi je fais des trouvailles. Je vous apporte ces rêves comme quelqu'un qui trouverait une agate et qui l'apporterait à sa mère.»

On voit donc ici quelque chose relevant de la pensée concrète et aussi la peur de la découverte, la peur que la pensée puisse conduire à la découverte de la signification inconsciente. Le patient avait donc déposé en moi le contenu de sa pensée afin que je l'examine, que j'en prenne connaissance pour lui en faire part dans un deuxième temps, à la manière du phénomène de rêverie de la mère dont parle BION. Ce même malade me donna un autre exemple révélateur en me parlant d'une pomme qu'il m'apporterait, que je regarderais pour voir si elle contient des vers et qu'ensuite, si elle n'en contient pas, je lui permettrais de manger.

CONCLUSION

Je voudrais conclure en signalant l'importance de la supervision pour reconstituer l'histoire du sujet. La formation de l'étudiant l'oriente vers la découverte de l'histoire génétique du sujet traité. La supervision permet de mettre l'accent sur l'histoire fantasmatique du sujet [11].

Dans cette cassure apparente et soudaine que représente le début de la maladie, le thérapeute doit marier la dimension universelle du sujet qu'il a devant lui à la dimension et à l'histoire propres, spécifiques et uniques de ce sujet. Cette dimension à la fois historique et «anhistorique» fait l'objet de la supervision.

Je termine avec cette citation de SAINT-EXUPÉRY [6] :

«Adieu, dit le renard. Voici mon secret. Il est très simple : on ne voit bien qu'avec le coeur. L'essentiel est invisible pour les yeux.

— L'essentiel est invisible pour les yeux, répéta le Petit Prince, afin de se souvenir.

— C'est le temps que tu as perdu pour ta rose qui fait ta rose si importante.

— C'est le temps que j'ai perdu pour ma rose... fit le Petit Prince, afin de se souvenir.

— Les hommes ont oublié cette vérité, dit le renard. Mais tu ne dois pas l'oublier. Tu deviens responsable pour toujours de ce que tu as apprivoisé. Tu es responsable de ta rose...

— Je suis responsable de ma rose... répéta le Petit Prince, afin de se souvenir.»

SUMMARY

CONSIDERATIONS ON THE TEACHING
OF PSYCHOTHERAPIES

A comparison could be established between the evolution of the apprenticeship of psychotherapy and the evolution of a psychoanalysis. The study, understanding, analysis and treatment of the disorders of the mind and emotions imply a similar approach on the part of the therapist and on the part of the patient.

The therapist listens to the patient's story, but like a novelist, he must complete, add, trace dotted lines where no bonds existed beforehand.

Concerning psychotherapy and also psychoanalysis, one is never taught how to become a supervising therapist or a supervising analyst.

The therapist cannot go beyond the limits of pedagogy, unless he has himself eventually assumed and lived the patient's position.

While using the diagnostic and nosographic criteria, the therapist must also be able to see his patient from a new point of view, in order to innovate. The therapist must have a great tolerance toward the unknown, toward doubt and uncertainty.

Finally, a therapist's training is a lifetime undertaking.

BIBLIOGRAPHIE

1. WALLERSTEIN, R.S. (1980) «Psychoanalysis, and Academic Psychiatry», *Psychoanal. Study of the Child*, vol. 35.

2. FREUD, S. (1905) «De la psychothérapie», *De la technique psychanalytique*, Paris, P.U.F., 1953, p. 15. ; «On Psychotherapy», *Standard Edition*, vol. VII, p. 262.

3. BION, W.R. (1979) *Aux sources de l'expérience*, Paris, P.U.F., p. 106.

4. PETOT, J.-M. (1979) *Mélanie Klein*, Livre I, Paris, Dunod, p. 28, 29.

5. *Dictionnaire de la mythologie grecque et romaine*, Larousse, 1965, p. 178.

6. SAINT-EXUPÉRY, A. de. (1940) *Le Petit Prince*, Paris, N.R.F. Gallimard, p. 72 et 74.

7. PONTALIS, J.B. (1977) «Aller et Retour», *L'Arc*, n° 69, consacré à D.W. Winnicott.

8. FREUD, S. (1885) «Lettre à Martha Bernays», le 21 octobre 1885, *Correspondance 1873-1939*, N.R.F., Gallimard, 1966.

9. GRINBERG, I. *et al.* (1976) *Introduction aux idées psychanalytiques de Bion*, Paris, Dunod, p. 80, 81, coll. Psychismes.

10. BRUCH, H. (1974) *Learning Psychotherapy*, Harvard University Press.

11. DIATKINE, R. (1981) «Psychothérapie et histoire du sujet», *Psychothérapies*, n° 4.

ÉGALEMENT :

ARLOW, J. (1963) «The supervisory situation,» *Journal Am. Psycho. Ass.*, p. 576-594.

LANGS, C. (1973) *The Technique of Psychoanalytic Psychotherapy*, New York, Jason Aronson, Inc.

SCHNEIDER, P. (1983) «Quand et comment terminer une psychothérapie ?», *Psychothérapies*, n° 2, p. 79-85.

VASQUEZ, J. (1977) «Notions de psychothérapie», *Union Médicale du Canada*, tome 99, janvier.

MONTGRAIN, N., J.P. BERNATCHEZ, G. PAINCHAUD, F. SIROIS. (1983) «La Danse des tiers. Essai sur le processus de supervision», *Psychothérapies*, p. 3-9.

Communicative

Insights into

Supervision

Robert LANGS

The "Communicative Approach to Psychoanalytic Psychotherapy and Psychoanalysis" (LANGS [2]) has brought a significant measure of discipline and systemization to the techniques involved. Founded on an understanding of the patient's unconscious or derivative (encoded) expressions, the approach has revealed a remarkable consistency to the implications of the patient's indirect messages. Derivative material has proved to be a reliable guide to the technique of psychotherapy and psychoanalysis (terms that will be used interchangeably in the present paper since the principles involved apply equally to both of these treatment modalities).

With the discovery that the patient unconsciously functions quite effectively as supervisor to the therapist (and often as therapist to the therapist as well), the communicative approach has been able to develop a methodology for supervision which is similarly systematic and highly reliable. At the heart of these efforts is the presentation by the supervisee of sequential process note material and the validation of all supervisory interventions by the subsequent derivative material from the patient in the hour under consideration. On this basis, it has been possible to develop clear principles of supervision which are nonetheless applied with due sensitivity and tact. It has also proven feasible to identify certain common and major problems in supervisees and in carrying out effective supervision, problems heretofore unrecognized. The present paper will briefly outline the communicative method of psychotherapy and supervision, and discuss some major supervisory issues.

THE BASIC METHOD

The Communicative Approach stresses the importance of the interaction between patient and therapist. It has discovered that the significant stimuli for the patient's conscious and unconscious communications as they illuminate his or her madness (a term that will be used for all forms of psychopathology — psychosis, neurosis, narcissistic disturbance, somatic dysfunction, and the like) and influence the actual vicissitudes of this madness are constituted by the interventions of the therapist. Such efforts include the therapist's interpretive and non-interpretive comments to the patient, his or her actions, and all managements of the ground rules or framework of the treatment relationship. Frothing with conscious and unconscious messages, the implications of these efforts are unconsciously perceived by the patient and these perceptions are then represented in the patient's encoded communications. These latter are created through the mechanisms of displacement and symbolization (FREUD [1]), and therefore can be identified only through a suitable decoding process which reverses the influence or these two basic communicative disguises. Such efforts are quite different from the usual psychoanalytic endeavor which tends to simply read off meanings from the manifest contents of the patient's associations or to utilize inferences inherent to such expressions. The Communicative Approach stresses the use of a decoding process that undoes the displacement from the therapist onto others, and the patient's use of symbolization or disguise in coveying his or her unconscious perceptions of the implications of the therapist's efforts. Furthermore, such perceptions are selected primarily in terms of the patient's own madness which is thereby worked over in light of the stimuli from the therapist.

In substance, patients respond initially to the interventions of therapist almost entirely with encoded perceptions. Once these have registered outside of awareness, there are a variety of subsequent reactions. These include unconscious efforts to help or correct the errant therapist, to express appreciation for the therapist who has intervened in valid fashion, as well as direct and indirect efforts to harm the therapist, to respond at times with distortions based on unconscious fantasies and memories, and to represent as well the genetic connection to the interlude at hand. Included in the patient's unconscious responses to his or her selective perceptions of the meanings of the therapist's interventions are distinctive encoded efforts to assist the therapist in modifying erroneous interventions and responses that constitute either validation or non-validation depending on the extent to which the therapist's interventions has indeed been correctly carried out. Such validation takes place on two levels; (1) interpersonally, in the form of the emergence of allusions to well functioning and positively toned individuals including the constructive functioning of the patient him or herself, and (2) cognitive validation, expressed through the emergence of a fresh and unique derivative that provides new meaning to support the thrust of the therapist's effort — whether interpretive or in terms of framework management.

Clinical studies have shown that the only interventions that obtain this type of derivative validation are those which involve the management of the ground rules and framework of treatment towards its stability and securement, and those efforts

306

by the therapist that are truly interpretive. These latter are characterized by the clear identification of representations of the stimulus of the therapist's intervention in the patient's material, and a clear delineation of the patient's selected encoded perceptions of the implications of these interventions and his or her reactions to these perceptions. This realization can be consistently validated in supervisory work.

A BASIC MODEL OF SUPERVISION

Supervision from the communicative approach is carried out in a definitive though loosely drawn framework. It is important that the supervisory relationship be distinctive, in that it is established clearly as a teaching rather than therapeutic experience. Within this framework, a supervisee is asked to write sequential progress note material after each session with the patient under consideration, and to present the material in sequence during supervision. Except for supervisor crises, the efforts of the supervisor are based almost entirely on the case material. Such teaching is predictive in a sense, and formulations must be validated by the subsequent material from the patient in the hour under consideration.

In general, the initial supervisory focus is on the dileneation of the listening and validation processes. Once these have been clearly established for the supervisee, stress is placed on the role and functions of the therapist's management of the ground rules of treatment, and then the skills of maintaining proper silence and generating valid interventions are developed. The supervisor maintains a primary commitment to the therapeutic needs of the patient, recognizing that at times this will lead to supervisory interventions that are anxiety-producing for the supervisee. However, the basic commitment of all concerned must indeed center on the patient's immediate need for a sound therapeutic experience, and both supervisor and supervisee must be prepared to deal with difficult countertransference-based issues when they emerge in the work of the supervisee. When the stress involved becomes intense, supportive comments from the supervisor are utilized.

Communicative studies have shown that patients unconsciously recognize, experience, and ask the therapist for the ideal therapeutic relationship — a secure and stable set of ground rules that includes full responsibility for all sessions, consistent hours, total privacy and confidentiality, the relative anonymity of the therapist, and true neutrality (the near-exclusive use of appropriate silence, managements of the ground rules toward their securement, and interpretations and reconstructions that have as their organizing factor the unconscious implications of the therapist's interventions). In addition, patients unconsciously have a clear sense of a valid intervention and know as well when the therapist has erred. Because of this, the patient consistently functions, though virtually always on an unconscious and encoded level, as supervisor and therapist to the therapist. It is these unconscious supervisory efforts, reflected in the patient's derivative material (manifest associations decoded in light of the implications of the therapist's interventions) that form the fundamental basis of the interventions of the supervisor. Such work, when properly carried out, is consistently validated on an encoded level by the material from the patient under study.

SOME MAJOR PROBLEMS IN SUPERVISION

The Supervisee's Fear of Secure Frame and of Valid Interpretations

Communicative Studies have revealed a great dread in both patients and therapists in regard to the subjective experience of madness and anxieties related to fears of psychic annihilation. Because of the primitive and self-contradictory aspects of madness, and because of its close association with the maddening paradox that all human beings are born to die, both participants to treatment often engage in a variety of efforts to avoid the expression of derivative communications from the patient since such encoded material provides clear access to realizations associated with the madness of both therapist and patient. There is strong evidence that the main mechanisms utilized in attempting to fend off subjective madness involve the intrapsychic and interpersonal use of denial, and its support through action-discharge — the invocation of defensive behaviors and the use of words as a means of evacuation rather than as a vehicle for insight and understanding. The secure frame minimizes the use of these defenses while a valid interpretation enhances the patient's derivative communications.

Because of the anxieties involved, the therapist may unconsciously prefer to provide the patient with a deviant frame constituted by the modification of one or more basic ground rules to treatment. In addition, the therapist may tend to avoid interpretations that begin with the conscious and especially unconscious implications of his own interventions as unconsciously perceived by the patient, and from there trace out the patient's reactions — be its fantasy, behavior, in the form of memories, or whatever. This insight was first stated by STRACHEY [4] and recently subjected to careful communicative study (LANGS [3]).

Both patients and therapists tend to be strongly split in this regard : unconsciously wishing for secure frame therapy and for valid interpretations, while consciously in deep dread of both. As a result, virtually all forms of psychotherapy, including present-day psychoanalysis, has included a significant measure of action— discharge in the form of frame deviations and non-valid so — called interpretive efforts. The communicative approach recognizes these errant ways and as a result teaches the use of validated interventions — i.e., the secure frame and correct interpretations. While such work is extremely creative and gratifying, it is as well frothed with anxiety for both participants to treatment. Cure through insight into madness carried out under ideal conditions constitutes a danger situation for both patient and therapist, and yet at the same time offers the patient the most optimal opportunity for true insight structural change, and growth — almost entirely without penalty in the form of some residual need for pathological modes of relatedness, the use of pathological defenses, and other deviant consequences.

Supervisees unconsciously appreciate and experience the anxieties implied in carrying out valid communicative psychotherapy. Clearly, the issues are both cognitive and emotional. Not a few supervisees show such an inordinant unconscious dread of the secure frame and valid interpretations and they soon come to a supervisory crisis and require both a patient delineation [from the supervisor] of proper methodology and extended efforts to help the supervisee understand the basis for the anxieties involved. In this regard, an experience by the supervisee of a valid form of communicative psychotherapy or psychoanalysis is extremely helpful, and often vital to the survival of the supervisory relationship. Most of the other common problems with supervisees stem from these basic anxieties. Often, these difficulties have been intensified by the existence of pathological defenses and modes of relatedness in the supervisees own psychotherapy or psychoanalysis.

THE PRESENTATION OF EMPTY MATERIAL

Among the defenses mobilized by supervisees against realizations and understanding pertaining to validated communicative psychotherapy, there is the consistent presentation of material from patients that is almost entirely without meaning. Meaning in psychotherapy is constituted by the patient's clear representation of the therapist's most critical interventions, and by the communication of significant derivative perceptions and reactions to these perceptions in the patient's associative material. The degree of meaning in a patient's associations is under consistent interactional influence from the therapist, who may unconsciously encourage the consistent expression from the patient of non-derivative material (associations that are flat, empty, and lacking in encoded messages). This tends to occur when a therapist intervenes on a manifest level or in terms of obvious inferences, and when he or she fails to interpret the patient's derivative meanings. Non-meaning is also encouraged by the presence of insidious and unmodifiable alterations in the fixed frame, such as the presence of third parties as seen in clinic settings and in the presence of third-party payers such as insurance companies. In the presence of such material, however, the supervisor is restricted in his or her teachings to problems related to chronic deviations in the ground rules and to issues of non-communication. There is little opportunity to discuss and work over the use of valid interpretations and the other aspects of sound therapeutic work. In principle, it becomes important to help the supervisee resolve the basic underlying anxieties to the point where he or she can present a case in which there is highly meaningful material. A supervisor must obtain a rich presentation to offer the supervisee a rich teaching experience.

Recurrent Patterns of Error

Patients, supervisors, and supervisees all have their own intrapsychic and interpersonal defenses, though one hopes that these are under relative control and of minimal significance in both supervisees and supervisors. Nonetheless, there are many supervisees who show recurrent patterns of defense by making consistent errors in their work with patients. The identification of these patterns greatly facilitates the supervisory work since they become the focus of the teaching effort until the supervisee is able to resolve the relevant issues.

As already noted, the two most common errors seen in supervisees involve the persistent use of frame deviations and the repeated failure to offer valid interventions that are constituted in terms of the implications of the therapist's interventions as selectively and unconsciously perceived by the patient and which then extend to an understanding of the patient's reactions to these perceptions. Since much of today's psychotherapy is constituted as unconscious expressions of therapist-madness, this type of work tends to intensify a patient's encoded communications of perceptions of the therapist's countertransferences and their implications. Therapists defend against the subjective awareness of their own madness and its presence by avoiding a true understanding of the implications of the patient's material, and by substituting another, however false and erroneous meaning in its place.

Cognitively, it is important that the supervisor patiently explains to the supervisee the structure of a valid intervention. Furthermore, the supervisor makes extensive use of the patient's unconscious understanding of the therapist's errors as a means of calling to the attention of the supervisee not only the existence of an errant intervention but its unconscious basis as perceived and communicated by the patient. Such efforts must be distinguished from attempts by a supervisor to offer an interpretation to the supervisee based on his or her own impressions. The consistent use of the patient's material in this regard provides safeguards against this type of wild analysis which is, in most instances, quite inappropriate for the supervisory situation.

CONCLUDING COMMENTS

The same dread of subjective madness which has been documented in patients and therapists renders the communicative supervisory situation a danger situation for both supervisor and supervisee. To the extent that the supervisor is

310

in error in his comments to the supervisee, and to the degree that the latter passes on these errors and their implications to the patient, a supervisor will be confronted with the manifestations and implications of his or her own madness in the presentation of a supervisee's work. Indeed, the patient will consistently work over the madness of both supervisor and supervisee as expressed in the interventions of the latter as part of the ongoing supervised treatment experience. In like vein, the patient will benefit from the sanity and valid interventions of supervisor and supervisee when such is the case. It follows, then, that supervisors must be alert to expressions of their own madness in their supervisory work, and they must consider the possibility of blind spots and pathological defensiveness at all times. The best safeguard against such pitfalls is the use of a consistently validating methodology in which no supervisory intervention is taken as correct unless validated by the patient's subsequent derivative material.

As is true of communicative psychotherapy, supervision from the communicative vantage point is indeed anxiety-provoking and difficult. At the same time, however, communicative understanding offers many unique and creative insights into the therapeutic interaction and experience. An appreciation and explication of communicative principles of technique leads not only to the development of an optimally functioning psychotherapist or psychoanalyst, but also has a great influence on the life of the individuals so involved. Supervision from the communicative vantage point promises to bring many new levels of understanding not only to the supervisees involved, but also to the field at large.

RÉSUMÉ

UNE EXPÉRIENCE DE SUPERVISION : ILLUSTRATION CLINIQUE

Dans ce texte, l'auteur définit les principes fondamentaux de la psychothérapie et de la psychanalyse dites «communicatives», ainsi que de la supervision considérée sous cet angle particulier. Il met en relief les stimuli fournis par les interventions du thérapeute (interventions à caractère interprétatif ou non, silence et maniement du cadre), envisagées comme des plus significatives pour l'évolution de la folie du patient ainsi que pour les communications conscientes et particulièrement inconscientes responsables de cette folie. Le processus d'écoute implique, chez le thérapeute, le décodage des communications dérivées ou inconscientes du patient, et chez celui-ci l'annulation de l'utilisation du déplacement (du thérapeute vers autrui) et de la symbolisation, ou du déguisement.

Dans la supervision, le patient devient un superviseur inconscient et les propres efforts du superviseur sont basés sur le matériel dérivé du patient — ses efforts pour superviser, enseigner et guérir le psychothérapeute hésitant, et ses efforts pour répondre d'une manière positive au thérapeute qui est intervenu d'une façon tout à fait adéquate. Une telle supervision se déroule d'une manière prévisible et le travail du superviseur, pour être justifié, doit être validé par le matériel du patient.

On rencontre souvent trois problèmes spécifiques chez les supervisés. Premièrement, le thérapeute peut éprouver une crainte d'un cadre constant et d'interprétations valides, causée par la peur de l'expérience de sa propre folie subjective et de la représentation de cette folie dans les messages codés du patient. Le deuxième problème réside dans l'utilisation cohérente du matériel thérapeutique non dérivé, peu significatif, matériel qui limite grandement l'expérience de supervision. Enfin, le troisième consiste dans l'apparition d'erreurs répétitives, spécialement de tendances chez le thérapeute à dévier du cadre idéal et à utiliser des interventions non valables.

*

*   *

La conclusion du texte porte sur une discussion des angoisses reliées à l'expérience de supervision et sur la créativité nouvelle reliée à la supervision abordée sous l'angle de la communication.

REFERENCES

1. FREUD, S. (1900) «The Interpretation of Dreams», *Standard Edition*, 4-5 : 1-627.
2. LANGS, R. (1982) *Psychotherapy: A Basic Text*, New York, Jason Aronson.
3. LANGS, R. (in press) «Securing the Frame and Making Interpretations: Danger Situations for Psychotherapists», *International Journal of Psychoanalytic Psychotherapy*.
4. STRACHEY, J. (1934) «The Nature of the Therapeutic Action of Psycho-analysis», *International Journal of Psychoanalysis*, 15 :117-126.

SYNTHÈSE

Rapport de synthèse

Jacques HOCHMANN

Je me suis longtemps demandé comment j'allais procéder. Le matériel était si riche, si dense, qu'il me semblait quasi impossible à synthétiser. Résumer les exposés serait les trahir. D'autre part, des éléments de synthèse avaient déjà été apportés en partie par les participants à l'issue des tables rondes. Et puis, lorsque le Pr SCHNEIDER nous a parlé de l'utilisation des jeux de rôles dans la formation des psychothérapeutes, il m'a donné une idée. À mon tour, je vais me livrer à un jeu de rôle en vous priant d'excuser mes mauvaises qualités d'acteur.

Il m'est apparu que, tout au long de ce Colloque, tout s'était passé comme si la relation entre psychiatrie et psychanalyse baignait dans l'huile, comme s'il allait de soi, pour nous tous, que ces deux pratiques devaient s'épauler, s'enrichir, se féconder mutuellement. J'ai alors eu envie, peut-être pour dynamiser la discussion, de mettre en scène une sorte de procès où s'exprimerait d'abord l'avocat de l'accusation, ensuite l'avocat de la défense. Après tout, ce jeu de rôle n'est peut-être pas un jeu innocent, mais la matérialisation de ma propre déchirure, de notre déchirure à tous. J'espère toutefois, Mesdames et Messieurs les Jurés, que, affermis dans votre indulgence maternelle par tout ce que nous ont appris les spécialistes de la psychiatrie du nourrisson, vous ne prononcerez pas à mon encontre le jugement de Salomon, auquel Jean-Guy LAVOIE faisait allusion, et que vous n'aggraverez pas le clivage psychiatrico-psychanalytique que, comme tout un chacun je pense, je ne manque pas d'éprouver.

Je vais bien sûr, pour les besoins de mon jeu de rôle, caricaturer les oppositions et déformer tout ce qu'ont dit les différents intervenants. Comme c'est un jeu, j'espère qu'ils ne m'en voudront pas.

La parole est donc à l'avocat de l'accusation.

Mesdames et Messieurs les Jurés, vous avez entendu pendant trois jours les témoins, les experts. Je voudrais montrer à partir de leurs propos que non seulement la psychiatrie et la psychanalyse n'ont pas grand-chose à voir ensemble, mais encore que leur rapprochement est dangereux. Dès le premier jour, le Dr ROBERTSON vous en a bien averti : l'utilisation de la psychanalyse comme méthode thérapeutique en psychiatrie ne peut entraîner que des déceptions et, de déception en déception, une attitude d'abandon des malades mentaux. C'est cette idéalisation jointe à l'idéalisation connexe des possibilités de tolérance de la société et des possibilités autoréparatrices des psychotiques qui ont conduit, au moins pour une part, aux déboires de la politique des désinstitutionnalisation dont le Dr TALBOTT nous a si concrètement montré les effets néfastes aux États-Unis.

Nous sommes entrés dans une période de lutte au couteau pour les crédits publics ou privés, dans une période de concurrence où nous serons jugés selon notre efficacité. La psychanalyse — c'est toujours l'avocat de l'accusation qui parle — n'a pas d'efficacité rapide. Ses effets demandent du temps, une élaboration, on nous l'a rappelé bien des fois, une intelligence des processus mentaux, bien peu de chose en vérité si l'objectif social est de normaliser, de réadapter, de faire taire la folie.

Si encore les psychanalystes s'entendaient entre eux ! Vous avez pu voir tout le temps qu'ils prenaient, tous les efforts qu'ils faisaient, pour définir leurs termes, pour se mettre d'accord sur une même sémantique, bref pour communiquer. Le débat entre Otto KERNBERG et Jean BERGERET, arbitré par Wilfrid REID et suscité par une question perfide de Paulette LETARTE a été, à ce point de vue, tout à fait exemplaire. Et ce débat aurait-il eu lieu si nous nous étions référés à quelques bonnes molécules, à une solide explication en termes biologiques ? Non, je vous l'affirme, la psychanalyse va trop lentement, elle fait trop de place à la pensée et la pensée n'a plus de grand rôle à jouer quand il faut se plier au primat de l'économie et de la rentabilité.

Psychiatres, laissez donc les psychanalystes à leur broderie savante, à leur cousu main, développez plutôt vos *nursing homes* et arrosez vos patients de médicaments d'autant — et ici l'avocat de l'accusation se fait plus sérieux — d'autant que l'on peut considérer que, par leur voisinage, psychiatrie et psychanalyse ne se font pas que du bien.

La psychanalyse, je l'ai dit, corrompt la psychiatrie, entraîne les psychiatres à des discussions stériles sur les motivations de leurs patients et les détours de l'action, en particulier vis-à-vis des cas les plus lourds.

La psychiatrie corrompt la psychanalyse en la poussant à évoluer vers une théorie de l'adaptation et en la détournant de ce qui fait son sel, l'étude des processus inconscients.

D'un point de vue épistémologique, par ailleurs, la transposition à la psychiatrie des concepts psychanalytiques et le questionnement de la psychanalyse par l'expérience psychiatrique ne vont pas de soi. L'avocat de l'accusation n'a pas été convaincu par la brillante prestation du doyen Yvon GAUTHIER, non plus que par certaines affirmations de Bertrand CRAMER. Mesdames et Messieurs les Jurés, je voudrais attirer votre attention sur une pièce à conviction. Le Dr CRAMER nous

318

a présenté un très bel enregistrement vidéo. Nous l'avons vu interpréter l'importance qu'avait pour la mère sa séparation d'avec sa propre mère. Sur le même matériel, avec beaucoup de brio, le Dr STERN a construit une interprétation différente où il a insisté sur la question adressée par l'enfant à sa mère : «Où es-tu? Que fais-tu?» Ce qui rappelait la comptine que se répètent les enfants de France et peut-être aussi ceux du Québec : «Loup où es-tu, m'entends-tu, que fais-tu?»

Et que penser, dès lors, d'une observation directe qui amène deux spécialistes éminents à des points de vue aussi divergents. Sinon qu'il n'y a pas d'observation directe pure, que toute observation est déjà une construction. L'opposition entre reconstruction et observation directe proposée par le doyen GAUTHIER s'efface donc. Or, ce que prétend l'avocat de l'accusation, c'est que les conditions mêmes de l'observation directe ne permettent pas de faire des inférences rigoureuses sur ce qui se passe dans la tête des gens, et que toute construction à partir d'une observation directe est une extrapolation abusive de concepts élaborés ailleurs, dans le cadre de la cure psychanalytique, cadre qui, lui, a été construit pour permettre à la réalité intrapsychique de s'exprimer. La psychanalyse ne peut inspirer la psychiatrie, pas plus que, à l'inverse, la psychiatrie (celle du nourrisson en l'occurrence) ne peut modifier la métapsychologie. Quand Bertrand CRAMER nous dit : «La phase autistique n'existe pas, je ne l'ai jamais rencontrée», l'avocat de l'accusation répond : vous confondez les plans, la phase autistique n'existe peut-être pas dans l'observation directe, mais si Margaret MALHER en a besoin comme concept mythologique (je reprends le mot d'Yvon GAUTHIER), si elle a besoin, pour expliquer ce qu'elle observe chez un enfant plus grand, de considérer que tout se passe rétrospectivement comme si, quand l'enfant était tout petit, il avait traversé une phase autistique, eh bien, je vous l'affirme, Mesdames et Messieurs les Jurés, la phase autistique existe, peut-être pas en réalité mais comme concept explicatif d'une étape du développement imaginaire. Je m'appuie ici sur tout ce que Wilfrid REID nous a dit de l'importance de l'imaginaire et de ce qui le distinguait radicalement du réel.

En conclusion, Mesdames et Messieurs les Jurés, je vous demande de considérer qu'il faut laisser les psychanalystes faire de la psychanalyse et les psychiatres faire de la psychiatrie. Non pas parce que les psychanalystes ont peur et se défendent — comme l'ont prétendu deux témoins, les P^{rs} GAUTHIER et SCHNEIDER — mais parce que psychanalyse et psychiatrie s'adressent à deux ordres différents, l'imaginaire et le réel, recouvrent deux pratiques différentes, l'une, l'écoute silencieuse et l'autre, l'action correctrice, et qu'il y a danger, pour l'une comme pour l'autre, à se confondre. Je citerai FREUD lui-même qui disait que la psychanalyse n'était pas comme une paire de lunettes qu'on peut mettre pour lire et enlever pour se promener, et qu'on était tout le temps ou pas du tout psychanalyste.

Ici l'avocat de la défense ne peut plus se contenir, Mesdames et Messieurs les Jurés, il en a trop entendu pour ne pas réagir.

319

Dès le début, Mesdames et Messieurs les Jurés, un témoin, et non des moindres puisqu'il s'agit du ministre des Affaires sociales du Québec, le Dr Camille LAURIN, vous l'a rappelé : «La psychiatrie et la psychanalyse ont un but en commun, faire advenir le sujet», ce que, chez nous, Lucien BONNAFE appelait la pratique désaliéniste. Comme Marcel SASSOLAS le rappelait hier : on peut, face au malade mental, se référer à deux modèles. L'un, le modèle médical, va dans le sens des défenses du malade, dans le sens de la négation d'une réalité psychique insoutenable, dans le sens d'une désappropriation par le malade de ses affects, dans le sens aussi d'une négation de la dimension relationnelle. «On va vous arranger cela», dit le psychiatre fidèle à ce modèle biomédical, «on va faire taire ce qui vous dérange.» Vous connaissez le slogan publicitaire d'un certain salon funéraire : «Mourez, nous ferons le reste.» «Taisez-vous et cessez de penser, nous ferons le reste», dit le psychiatre biologique au malade mental.

Le modèle psychanalytique obéit à une logique radicalement différente qui a bien été explicitée, les premiers jours, par Bernadette TANGUAY, et dont Evelyne KESTEMBERG, sur le vif, a donné une magnifique illustration. Il ne s'agit pas, dans cette pratique selon le modèle psychanalytique, de corriger mais de comprendre en sollicitant l'activité du sujet. Il ne s'agit pas d'imposer ou d'opposer au malade un modèle de normalité mais de l'aider, par différents procédés qui vont, lorsque cette pratique est possible et qu'on dispose d'un personnel formé — selon toutes les procédures que le Pr SCHNEIDER et le Dr GERVAIS ont bien montrées — qui vont, donc, de la cure psychothérapique au travail institutionnel, en passant par les psychothérapies de soutien.

Je voudrais m'arrêter ici sur ce thème que personnellement je n'emploie pas beaucoup, bien qu'il soit excellent, parce qu'il a pris dans nos milieux une connotation péjorative. Et je voudrais, Mesdames et Messieurs les Jurés, insister pour le réhabiliter. Pour ma part, je parle plutôt du «soin». On croit souvent que c'est là une activité bête, sans référence théorique, sans solidité, naïve, et qu'il suffit pour s'y consacrer de bonne volonté. Dans le passionnant historique qu'il nous a fait de l'évolution de Chesnut Lodge, le Dr BULLARD a fait une place à cette phase initiale qu'à Villeurbanne nous avions appelée, entre nous, la psychiatrie de la bonté, et qui repose sur l'illusion qu'il suffit d'être dévoué, empathique, peu intrusif et tolérant pour soigner les schizophrènes. Nous savons maintenant que c'est infiniment plus compliqué. D'une part parce que la bonté n'est pas très efficace, d'autre part parce que cette attitude ne tient pas compte des mouvements terrifiants de haine, de destruction, de violence qui traversent nos patients et sur lesquels, chacun à leur manière, dans leur langage, Christophe DEJOURS, Otto KERNBERG et Jean BERGERET ont insisté ; enfin, parce que très vite cette attitude s'épuise.

Wilfrid REID et son concept de transfert limite (dont je me demande, en passant, s'il ne s'agit pas d'une limite du transfert au-delà de laquelle se fait la bascule dans la fusion psychotique, et dont je pense qu'il suscite très vite à son tour un contre-transfert limite où c'est le patient imaginaire, celui du thérapeute, qui vient recouvrir le patient réel), Christophe DEJOURS quand il nous parle de la minéralisation du thérapeute, Evelyne KESTEMBERG lorsqu'elle évoque la fétichisation du processus thérapeutique, Marcel SASSOLAS et Jean-Guy LAVOIE chacun à leur manière, me semblent évoquer une situation où la force néantisante de la psychose vient à bout des capacités créatrices des thérapeutes.

Il faut donc pouvoir revivifier la situation, remettre en route les forces d'Eros piégées par Thanatos, ce qui m'amène à repenser à l'introduction de Camille LAURIN. C'est là que la psychanalyse intervient, comme donneuse de sens, de vie et aussi de plaisir de fonctionner pour les thérapeutes. Car il y a un plaisir à utiliser ce merveilleux outil intellectuel que FREUD nous a légué, à jouer avec comme Arthur AMYOT nous y a invités dans son introduction. Or le malade, sur ce point et sur ce point seulement — je serais tout à fait en accord avec le Dr LANGS — sent très bien nos défaillances, notre dépression, notre ennui, notre folie. Mais il sent aussi notre plaisir, et si nous sommes capables de trouver du plaisir à fonctionner mentalement en face de lui, avec lui et à propos de lui, le malade le sent et en profite. Que l'on songe à ce qu'aurait été la relation de Christophe DEJOURS avec M. Voiture ou M. Cheval, celle de Marcel SASSOLAS avec Michel, Annie ou Édouard, celle de Jean-Guy LAVOIE avec Mario, si les uns et les autres n'avaient pu se référer à une théorie du fonctionnement mental qui les aide à comprendre et qu'ils trouvent plaisir à utiliser.

Il y a, je l'accorde volontiers à l'avocat de l'accusation, un certain péril à transposer les concepts psychanalytiques en les appliquant à ces situations bien différentes de la cure que nous rencontrons dans l'exercice psychiatrique. Et c'est pourtant la seule solution si nous voulons éviter d'être mortifiés par le processus psychotique, si nous voulons rester en vie psychique vis-à-vis de nos malades, pour les aider à revivifier leur propre psyché.

À mon avis, si la psychanalyse est (presque) une science, la psychiatrie est sa science-fiction, et les romans de science-fiction soignent infiniment plus de gens que nos drogues ou nos hôpitaux. Ce que le psychanalyste offre au psychiatre, c'est une matrice mythologique (s'il y a eu plusieurs récits mythiques et plusieurs références poétiques dans ce Colloque, ce n'est pas par hasard) qui nous permet de construire des contes à l'aide desquels nous pouvons donner un sens à ce que font, à ce que disent et à ce qu'éprouvent nos patients, jusqu'à ce qu'à leur tour ils retrouvent leur propre fonction poétique et se remettent — comme on en a eu des exemples — à rêver leur histoire, à la reconstruire et à s'y loger en s'y reconnaissant. Je pense ainsi à Édouard regardant les films de sa vie.

Si vous le voulez bien, Mesdames et Messieurs les Jurés, revenons au document vidéo sur lequel l'avocat de l'accusation s'est acharné tout à l'heure. Eh bien non ! rien ne nous dit que l'interprétation de Bertrand CRAMER est exacte, rien ne nous prouve que le Dr STERN a davantage raison, mais tous deux, chacun avec sa sensibilité et sa formation, offrent à la mère un contenant théorique possible de ses angoisses, une manière de mettre en mots et en histoire l'éprouvé de sa relation avec son enfant. Voilà pour moi l'apport fondamental de la psychanalyse à la psychiatrie.

Il y a d'autres exemples. Evelyne KESTEMBERG, le Dr BULLARD, le Dr KERNBERG et Jean BERGERET nous ont montré à quel point la psychanalyse pouvait féconder une démarche qu'on s'attendrait à trouver spécifiquement psychiatrique : je veux parler de la démarche diagnostique. Ils ont montré comment les conceptions psychanalytiques mobilisaient nos classifications, les rendant d'une part très utilisables sur le plan pratique, en particulier pour poser des indications de psychothérapie et / ou d'hospitalisation psychiatrique, et d'autre part beaucoup moins réifiantes que la nosographie classique. Je fais référence aux schizophrénies I, II et III de BULLARD, à la manière dont Otto KERNBERG a repensé la perversion comme un concept carrefour, à la non-organisation des états limites de BERGERET entre l'organisation psychotique et l'organisation névrotique. À ce propos, le non-système américain de gestion de la psychiatrie serait-il une organisation sociale limite ?

Jean IMBEAULT, réhabilitant un concept freudien un peu tombé en désuétude, celui de névrose actuelle, a pu reprendre très finement le problème de la complaisance somatique. Ce travail nous ramène à ce qui se passe lorsque le malade se défend contre des représentations angoissantes au point non plus de les refouler mais de les forclore, de les exclure de son appareil psychique. Il est alors nécessaire de proposer aux patients des situations de soins individuelles ou de groupe où les soignants peuvent prêter leur propre appareil représentatif pour élaborer l'irreprésentable.

Il m'a semblé en écoutant Christophe DEJOURS et Jean IMBEAULT que, devant certaines représentations impossibles à assumer et même impossibles à refouler, trois voies s'ouvraient : celle du passage à l'acte psychopathique, celle de la somatisation et celle de l'explosion délirante, trois voies auxquelles ne peut se confronter qu'un corps soignant dans la matérialité de ses agis significatifs, abritant un esprit psychanalytique sinon toujours psychanalysé.

C'est ici le lieu d'introduire une idée qui m'est chère et que j'ai eu l'occasion jadis de développer devant certains d'entre vous : il s'agit de la notion de dimension symbolique du soin. À mon avis, le soin est un acte : ce qu'on fait vaut mieux que ce qu'on dit. Le psychotique n'a que faire de notre «baratin» (pour parler comme Édouard), il nous juge sur notre réalité. Mais le soin est un acte symbolique. Ce qu'on ne fait pas vaut mieux que ce qu'on fait. Dans tout programme thérapeutique, il est indispensable à mon sens de laisser subsister des lacunes, des manques. Si, comme l'a dit le Pr SCHNEIDER, le psychotique s'inscrit dans le registre du besoin, ce n'est pas lui rendre service que de répondre totalement à ses besoins. En y répondant seulement en partie nous l'engageons à mettre en route sa capacité de fantasmer. On peut ici faire une comparaison avec ce qui se passe dans la cure psychanalytique. Une «bonne» interprétation est une interprétation qui esquisse une direction et suscite les mouvements associatifs du patient. Nous avons appris à nous défier — du moins dans le courant analytique orthodoxe — de l'interprétation totalitaire qui prétendrait donner de l'extérieur au patient la «solution» de son énigme. De même, le soin, hormis dans ses déviations, ne saurait réparer les effets d'un traumatisme ancien, réel ou supposé. Il ne saurait combler la tragique béance que le malade nous donne à voir — peut-être pour nous séduire dans une activité symbiotique — où nous nous abîmerions avec lui. Woodbury parlait, pour les condamner, de ces duos fusionnels qui pervertissent le fonctionnement des institutions psychiatriques. Comme l'interprétation en analyse, le soin en psychiatrie est toujours parcellaire et vise à attiser les tendances profondes du patient à l'autoreconstruction. Enfin, le soin est un acte parlé, le préalable à une mise en mots qui en fait une situation significative.

Ce que j'esquisse là de manière forcément très schématique, c'est une théorie psychanalytique de l'action psychiatrique qui permettrait d'assumer sinon de résoudre un certain nombre de nos paradoxes.

Premier paradoxe : respecter le symptôme comme un message ayant une valeur communicative et comme une organisation défensive, et en même temps ne pas être complice de ce symptôme.

Deuxième paradoxe : reconnaître le besoin de dépendance (le Dr Bullard y a bien insisté) et en même temps aider à la quête d'autonomie.

Troisième paradoxe : s'engager matériellement au niveau où se trouve le psychotique, être de besoin, et en même temps ne pas s'enfermer dans une réponse à ses besoins.

J'en reviens maintenant à l'argument économique utilisé par mon honoré collègue de l'accusation. Les hôpitaux psychiatriques que nous avons connus sont des gouffres financiers et, ce qui est plus grave, connaissent des gaspillages effrayants d'énergie humaine, d'intelligence, de sensibilité et de bonne volonté. Il y a là une hémorragie quotidienne qui ne peut nous laisser indifférents. On m'objectera, et on répète souvent, que la psychiatrie communautaire a fait faillite et n'a pas tenu ses promesses. Mais c'est qu'elle n'a pratiquement jamais été appliquée vraiment. On a confondu, en effet, d'une part la multiplication des lieux de soins diversifiés capables de répondre de manière différenciée aux besoins des patients, aux différentes étapes de leur carrière, et d'autre part un programme massif incoordonné et incohérent de vidange des hôpitaux psychiatriques. Je m'étonne, d'ailleurs, qu'avec leur pragmatisme bien connu, les États-Unis se soient engagés dans une politique aussi peu pragmatique.

Ce dont nous avons besoin, ce ne sont pas de gigantesques programmes qui voudraient imposer partout le même modèle et les mêmes objectifs. Ce dont nous avons besoin, ce sont de petites expériences multiples, différenciées, où des soignants motivés pourront engager toute leur créativité et recevront les soutiens financiers nécessaires sans devoir pour autant se plier à un modèle unique et contraignant, de petites expériences où on aura le temps de penser, d'élaborer ce que les patients nous font vivre avec eux. C'est ce que j'appelle «l'institution mentale».

Sans doute nous faudra-t-il comparer, évaluer ces expériences, mais il nous faudra aussi définir ce que nous voulons. Souhaitons-nous imposer une sorte de tolérance obligatoire et de gestion plus ou moins charitable des masses de malades mentaux errant dans les rues, ce qui ressemble beaucoup à l'abandon et au désintérêt ? Au contraire, voulons-nous un programme de soins largement décentralisé où, dans de petites unités à taille humaine, des soignants respectueux de la différence pourront aider les psychotiques à retrouver un certain degré d'identité et de plaisir dans leur fonctionnement mental, à travers des séries de situations où seront mises en jeu des expériences significatives ?

Si vous me suivez, Mesdames et Messieurs les Jurés, pour considérer que ce dernier objectif est valable, vous reconnaîtrez avec moi que la psychiatrie et la psychanalyse ont un grand chemin à faire ensemble, et que leur rapport réciproque est de se poser mutuellement des questions : question de la psychanalyse à la psychiatrie sur ce qui se passe avec le patient dans les différentes situations où il s'agit de repérer la valeur symbolique, question de la psychiatrie à la psychanalyse qui ne peut faire l'économie, dans sa théorie et dans sa pratique, de l'existence de la psychose.

Et puisque mon distingué collègue de l'accusation a cité FREUD, permettez-moi à mon tour d'user d'une citation freudienne. Arthur AMYOT a déjà parlé, dans son introduction, de la métaphore de l'or et du cuivre, mais il y a d'autres passages tout aussi explicites dans l'oeuvre freudienne. Les rapports de la psychanalyse et de la psychiatrie sont par exemple désignés comme ceux de l'histologie et ceux de l'anatomie, et on sait — en particulier aujourd'hui dans l'évolution récente de l'anatomie du système nerveux central — à quel point elles ont besoin l'une de l'autre.

*

* *

Je vais maintenant terminer mon jeu de rôle pour dire à quel point j'ai pris personnellement plaisir et intérêt à ce Colloque où j'ai beaucoup appris. Dans le titre, psychiatrie - psychanalyse étaient jointes par un trait d'union. Mais il y avait un autre trait d'union, celui que nos collègues québécois ont su réaliser entre Européens et Nord-Américains, qui souvent se comprennent mal et ne s'entendent pas. Je garderai de ce Colloque une très belle image : c'est encore une fois celle de Jean BERGERET et d'Otto KERNBERG réunis par Wilfrid REID et discutant ensemble. Il y a là une illustration de ce que fut tout ce Colloque, un trait d'union réussi. Si maintenant la politesse vous oblige à m'applaudir, j'aimerais que ces applaudissements aillent surtout à tous ceux — et je pense en particulier à Arthur AMYOT, à Wilfrid REID et à Jean LEBLANC — qui ont rendu cette rencontre possible et aussi fructueuse.

SUMMARY

PSYCHIATRY - PSYCHOANALYSIS, RECIPROCAL ENLIGHTENMENT SYMPOSIUM SUMMARY

The whole of the papers presented at the Symposium may have left the impression of an agreement between psychiatry and psychoanalysis. A closer view nevertheless reveals a certain tension between those two disciplines, that share points of contact and divergence. A survey is presented of what could be seen as gains resulting from proximity between those two sciences, and what could be considered pernicious in such a closeness.

The enlightenment brought about by psychoanalysis on psychiatric activity places into focus some paradoxes inherent to that field, and permits to theorize about psychiatric care, especially on the aspect of "defect of care" ; in every therapeutic program, it is essential that there subsist gaps, defects, which serve to modelize inner patient's tendencies to self-reconstruction.

Smaller scale structures of care are to be strongly prefered to complex, impersonal networks of treatment units.

Index des auteurs cités

327

Index des termes français

74

Index des termes anglais

A

acting out, 130
activity(ies)
    normal primitive polymorphous
        perverse ..., 111
    polymorphous perverse ..., 112
affect attunement, 201
affective homosexual moment, 67
aggression, 99-113
aggressivization, **100**, 105
antisocial
    activities, 104
    behavior, 104
    features, 104, 111
    personality proper, 104
anxieties, 309
approaches, observational ..., **197**
attachment, 201
attunement, **170**
"autistic-like" infant, 199
autonomy and independence, 200

B

behavior, gazing ..., 200
blind spot, **295**
borderline, 55, 56
    cases, 111
    organization, 96
    patient, 96, 111
        personality organization, 99-113
    state, 67, 96

C

CHMC, 253, 257, 262
chronic patient, 41
clinical infant, **197**
communications, derivative ..., 308
communicative
    approach, 306
        to psychoanalytic psychotherapy, **305**
    principles, 311
    psychotherapy, 311
community
    care system, 262
    mental health centers, 252
components, polymorphous perverse ...,
    113

condensation of the real analyst and the
    imaginary one, 96
conflict(s), 42
    œdipal, 101, 102, 111
    preœdipal, 100, 102, 110, 111
countertransference(s), 307, 310
    feelings, **39**
cross-modal equivalences, 202

D

danger of the loss of object, 67
deinstitutionalization, 253, **255**, 256
denial, 308
dependency needs, **37**
depression(s)
    limite, therapy for the ..., 67
    neurotic ..., 67
    psychotic ..., 67
derivative communications, 308
developmental perspective, **44**
deviant frame, 308
displacement, 306
dumb spot, **295**

E

ego deficiency in schizophrenia, 43
encoded perceptions, 306, 307
equivalences, cross-modal ..., 202

F

fantasmatization, 96
fantasy(ies), 96
    polymorphous perverse ..., 108, 110
farm of St. Anne, 251
feelings, 38, 39
    countertransference ..., 39
fetishism, 101, 109
frame
    deviant ..., 308
    deviations, 310
    secure ..., 308, 309

G

gazing behavior, 200
ghosts in the nursery, 172
group therapy, 37

H

helplessness, 157, 161
holding, 171
homosexual cross-dressing, 101
homosexuality, 101, 110, 111
hospital
    setting, 34
    staff, 36, **45**
    treatment program, 31, **45**

I

idealization, 40, 46
illness, phase of the ..., 46
imaginary, 96
    expression, 96
infant
    "autistic-like" ..., 199
    clinical ..., **197**
    observed ..., **197**
insight, 308
instinctive inductions, 67
interaction, patient staff ..., **37**
interpretation(s), 36, 308
    correct ..., 309
intersubjectivity, **202**
interventions
    sanity ..., 311
    valid ..., 310

L

loss, 39, 40
love, **103, 104**, 106, 107, 111-113
    life, 103, 110, 113
    normal ..., **102**
    relations, 102, 103

M

madness, 306, **308**-311
male transsexualism, 101
malignant narcissism, 104-112
material
    derivative ..., 311
    non derivative ..., **309**
medication, 47

N

narcissism
    malignant ..., 104-112
    pathological ..., 113
narcissistic
    character pathology, 100
        structure, 104
    personality, 104, 107, 111
needs, 47

neurotic
    organization, **109**, 111
    personality organization, 109-112
non-derivative material, **309**
non-meaning, **309**
non-system of care, 260, 264, 266
non-validation, 306
normality, 111, 113

O

object relations, 102-104, 107-112
    part ..., 103
    total ..., 103
observational approaches, **197**
observed infant, 197
oedipal
    complex, 111
    conflicts, **100**-102, 111
    imaginary, 67
    object relations, 103
    stage, 113
oedipalization, 100
Oedipus complex, **109**
organization
    neurotic ..., **109**-112
    perverse ..., 106

P

part of a real object, 96
patient
    chronic ..., 41
    staff interaction, **37**
perceptions, encoded ..., 306, 307
personality, narcissistic ..., 110
perspective, developmental ..., **44**
perverse organization, 106
perversion(s), 99-113
    "ordinary" ..., 108
perversity, 113
phase
    of the illness, 46
    symbiotic-like ..., 199
polymorphous perverse
    activities, 112
    components, 113
    fantasies, 108, 110
    infantile sexual trends, 111
    sexual activities, 107
    sexual strivings, 110
    sexuality, 107, 111, **113**
    tendencies, 102, 104, 110
precursors
    superego ..., 111

NOTES